ЗАКЛЯТЫЕ МИРЫ

МАРИЯ СЕМЕНОВА

ПОЕДИНОК СО ЗМЕЕМ

издательство
Москва
2003

Издательство «Азбука»
САНКТ-ПЕТЕРБУРГ

УДК 821.161.1-312.9
ББК 84 (2Рос=Рус)-44
        С30

Серия основана в 1997 году

Иллюстрация на обложке С. Бордюга

Серийное оформление А. Кудрявцева

Подписано в печать 25.09.03. Формат 84×108 $^1/_{32}$.
Усл. печ. л. 21,00. Тираж 4 000 экз. Заказ № 1651

Семёнова М.

С30   Поединок со Змеем: Мифологический роман / М. Семёнова. — М.: ООО «Издательство АСТ»; СПб.: «Азбука»,
2003. — 398, [2] с.

    ISBN 5-17-021647-5 (ООО «Издательство АСТ»)
    ISBN 5-7684-0663-8 («Азбука»)

Боги, Высокие Асы, сходили на земли не боящихся смерти викингов, сынов одноглазого Одина и могучего Тора. Сходили, дабы помочь героям в их великих свершениях. Сходили — и враждовали и бились меж собою. Сходили — и любили смертных красавиц, и рождались тогда воители, равных коим не было под небом Мидгарда, Срединного мира... Грозные боги славянские сходили на земли русичей. Сходили — и гремели тогда Перуновы грозы, и крались коварно во тьме Морана и Чернобог, и приходил в людские селенья ясный Ярила. И ковал великий Кузнец Кий в своей кузне оружие, не простое — волшебное, дабы с ним выйти на бой не на жизнь, а на смерть, — на последний поединок со Змеем...

УДК 821.161.1-312.9
ББК 84 (2Рос=Рус)-44

Девять миров

(Скандинавские мифы)

...Пусть вникают в эту книгу, дабы набраться мудрости и позабавиться. Нельзя забывать этих сказаний или называть их ложью.

СНОРРИ СТУРЛУСОН, «Язык поэзии»

Два брата и Скрывший Лицо

сеннее море с грохотом сотрясало гранитные скалы. Ветер подхватывал брызги и нёс в глубь страны, над ущелиями фиордов, над каменными перевалами, мимо снеговых шапок вершин. И даже орлы, гнездившиеся на неприступных утёсах, с трудом могли разглядеть далеко в море маленькую рыбацкую лодку.

Шторм давно сломал мачту, сорвал парус и утащил куда-то в низкие тучи. Двое мореходов сперва пытались грести, но тяжёлые волны выхватывали вёсла из рук, да и силы кончились быстро — ведь старшему из гребцов едва минуло десять зим, а младшему и того менее — восемь. Это были Агнар и Гейррёд, сыновья Храудунга, одного из самых знаменитых вождей Северных Стран. Буря уносила их лодку от родного берега прочь. Братья едва успевали вычерпывать холодную воду, хлеставшую через борта.

— Держись, Гейррёд! — крикнул старший брат младшему. — Мы же викинги! Дымные очаги и тёплые постели — это не для мужчин!

Текст публикуется с сохранением авторской пунктуации.

Агнар был доброго и весёлого нрава: все ждали, что он сделается хорошим вождём, справедливым и щедрым. Отцовские воины охотно пойдут за ним, когда он подрастёт.

Гейррёд отвечал:

— Пусть другие плачут или просят пощады.

Судьба младшего сына — всё в жизни добывать самому, и богатство, и славу, и преданную дружину. Что ж, Гейррёд обещал стать замечательным воином. Кровавое Копьё — вот что значило его имя.

Двое промокших мальчишек упрямо сражались с волнами, чувствуя, как понемногу стынет кровь в жилах, как ледяной ветер высасывает последние силы... Они были сыновьями вождя. Они хотели стать викингами. Они не привыкли сдаваться.

Наконец, уже в ночной тьме, впереди заревел прибой, ощерились белые буруны. Братья отчаянно вцепились в обледенелые борта, предчувствуя гибель. Но вот диво: откуда-то из темноты вдруг громко закаркали два ворона, и вздыбившаяся волна подхватила лодку, пронесла над оскаленными клыками камней и вышвырнула на незнакомую сушу. Обоим показалось, что это была не простая волна. Поспешно выскочили сыновья Храудунга на скрипучий песок и — новое диво — тотчас встретили старика.

Был у него синий плащ, гулко хлопавший на стылом ветру, и широкополая шляпа, низко надвинутая на единственный глаз. Он привёл неудачливых рыбаков к себе в дом и велел старухе раздуть пожарче огонь, чтобы обсушить и согреть нежданных гостей. А поскольку осенние шторма длятся подолгу, до самого снега, делать нечего — остались они в том доме зимовать.

Многому научили братьев старик со старухой. И так вышло, что Агнар привязался больше к хозяйке, а Гейррёд — к хозяину. Когда же наступила весна, старик дал детям вождя хорошую новую лодку, и, как по волшебству, немедля задул попутный ветер. Стали прощаться. Старик отозвал Гейррёда в сторону:

— Ты понравился мне. Знай же, что ты был гостем Одина, Отца Богов и Людей. Знай ещё: я помогу тебе стать знаменитым вождём, таким же, как твой отец.

Быстро принёс ветер лодку к родному берегу. Вот показались впереди горы, замаячили в морском тумане знакомые утёсы возле устья фиорда. Гейррёд первым выскочил на отцовскую пристань, на просмолённые дубовые брёвна... и вдруг оттолкнул лодку с братом прочь, крикнув:

— Плыви теперь туда, откуда не возвращаются!

Вот так понял он милость Одина и обещание сделать его вождём. Агнара унесло течением обратно в море, потому что в лодке не было вёсел, и никто не заметил его в тумане и не явился на помощь. А вероломный брат как ни в чём не бывало зашагал ко двору Храудунга.

Люди узнали Гейррёда и приняли его с радостью. Оказывается, его отец умер зимой, и вот Гейррёда посадили на почётное место в доме и назвали вождём.

— Он сын хорошего отца, — промолвили старые, покрытые шрамами воины и по обычаю ударили мечами в щиты. — Старший брат не вернулся, но и в младшем добрая кровь!

Возмужал Гейррёд и сделался прославленным викингом: говорят, была ему удача во всём. Но, знать, грызла всё-таки его совесть — женившись, назвал сына Агнаром, по брату. Так прошло много зим...

И вот однажды воины привели к Гейррёду незнакомца, схваченного у ограды двора.

— Колдун забрёл в твои земли, вождь, — сказали они. — Ни один пёс на него не лает, даже самый свирепый!

У гостя была длинная седая борода, синий плащ на плечах и широкополая войлочная шляпа, низко надвинутая на единственный глаз. Не узнал Гейррёд своего воспитателя, слишком много времени миновало.

— Свяжите-ка ему руки, чтобы не мог колдовать, — приказал он воинам и обратился к седобородому: — А ну отвечай, кто ты таков? И кто тебя подослал?

У Гейррёда было немало врагов, а в те времена враждующие вожди часто подсылали один к другому злых колдунов — навести порчу, отнять удачу, погубить урожай.

— У меня много имён, — ответствовал незнакомец. — Иногда меня называют Гримниром — Скрывшим Лицо...

Голос его показался Гейррёду смутно знакомым. Но пленник замолк и ничего больше не захотел говорить.

10

— Посадите его на пол меж двух очагов, — велел тогда Гейррёд. — И пусть там сидит, пока не изжарится или не станет разговорчивее!

Так и было сделано с Гримниром: восемь ночей сидел он между огнями. Одежда на нём прогорела до дыр и волосы скрутило жаром, а нутро ссохлось от жажды. Иные не верят, что Отец Богов мог быть схвачен смертными и не сумел уйти из пут с помощью волшебных заклятий; должно быть, ни разу не пробовали эти Люди творить заклинания со связанными руками, да ещё когда нет вблизи ни капли воды...

А Гейррёд смотрел на его муки, потягивая вкусное пиво.

Но на девятый вечер вернулся сын вождя Агнар, ходивший с воинами в море. Было ему тогда десять зим, почти столько же, сколько его отцу когда-то, когда пришла для него пора испытания. Увидел Агнар связанного, измученного старика, услышал, что произошло в доме, — и тотчас подбежал к Гримниру с полным рогом питья:

— Плохо поступает отец, пытая безвинного человека!

И затоптал огонь, подобравшийся к гостю так близко, что уже тлел его плащ. Вот когда только разомкнул уста Гримнир и стал говорить, и никто не мог двинуться с места, пока звучал голос Одина, Отца Богов и Людей. Он сказал:

— Счастлив ты будешь, Агнар, племянник Агнара и сын Гейррёда, потому что Бог Воинов желает тебе добра. Скоро ты станешь вождём и повелителем могучей дружины. Никто ещё не получал за глоток воды подобной награды...

И долго ещё говорил Отец Богов, потому что вернулась к нему божественная сила, и огонь не смел больше приблизиться. Поведал он Агнару об Асгарде — славной небесной стране, о чертогах Богов и о блещущей золотом Вальхалле, обители героев, не осквернённых пороком. Рассказал о валькириях, о Мировом Древе и о волке по кличке Обман, бегущем за Солнцем. Открыл сыну конунга прошлое девяти древних миров и будущее Богов и Людей. И наконец вновь повернулся к конунгу и назвал своё имя:

— Не в меру ты, Гейррёд, пьёшь на пирах, помутился твой разум. Много у меня имён, но Одином зовут меня Люди.

Тогда только упала с глаз Гейррёда мутная пелена, понял он, кого предал на муку. В ужасе вскочил вождь с хозяйского места, думая оградить Одина от огня... но соскользнул наземь меч, что он держал на коленях, упал вниз рукоятью — споткнулся хмельной Гейррёд и рухнул грудью на остриё. Один же произнёс ещё одно заклинание и исчез, а Агнара вскоре избрали вождём, и говорят, что он правил долго и славно — ибо наградил его Всеотец не только удачей и властью, как Гейррёда, но и высшей мудростью, заповедными знаниями обо всех девяти мирах. Говорят также, что у Агнара были дочери и сыновья, и он многое им рассказал, чтобы сохранить драгоценную мудрость. Ибо память живёт дольше смертных Людей, дольше стального оружия, дольше золота и серебра, зарытого в Землю...

Рождение Вселенной

Что было в самом начале времён, не знают ни Люди, ни Боги. Тогда ведь ещё не родился никто, способный запомнить. Быть может, дети Муспелля могли бы поведать кое о чём, ведь их мир, как говорят, появился раньше других — но не много найдётся охотников беседовать со свирепыми Сынами Огня. В их стране всё горит, всё охвачено пламенем. Нет туда доступа никому, кто там не рождён и не ведёт оттуда свой род. Да ещё сидит на краю Муспелля Великан Сурт, дочерна обуглившийся от жара, и огненным мечом грозит всякому, кто пожелает войти... Злая страна!

Сказывают, в начале времён не было ночи и дня, Солнца, звёзд и Луны; не было холодного моря и заснеженных гор, зелёных лугов и прозрачных рек, звенящих по перекатам. Одна только Мировая Бездна Гинунгагап. И если на крайнем юге её негасимо горело страшное пламя, то на севере, на самом дне, царил мрак и вечный мороз. Эта страна называлась Нифльхейм — Тёмный Мир. Только один источник не поддавался морозу — родник

Кипящий Котёл. Но мало доброго может родиться во тьме, и вода источника была ядовитой. Злые реки текли из Кипящего Котла по всей Бездне: Свёль — Холодная, Сюльг — Глотающая, Ульг — Волчица и ещё другие, не лучше. Когда они отдалились от родника, широко разлились и начали замерзать, яд выступил наружу росой и его прихватило морозом. Сделался иней и стал слой за слоем заполнять бездну Гинунгагап.

Так летели века: снизу, из Нифльхейма, шёл холод и угрожала свирепая непогода, но чем ближе к Муспелльсхейму, тем больше делалось тепла и света. Иней встречался с теплом, таял и стекал каплями вниз. И наконец эти капли ожили, и возникло самое первое существо — Великан Имир. Он ворочался в Мировой Бездне, не зная, куда себя деть, не ведая, зачем живёт. У него не было жены, сын с дочерью возникли из капель его пота, когда он вспотел однажды во сне. От них пошло исполинское племя — Хримтурсы, инеистые Великаны. Первые Великаны родились злыми и глупыми: это оттого, что капли талой воды, давшие жизнь роду Имира, были напоены ядом. Говорят, до сих пор есть у них потомки на свете. Иногда поэты зовут их «хладнорёбрыми» — это оттого, что нет в них настоящей живой жизни, есть только желание рушить и убивать... Но есть и такие, кому в кровь попало меньше яда, или яд рассеялся с течением поколений, а может, иным Великанам попросту надоела злоба и глупость — некоторые стали добрыми и гостеприимными, и с ними дружат Боги и Люди.

Когда появился Имир, с ним вместе возникла корова Аудумла; и, верно, неплохо доилась эта корова, если достало её молока на прокорм Великану. Аудумле негде было пастись. Она лизала солёные камни и к исходу третьего дня вылизала из них новое существо, тоже во всём подобное человеку, хоть и не такое большое, как Имир. И вовсе не злобное.

От него пошло славное племя Асов, вот почему его называют Бури, то есть Родитель. Говорят, он был хорош собою, высок и могуч. Он назвал своего сына Бор — Рождённый. Бор взял в жёны дочь доброго Великана, и родились у них дети — Один, Вили и Ве. Минуло время, и эти трое совершили такие славные подвиги, что их назвали Богами и стали им поклоняться. Говорят, младший, Ве, был самым первым жрецом, а старший, Один, подарил Людям божественное вдохновение, поэзию и бешенство битвы. Но об этом потом.

Немало пришлось потрудиться сынам Бора, братьям-Богам: сразились они против злобного Имира, и говорят, будто множество Великанов утонуло в его крови, когда он наконец пал. Братья кинули тело Имира в самую глубину Мировой Бездны и сделали из неё Землю, а из крови — озёра, реки, моря. Кости Имира стали горами, из осколков костей и зубов вышли скалы и валуны — недаром они до сих пор торчат из воды, норовя пропороть днище доверчивому кораблю... Из черепа Имира Боги построили небосвод, а мозг бросили в воздух и сделали облака — вот почему так коварны тёмные тучи, грозящие то метелью, то градом. Потом Боги взяли сверкающие искры, что летали кругом, вырвавшись из пламени Муспелля, и прикрепили их к Небу. Так получились неподвижные звёзды. Другим искрам Боги позволили летать в поднебесье, но каждой назначили место и уготовили путь.

Между тем в мёртвом теле Имира завелись черви; Боги наделили их разумом и дали обличье, схожее с человеческим, и от них пошёл род Карликов — Двергов. Они до сих пор живут под землёй и внутри скал и боятся солнечного света, потому что он превращает их в камни. Карлики невелики ростом, но очень сильны. Так сильны, что четверым из них Боги доверили поддерживать Небо там, где оно всего ближе к Земле. Эти Карлики стоят по четырём углам света, их так и зовут: Аустри, Нордри, Вестри и Судри — Восточный, Северный, Западный, Южный.

Земля получилась округлая, а кругом неё глубокий Океан. Что там за ним? Древняя бездна Гинунгагап, куда обрываются море и суша и где по-прежнему нет жизни и света, лишь звёздные искры Муспелля да вековой холод Тёмного Мира? Или, может быть, там другие Вселенные, устроенные другими Богами? И кажется Людям, что беспределен тот Океан и нельзя его переплыть...

Девять миров

Славную работу исполнили Боги: из волос Имира возникли деревья и травы, и зазеленела Земля, начали заселять её звери и птицы, в воде завелись рыбы, по сырым местам — змеи да ящерицы. И вот однажды шли сыновья Бора — Один, Вили и Ве — берегом моря и увидали два дерева: могучий ясень и рядом гибкую иву.

— Слышите, братья, как шумят они на ветру? — сказал задумчиво Один. — По-моему, этим двоим скучно стоять здесь среди камней. Вот бы им ещё румянец жизни, дыхание да судьбу!

— Если бы они могли ходить и разговаривать, как мы, — сказал Вили. — Поглядеть бы, что из этого выйдет!

— Мы станем сильней, если нам начнут поклоняться, — сказал Ве, первый жрец.

Поразмыслили Боги, а потом взяли деревья и вырезали из них Людей. Один, старший из братьев, дал им душу и жизнь, Вили — разум и движение, а Ве наделил пригожим обликом, речью, слухом и зрением. И дали мужчине имя Аск, то есть Ясень, а женщине имя Эмбла, что значило Ива. Вместе с именами Боги подарили Людям одежду — вот откуда пошёл обычай дарить что-нибудь, нарекая имя или прозвание.

Тогда, говорят, юные Боги взяли веки Имира и огородили ими середину Земли, потому что по берегу Океана и в неприступных горах позволено было жить Великанам, и следовало Людей от них защитить. Так был огорожен Срединный Мир, Мир Людей, и оттого зовётся он Мидгард — «то, что огорожено». А Великанов называли Турсами, Хримтурсами или Иотунами, и поэтому их мир зовётся Иотунхейм, а иногда ещё Утгард — «то, что за оградой». Там чужая, враждебная Людям земля, никогда не знавшая семени и сохи. Там бродят людоеды-Тролли и страшные, покрытые инеем Великаны — кто в шкуре волка, кто в чешуе змея, кто в оперении орла...

Себе Боги отвели место на Небе и назвали свой мир Асгард — Крепость Асов, потому что Асами звалось племя первых Богов. Другие Боги, племени Ванов, стали жить в мире Ванахейм. Карлики-Дверги, обитатели подземелий, взяли себе Нифльхейм — им с их огнедышащими кузнечными горнами никакой мороз нипочём. Карлики неплохо обжились в Мглистом Краю, начали рыть подземные ходы в Мидгард и появляются, говорят, порою даже в Асгарде.

Когда родились существа, прозванные светлыми и тёмными Альвами, те и другие тоже получили свои миры. А когда в жизнь вошло зло и начали умирать Люди и Боги — появился Мир Мёртвых, угрюмый мир Хель... Но об этом потом, а вначале все жили в покое и тишине, и Асы веселились на зелёном лугу, играя золотыми фигурками на доске. Говорят, все вещи и утварь в ту пору у них были из золота, и оттого этот век иногда зовут Золотым.

В те времена Солнце, слепленное Асами из искр Муспелля, стояло неподвижно на Небе, и с ним стояла Луна. Но потом родилась дочь у одного Великана — сумрачная и темноволосая, и он назвал её Ночь. А вот её сын удался весёлым и светлолицым, потому что муж Ночи был из Богов. Один дал матери и сыну двух коней и две колесницы и послал в Небо, чтобы каждые сутки объезжали они всю Землю.

До сих пор несётся по Небу Ночь и правит конём по кличке Инеистая Грива, и каждое утро орошает Землю пена, стекающая с его удил... А конь Дня зовётся Ясная Грива, и грива его озаряет Землю и воздух. Люди же нарекли времена суток именами матери и сына, и с тех пор ведётся обычай считать время в ночах, ведь Ночь старше Дня, она ему мать.

А ещё у одного человека было двое детей, прекрасных и светлых лицами, и он звал дочь Солнцем, а сына Месяцем. Они тоже были взяты Богами на Небо, и девушка правит конями, впряжёнными в солнечную колесницу. Коней зовут Арвак и Альсвинн — Ранний и Быстрый, и под дугами у них висят кузнечные мехи, которые раздувают Солнце и дают прохладу коням. А братец Месяц везёт на колеснице Луну, и говорят, что ему послушны все звёзды.

И всё было бы хорошо, но родились в Железном Лесу, в Иотунхейме, два чудовищных волка — Обман и Ненавистник, и погнались за светлыми колесницами, надеясь проглотить

Солнце и Месяц. Век за веком длится погоня и кончится только тогда, когда всему миру придёт пора гибнуть в огне и вновь возрождаться... Но об этом потом.

Чудесное дерево

Всё, что делается смертными, живущими на Земле, в начале времён уже было сделано кем-нибудь из Богов. Боги возвели самую первую стену, сшили самую первую одежду и вылепили самый первый горшок. Боги принесли самую первую жертву и составили самый первый закон. Вот почему так трудно обрести что-нибудь новое: сложить песню, построить корабль, открыть в море неизвестные острова. Потребны для этого великий ум и немалая смелость: как знать, добрый или злой дух послал открывателю вдохновение? И чего ждать от перемен — добра или худа?..

Оттого всякое новое дело, будь то сев или битва, лучше начать мудрому, знающему человеку. Оттого так держатся Люди старых заветов — сквозь поколения и поколения несут они знания и законы, подаренные Людям Богами на самой заре времён, когда не было вражды и раздора. Вот почему ругают старые молодых — не так, мол, живёте!

...Говорят, в древности Люди строили свои дома у подножий могучих деревьев, чтобы крепкие стволы служили опорой. Они хотели устроить свои жилища подобно Вселенной: ведь посередине её Боги вырастили дерево, чтобы оно пронизало собой все девять миров и связало их воедино. Это дерево — ясень, и говорят, что нет равных ему по мощи и красоте. Проросло оно из нижних миров, ствол поддерживает Мидгард Людей, а крона — выше Небес, и, если нужно кому путешествовать между мирами, нет лучшей дороги.

Три корня у дерева, и далеко расходятся эти корни. Один — у Асов на Небесах, другой — у инеистых Великанов, там, где прежде была бездна Гинунгагап. А третий корень тянется к Тёмному Миру Нифльхейм, и всё ещё бурлит под ним поток Кипящий Котёл. В ядовитом источнике поселился злобный дракон Нидхёгг, он грызёт корень ясеня, надеясь погубить Людей и Богов... Под тем корнем, что в Иотунхейме, тоже бьёт ключ, и всякий, кому доведётся испить из него, обретает знание и мудрость. Ведь род исполинов — древнейший. Но самый священный источник бурлит под тем корнем, что оказался на Небе. Такова, говорят, его священная сила, что всё попавшее в его воду становится белым, как плёнка, лежащая под скорлупою яйца. Вот почему всё белое называют прекрасным, вот почему светловолосые Люди красивее темноволосых.

А ещё живут в том источнике прекрасные белые птицы — два лебедя. От них пошёл весь лебединый род, ибо таково уж свойство Мирового Древа: хоть и зовут его ясенем, но расцветают на нём все цветы, какие только можно найти на Земле, зреют все плоды и все семена, а в ветвях живут все звери и птицы, там их дом, оттуда сходят они наземь, чтобы родиться. Листья ясеня служат им пищей — оленям, козам, коровам и даже волкам, ибо Асгард слишком священен, чтобы там могла быть пролита кровь.

Возле чудесного родника Боги судят свой суд. Говорят, там стоит прекрасный чертог, и из него навстречу Богам выходят три девы: Урд, Верданди и Скульд. Прошлое, Настоящее и Будущее — вот что значат их имена. Их называют Норнами, провидицами судьбы. Им ведомо всё, что произойдёт с Людьми и с Богами. Рождается человек, и тотчас являются к нему Норны — судить судьбу. Урд, Верданди и Скульд — главные Норны, но есть ещё много других, добрых и злых. Неравные дают они Людям судьбы: у одних вся жизнь в довольстве и почёте, у других, сколько ни бейся, ни доли, ни воли, у одних жизнь длинная, у других — короткая. Людям кажется, всё дело в том, что за Норны стояли у колыбели: если они добры и из хорошего рода, наделят новорождённого хорошей судьбой. Если же человеку выпали на долю несчастья, так судили злые Норны. Бывает и так, что родители малыша забудут позвать какую-нибудь из Норн или обидят её на пиру, и в отместку она нагадает такое, что трудно поправить даже Богам.

Но достойно прожить доставшуюся жизнь, будь она счастливой или бессчастной, — дело самого человека, тут никто ему не помощник.

Норны черпают из священного источника воду и поливают ясень, чтобы не засохли и не зачахли его ветви и гниль не завелась на стволе, чтобы крепко стояли девять миров...

Цена мудрости

Один был избран вождём Асов, и стали его называть Отцом Богов и Людей, а то ещё Всеотцом, потому что он вместе с братьями создал самых первых Людей, а многие Боги приходились ему детьми либо младшими родственниками, и по обычаю называли своего старейшину отцом.

Много знаний передали Боги человеческому роду; но прежде, чем поучать, должны были они сами всему научиться, и не было такой науки, в которой Один не превзошёл бы всех остальных. Только братья, Вили и Ве, знали его молодым. Все остальные помнили Одина седобородым и одноглазым. И думали, что это усердие в науках и мудрость состарили его, а вовсе не годы.

А Одину всё казалось, что знания его не полны. Как учить Людей, не узнав страданий и боли? Как отнимать и дарить жизнь, не ведая, что значит смерть? Как, наконец, обрести небывалую, высшую мудрость, постичь тайны волшебных заклятий, научиться заглядывать в будущее, прошлое и во все девять миров? Не понадобится ли для этого умереть и снова родиться к иной жизни — в полном могуществе?

Вышел Один из Асгарда и отправился на северо-восток, в Утгард, в Страну Великанов. Туда, где под корнем Мирового Древа вечно клокочет дарующий мудрость источник. Хотел Один зачерпнуть из него и напиться, но не тут-то было. Стражи источника не подпустили Отца Богов к берегу и не дали попробовать ни капли, требуя платы. Долго спорил с ними Один, и наконец решено было, что он отдаст им свой глаз. Так и сделали. Умер глаз Одина, и тотчас обрёл вождь Асов духовное зрение, способность видеть не только живых, но и мёртвых: известно ведь, мёртвые и живые зрячи только в своих мирах, всех сразу видит лишь тот, кто наполовину ослеп, ибо есть у него глаз живой и глаз мёртвый. И, верно, не предпочёл бы Один своего прежнего зрения новому. Но думают Люди, не сладким ему показался дарующий мудрость напиток, поскольку пришлось вместе с мудростью вкусить жестокую боль. Так и посейчас бывает с Людьми.

Но начала заживать раненая глазница, и понял Один, что этого мало, что ещё не пришла к нему полная божественная сила. Долго он размышлял и решил наконец, что нужно пройти через смерть. Сделал петлю, укрепил её на Мировом Древе... А перед тем, как броситься вниз, попросил своё копьё нанести смертельный удар:

— Никогда ты не подводило меня. Не подведи и теперь.

Содрогнулось копьё, но ослушаться не посмело — и девять дней, по числу миров, висел вождь Богов на суку, качавшемся под порывами небывалого ветра. Стягивала горло петля, кровь из раны сочилась каплями наземь. Вспыхивали, проносились видения, раскрывали тайну за тайной...

Так Один принес себя в жертву себе самому. С тех самых пор, говорят, завели Люди обычай, избирая вождя, надевать ему петлю на шею и прикасаться к телу копьём, посвящая Одину. И бывает, петля вдруг затягивается, а копьё пронзает нового вождя само по себе, если Всеотец надумал призвать его в свои пиршественные чертоги. И зовут Одина иногда — Богом Повешенных. Ведь он тоже висел без пищи и без воды, принимая смертные муки и оглядывая Землю и Небеса то живым взглядом, то мёртвым...

Восемь ночей длилось его Посвящение, тайное восхождение к высшему знанию, и лишь на девятое утро ждала Одина награда: заметил он под собой буквы-руны, начертанные на камнях. И тотчас оборвалась верёвка, и рухнул Один наземь, едва успев подхватить волшебные знаки.

Вот когда Мировое Древо получило своё имя — Иггдрасиль, то есть Конь Игга, ведь Игг — «Ужасный» — одно из многих имён, которыми называл себя Один. А виселицу иногда называют «конём»...

Воскресший Один без сил лежал на земле, сжимая руны в руках, и к нему подошёл мудрый Великан Бёльторн — отец его матери. Он напоил внука мёдом и спел ему девять песен мудрости, которых тот никогда прежде не слышал. Один научил Богов и Людей вырезать и окрашивать руны, и тот обретает немалую силу, кто выучится хотя бы рисовать их по порядку, одну за другой, все двадцать четыре. Но следует знать, что ошибка в начертании рун может принести страшный вред вместо пользы: великие знания требуют великой осторожности, и это следует помнить.

И так уж ведётся, что слово рождает слово, а от дела рождается дело — кто щедро раздаёт свою мудрость, никогда не оказывается в убытке. Сколько ни учил Один Богов и Людей, его знаний от этого лишь прибывало. Умел он помочь человеку, охваченному горем, вылечив его душу. Умел излечить раны тела и вернуть жизнь убитому. Мог затупить в бою вражеские мечи и свернуть с пути стрелы, оберегая друзей. Мог погасить пожар в доме и помирить воинов, поссорившихся друг с другом. Мог заставить чаще стучать девичье сердце и обратить в камень ведьм, несущих беду...

Научил он Людей называть Богов по именам и обращаться к ним за советом, молиться и приносить жертвы в святилищах. Научил знать меру во всём:

— Лучше совсем не молись, чем без конца молиться. Лучше не жертвуй совсем, чем жертвовать без числа.

Много знал Один, но не всё открывал, если думал, что тайные знания могут принести беду. И всё вспоминал о мёде, которым под ясенем Иггдрасиль напоил его дед. Никогда прежде он не пробовал подобного мёда: была в нём особая красота, порождавшая вдохновение, желание слагать прекрасные песни. И почувствовал Один — без этого мёда его мудрость так и останется несовершенной...

Самая первая война

Между Асами и племенем Ванов случилась жестокая распря, как часто бывает меж разными народами — не только на Земле, но и на Небе. Теперь одни говорят, что войну начали Асы, другие, напротив, что Ваны подослали им женщину по имени Гулльвейг — «Жадность к золоту». Она насылала безумие на Богов и Богинь. Трижды сражал её Один своим копьём и трижды сжигал тело убитой, ибо знал — немалое несчастье Жадность к золоту принесёт в мир, но всё без толку: возрождалась колдунья и снова творила чёрное зло. Говорят, тогда и пропала игральная золотая доска, пропали резные фигурки, которыми тешились Асы на солнечном лугу Идавёлль. Кончился Золотой Век...

Только богатые Ваны, владевшие земным плодородием, знали, как справиться с Гулльвейг. А хотелось им войти в Асгард и жить там с Асами наравне. Долго советовались Асы, и наконец Один повёл войско на Ванов и, начиная битву, первый бросил копьё, потому что первый удар должен нанести вождь.

Долго длилась война — самая первая на свете война. И поскольку это было давно, одни утверждают, что Асы были близки к поражению, а Ваны — к победе, другие — что Боги просто устали от бессмысленной битвы, в которой никто не мог умереть, ибо Норны судили им смерть ещё через много веков. Решено было заключить мир. И его заключили. Но всё сделанное Богами потом повторяется у Людей — доброе и дурное; так и война, однажды случившись, до сих пор гуляет в земных пределах. Вот почему Люди враждуют и дерутся друг с другом вместо того, чтобы мирно жить, охраняя прекрасный зелёный Мидгард, у которого и так немало врагов...

Заключая мир, Асы и Ваны обменялись заложниками. Ваны послали в Асгард Ньёрда, повелителя моря и кораблей: выстроив себе дом, он назвал его Ноатун — Корабельный двор. И, должно быть, не врут, говоря, будто в Ноатуне лежит немало богатств. Попадает туда всё добро с кораблей, потонувших в морской глубине. В Ноатуне родились у Ньёрда дети — Фрейр и Фрейя. Их имена значат «господин» и «госпожа», и немудрено, что так их прозвали. Фрейр ведает урожаем, приплодом скота, и ещё говорят, что ему нехудо молиться, когда бездетные мечтают о детях. А почему Фрейю зовут Госпожой, думается, и объяснять ни к чему: ведь она — Богиня любви.

Асы отправили в заложники к Ванам мудреца Мимира и ещё Хёнира — красивого, высокого ростом Аса. Из него, сказали они, неплохой получится вождь. Но когда эти двое прибыли к Ванам, вскорости оказалось, что Хёнир шагу не может ступить без Мимира и его разумных советов. Ни решение принять, как то подобает вождю, ни молвить справедливое слово, когда сходятся Боги на своё собрание — тинг. На всё один ответ у него, когда нет рядом Мимира:

— Пусть другие решают.

Тогда подумали Ваны - не очень-то равный вышел обмен. Им бы вспомнить, что вождь тогда и хорош, коль умеет слушать советы — но нет. Убили они Мимира и послали его голову назад в Асгард·

— Пусть ведают, что хитрость раскрылась!

Гибель Мимира сильно опечалила Асов, ведь вместе с ним умерла и его мудрость. Но Один умастил мёртвую голову добрыми травами и произнёс заклинания, так что она ожила и стала беседовать. И говорят, Один часто советуется с нею о важных делах, когда решаются судьбы девяти миров. Может, у Ванов в почёте были такие вожди, что одни думали и решали за всех?.. Как знать!

Мёд поэзии

Когда Асы и Ваны заключали между собой мир, решено было смешать слюну в знак побратимства между двумя племенами: собрались все вместе и каждый по очереди плюнул в большую чашу. А чтобы не пропал без толку этот знак мира, при расставании Боги сотворили из слюны человека и назвали его Квасир.

И, видно, досталось ему понемногу от мудрости каждого Аса и Вана: сделался Квасир столь сведущ, что никто не мог выдумать вопроса, на который он не сумел бы тотчас ответить. Он много странствовал по свету и учил мудрости Людей и всех, кому случалось его спрашивать. Говорят, как-то раз он даже забрёл в другую Вселенную и оставил о себе добрую память, — тамошние племена даже назвали его именем добрый напиток, помогающий затеять беседу... Но об этом потом.

Недолго пришлось Квасиру путешествовать по Срединному Миру. Жили-были в пещере два Карлика — Фьялар и Галар, оба жестокие, жадные и вероломные. Надумали они присвоить все познания Квасира и ни с кем не делиться. Зазвали к себе доверчивого мудреца и не постыдились поднять руку на гостя — убили его, а кровью наполнили котёл и две чаши. Смешали кровь с диким мёдом, и вышел чудесный напиток — кто ни попробует, тотчас становится поэтом либо учёным. Фьялар и Галар спрятали мёд в недрах горы, чтобы никто не дознался и не украл. Асам же, хватившимся друга, сказали:

— Квасир захлебнулся в собственной мудрости — не нашлось никого, кто сумел бы выспросить у него всё, что он знал!

Пробовали сами Карлики волшебный мёд или не пробовали, никто теперь не узнает. Но если и пробовали, не пошёл он им на пользу. Злые делаются только хуже, когда им достаются знания. Спустя малое время Карлики пригласили к себе одного Великана вместе с женой и убили обоих. Так трижды были попраны законы гостеприимства, но тут подоспело злодеям и наказание. Разыскал Фьялара с Галаром безжалостный мститель — сын погибшего Великана. Звали его Суттунг.

Он схватил обоих и посадил на скалу, что во время прилива погружается в море.

— Пощади нас!.. — взмолились Карлики, видя, как жутко и медленно подползает вода. — Мы дадим тебе выкуп!.. Щедрый выкуп! И за мать, и за отца!..

— Не хочу ничего слышать, — рычал с берега Суттунг. — Тоните, предатели!

Но вода знай себе поднималась, и, когда дошла до горла убийцам, с плачем посулили они самое дорогое, что имели, — бесценный мёд. Тут Суттунг смягчился и снял Карликов с камня. Увёз мёд к себе и укрыл в неприступных горах, что звались Хнитбьёрг — Сталкивающиеся скалы. Иногда говорят, эти горы были когда-то облаками, но потом опустились наземь и окаменели. Суттунг поставил котёл и две чаши с мёдом в самой глубокой пещере, а сторожить посадил свою дочь Гуннлёд, ибо понял, каким сокровищем завладел.

Так оказались под спудом мудрость и вдохновение, так превратились они в мёртвую драгоценность, из-за которой сражаются и убивают...

Высмотрел это Один с чудесного престола Хлидскьяльв. И решил вернуть Богам мёд, побывавший у Карликов и у Великанов: ведь это был тот самый напиток, что когда-то поднёс ему, воскресшему, дед Бёльторн. Сказано — сделано. Отправился Вождь Богов в путь и пришёл на луг, где девять рабов косили сено. Он сказал:

— Что-то медленно идёт у вас дело, косы, знать, затупились. Хотите, наточу?

— Хотим, — обрадовались рабы. Тогда Один вынул из-за пояса точило и навострил косы, как обещал. И так славно пошла тут работа, что косцам захотелось непременно купить у незнакомца точило. Каждый принялся просить его для себя:

— Мне!

— Нет, мне!

— Я первым сказал!..

Тогда Один кинул точило в воздух и усмехнулся:

— Ловите, жадные, кому повезёт.

Рабы кинулись ловить, и в спешке все девять полоснули друг друга косами по шее. Остались они лежать мёртвыми на зелёном лугу, а Одина с тех пор стали звать Обманщиком и Сеятелем Раздоров.

Один заночевал у Великана-Турса по имени Бауги, которому Суттунг доводился родным братом. Вечером хозяин и гость разговорились за пивом.

— Рабы у меня погибли, — посетовал Бауги. — Передрались. Видно, стоять моему лугу нескошенным: маловато в Иотунхейме добрых работников... А жалко, такой хороший лужок!

Один, конечно, не стал говорить ему, что это он своим волшебным точилом раздразнил жадность рабов.

— Я прозываюсь Бёльверком — Злодеем, — сказал он Турсу. — Что ты дашь мне в награду, если я целое лето проработаю у тебя вместо тех девятерых? Не заплатишь ли ты мне глотком чудесного мёда, которым, я слышал, владеет твой воинственный брат?

— Брат мой один завладел им и сам решает, кого угощать, а кого нет, и скуп он изрядно, — сказал тогда Бауги. — Но вот тебе моё слово: дойдёт дело до платы, пойдём вместе к Суттунгу, я уж его уговорю.

На том порешили, и, верно, думалось Бауги, что держать слово придётся не скоро. Бёльверк всё лето работал у Великана, и никто не сказал бы, что он делал меньше в одиночку, чем девять рабов. Насушил хозяйским коровам на всю зиму доброго сена. Но вот наступила зима, и он потребовал платы. Бауги пошёл к Суттунгу, как обещал, но тот наотрез отказался налить даже капельку мёда:

— Сам договаривался, сам и плати.

Тогда Бёльверк сказал Бауги:

— Надо попробовать, не удастся ли получить мёд какой-нибудь хитростью.

Вот когда пожалел Великан, что себе на голову взял подобного работника, но сказанного не воротишь — пришлось помогать. Вместе взобрались они к Сталкивающимся скалам... Не было туда хода, кроме Суттунга, никому — вмиг раздавят. Но хитроумный Бёльверк вынул бурав:

— Попробуй, Бауги, не одолеет ли камень железо.

Принялся Бауги сверлить и вскоре сказал:

— Готово... Не пойму только, как ты пролезешь?

Но Бёльверк молча дунул в отверстие, и полетела каменная крошка ему в лицо. Тут он понял, что задумал злой Турс его провести. Снова велел он буравить скалу, и когда подул во второй раз — полетели крошки вовнутрь. Мигом обернулся Бёльверк змеёй и юркнул в дыру. Бауги ткнул вслед буравом, но не достал. Выползла змея в пещеру внутри скалы — и опять стала Одином.

Там над чашами с мёдом сидела Гуннлёд, дочь Великана. Была она, как и большинство Великанш, неуклюжа и некрасива, но мечтала, сидя в тёмной пещере, подобно всем девушкам — о любви. Принял Один обличье красивого юноши, мягкими шагами приблизился к Гуннлёд...

— Ты кто? — испуганно вскрикнула Великанша. — Не пришёл ли ты похитить наш мёд?..

Говорят, Один ничего не ответил ей, лишь улыбнулся. Но так, что Гуннлёд показалось — солнце заглянуло в угрюмое подземелье. И, верно, немного заклятий пришлось ему спеть ей на ушко, чтобы растаяло девичье сердце, чтобы забыла она о строгом наказе отца... но уж этого в точности не знает никто. Три ночи гостил у неё Один, и на прощание она сама попотчевала его мёдом, позволила испить три полных глотка.

Сделал Вождь Богов три глотка и осушил все три сосуда — котёл и две чаши. Превратился в орла и взвился в небо, а Гуннлёд одной рукой махала ему вслед, а другой утирала бегущие слёзы, и была в этот миг сущей красавицей — неуклюжая Великанша, встретившая любовь.

Но надо же было случиться, чтобы как раз в это время шёл к скалам Хнитбьёрг сам хозяин чудесного мёда. Увидал он орла — и, как ни глупы Великаны, смекнул: знать, добрался к его сокровищу Бёльверк-работник. Обернулся Суттунг огромным орлом и кинулся в погоню.

Одину тяжело было лететь с полным ртом мёда, и у самых стен Асгарда Суттунг едва его не настиг. Хорошо ещё, Асы успели поставить во дворе чашу, и Один выплюнул в неё мёд. Позже он отдал его Асам и скальдам — Людям, которые слагают стихи. Их ещё называют «вкусившими мёда». Но часть напитка он второпях всё-таки проглотил, и она вышла наземь из-под хвоста. Говорят, этот мёд достался бездарным поэтам...

А что было дальше с Гуннлёд? Кое-кто полагает, Один взял её в Асгард, сделал своей младшей женой. Но другим кажется, что это не так. Сам он вспоминал Гуннлёд с виноватой и задумчивой грустью:

— Плохо отдарил я деву за нежность, за чистое сердце...

И вот что ещё прибавило Всеотцу седины и горьких складок на лбу: добывая мёд мудрости, он прибегнул к неправде. Трудно было без неё обойтись, но обман никому не прощается — ни на Небе, ни на Земле...

Путешествие Рига

Могущественный Ас носил имя Хеймдалль. Отцом его называли Одина, а матерей у него было сразу девять, и все — сёстры. Вот как их звали: Небесный Блеск, Голубка, Кровавые Волосы, Прибой, Волна, Всплеск, Вал, Бурун, Рябь. Все они были волнами — дочерьми Океана, ибо переменчиво море: оно ведь то ласковое, тихо шепчущее на заре, то шершавое от дождя, то грозное, вздыбленное непогодой. А иногда и кровавое — когда попадает судно на скалы или боевые корабли сходятся в сражении... И кажется Людям, что проще запомнить девять сестёр, а не одну в девяти разных обличьях.

Хеймдалль родился вместе с солнцем из моря, когда весь мир залит был утренним золотом. И частица этого золота осталась с ним на всю жизнь. Сказывают, даже зубы его отливают золотом. Впрочем, злые языки утверждают, что Хеймдалль вначале был всего лишь барашком на гребне волны, и зубы у него никакие не золотые, а жёлтые, как у барана, прожившего много зим. Но все знают, что злым языкам лишь бы болтать — о Людях ли, о Богах.

А ещё есть у Хеймдалля резвый конь Золотая Чёлка и золотой рог по имени Гьяллархорн —

Громкий: во всех девяти мирах будет слышно, когда он затрубит. Хеймдалля называют иногда Белым Асом, ибо велика его священная сила. Меньше сна нужно ему, чем птице в летнюю пору. Зорче сокола, зорче орла Хеймдалль, видит всё за сотни поприщ, — ночью и днём. Может расслышать, как растёт шерсть на овце, как растёт трава, тихо и неприметно поднимающая опавшие листья, раздвигающая камни тонкими корешками...

Хеймдалль выстроил себе двор в Асгарде, в Небесных Горах Химинбьёрг, там, где радуга упирается в Небо. Радугу построили Боги в начале времён, чтобы служила она мостом от Земли до Неба, и назвали её — Биврёст. Трёх цветов этот мост и очень прочен, и сделан — нельзя искуснее и хитрее. Если задумает пройти по нему смертный, чем-нибудь себя запятнавший или просто не заслуживший великую честь пировать у Богов, — сколько бы он ни мчался за радугой на самом быстроногом коне, она лишь отдалится. А полезет на мост обросший инеем Хримтурс или каменный Великан, живущий в горах, — тотчас вспыхнет в радуге красное пламя и прогонит глупого людоеда...

Много в Асгарде прекрасных мест и нарядных чертогов, и все они под защитой Богов. А Хеймдалль живёт у самого края Небес, потому что он страж Асов. Сказывают, он первым узнает, что приблизилась гибель Вселенной, и затрубит в рог Гьяллархорн, созывая Богов и Людей на последнюю битву. И мост Биврёст подломится, когда поедут по нему сыны

Муспелля на своих огненных скакунах... Но об этом потом.

Однажды случилось Хеймдаллю путешествовать по Срединному Миру. Долго шёл он берегом моря, узкой тропой между скал, а когда день стал клониться к вечеру, увидел жильё. Чуть видна над землёй была крыша этого дома, слабенький дым еле поднимался над нею, но дверь оказалась не заперта — входи, добрый гость, обогрейся и отдохни. Ас вошёл внутрь и увидел у огня чету Людей — Прабабку и Прадеда, седых, морщинистых, в стариковских уборах. Поздоровался с ними Хеймдалль и назвал себя Ригом: на одном заморском наречии это значило Вождь. Обрадовались гостю хозяева, посадили на почётное место в доме — посередине лавки, у длинной стены против входа. Вынесла Прабабка хлеб из ячменя пополам с отрубями, с толстой коркой, с тяжёлым мякишем. Подала на стол похлёбку и лучшее лакомство, какое нашлось, — жареную телятину.

Учтивым и знатным показался Риг старикам. Вёл он разумную беседу с хозяевами, занятно рассказывал и мудро советовал: как унавоживать поле и собирать с него камни, плести корзины, выхаживать телят и ягнят. Дивились Прадед с Прабабкой мудрости Рига. А пришло время стелить одеяла на лавки, уложили гостя посередине между собой. Так поступали когдато на свадьбах с изваяниями Богов, чтобы благословили они семью, чтобы священный дух вошёл в тело женщины и воплотился добрым потомством. Откуда могли знать хозяева, что приютили у себя Аса. Три дня он гостил у них в доме, потом распрощался. И вот минул срок, и произошло чудо: Прабабка, седая, морщинистая, родила сына.

Его окропили водою и приложили к Земле, вводя в солнечный мир, и назвали — Трэль. Вырос он некрасивым — черноволосым и смуглолицым, с длинными пятками и толстыми пальцами, — но зато смешливым и сильным. Небогатый был дом у Прадеда и Прабабки, и Трэль привык ко всякой работе: ловко вил лыковые верёвки, делал веники, без устали таскал из лесу хворост. Начал появляться в доме достаток, сделалось веселей.

А когда возмужал Трэль, забрела к его очагу бездомная девушка по имени Тир, с загорелыми руками и босыми исцарапанными ступнями, такая же, как он сам, некрасивая и работящая, и такая же большая охотница посмеяться и поболтать. Понравились они с Трэлем друг другу, и посадил он её рядом с собою на хозяйское место. Жили они в довольстве, два труженика, и родились у них дети: Хёсвир — Смуглый, Фьйоснир — Скотник, дочь Амботт — Служанка и ещё много других, заслуживших такие же имена: Лентяй, Толстушка, Пастух. И говорят, от них-то пошёл весь род рабов. Потому и зовут Люди всякого раба трэлем, а рабыню — тир...

Между тем Риг шёл себе дальше зелёным шепчущим лесом, и вновь тропа вывела его к жилью. Этот дом стоял на поляне: мычали, возвращаясь домой, бурые коровы, хрюкали свиньи. Открыл Ас незапертую дверь и шагнул внутрь. Здесь было больше достатка: стоял в углу красивый ларь, полный добра, а по бревенчатым стенам висели расшитые покрывала и выделанные меховые шкуры. Дружной работой заняты были хозяева — мужчина мастерил ткацкий станок, женщина пряла, вращая веретено. Показались они Ригу моложе Прабабки и Прадеда, и то верно — звали их Бабка и Дед. Славная была чета и нарядная: вьётся у Деда на лбу кудрявая чёлка, русая борода опрятно подстрижена, на плечах искусно скроенная рубаха. У Бабки — хорошая безрукавка, шея в платке, на груди — блестящие пряжки. Приветили хозяева гостя, посадили на почётное место посередине скамьи, принялись угощать. Хлеб в том доме был из просеянной муки, мягкий и вкусный. Много деревянных блюд поставила Бабка на стол — не в нужде жили, хотя и не в роскоши...

Три дня провёл у них Риг. Рассказал, как умножить богатство, как снарядить торговый корабль, как решить любой спор по закону, сойдясь всем народом на собрание-тинг... Потом распрощался, и всё повторилось: родила Бабка сына — краснощёкого, рыжего, с живыми глазами. Был он окроплён водою из чаши и назван Карлом — Земледельцем. Возмужав, стал он приручать могучих быков и ладить сохи для пахоты, строить дома и просторные хлевы, сколачивать повозки и возделывать землю, ловить в море рыбу и ездить на торг. Дед с Бабкой нарадоваться не могли сыну, которым благословил их Риг. Подыскали ему невесту, прозвали её ласково Снёр — Сноха. Носила она платье из козьей шерсти и меховую накидку, чтобы водился достаток, а у пояса — связку ключей, как прилично домовитой хозяйке. Сыграли свадебный пир, начали Карл и Снёр дружно жить-поживать — завели собственный двор, стали награждать слуг, возделывать землю. Говорят, дети Трэля и Тир были у них в работниках. А хозяйские сыновья прозвались Смид — Мастеровой, Дренг — Парень, Брейд — Плечистый, Хёльд — Житель. Были и дочери: Виф — Женщина, Снот — Госпожа, Сванни — Гордая. Вот от кого пошёл в Мидгарде род свободных Людей, землепашцев.

А Риг шёл всё дальше наезженной, широкой дорогой. И вновь дом ждал его на пути — залитый солнцем, входной дверью на юг, чтобы шли внутрь свет и тепло. Настежь была распахнута дверь, а пол устлан соломой. Сновали вокруг проворные слуги — пасли скот, собирали камни с полей, возводили ограды. Не нужно было хозяину рубить дрова и унаваживать землю, а хозяйке — весь день готовить еду, шить, стирать, доить бодучих коров. Оттого тяжкий труд и нужда не состарили их прежде времени, и называли их славными именами — Мать и Отец. Когда пришёл Риг, Отец точил стрелы для охоты, плёл крепкую тетиву, примеривал её к луку. А то оборачивался к хозяйке — подолгу смотрели друг другу в глаза мужчина и женщина, и крепко переплетались их пальцы. В голубой, до пят, вышитой рубахе сидела хозяйка и всё прихорашивалась — то рукав, то пояс поправит, то ожерелье на шее. Блестящие светлые брови были у Матери и кожа белее чистого снега.

Усадили они с Отцом Рига посередине лавки, завели с ним беседу, и говорят, что ни Прадеду с Прабабкой, ни Деду с Бабкой не дал он стольких советов, как этим двоим. А дошёл черёд до угощения — внесли работники стол, и разостлала на нём Мать для гостя льняную узорчатую скатерть, поставила блюда с насечкой из серебра, кувшин заморского вина и драгоценные кубки. Подала жареную птицу, мясо и сало, пшеничный хлеб и тонкие румяные блины. Даже в Асгарде не устыдились бы таких яств! До позднего вечера сидел Риг с хозяевами за угощением и разговором, и так все три дня подряд. И вот каким сыном благословил Ас хозяйку: румяным, светловолосым и стройным. Окропили его водой, спеленали шелками. Дали ненаглядному имя Ярл — Вождь воинов. Начал он подрастать, и заметили Люди, что глаза у него были зоркие, умные и блестящие — но и страшен порою становился их взгляд...

Юному Ярлу пришлось по душе воинское молодечество: потрясал он отцовским щитом, луки гнул, готовил тетивы, стрелы точил, охотился с собаками на медведей и свирепых волков, метал дротики, учился владеть копьём и мечом. И плавать, конечно, — ведь воины ходят на кораблях.

И говорят, Хеймдалль вновь посетил этот дом под именем Рига. Поведал он Ярлу таинства рун, научил обрядам, чтобы освящать наследную землю, назвал его своим сыном — ведь и Риг, и Ярл значило Вождь, только на разных языках. Стал Ярл ходить с оружием и щитом, а когда встречал другого такого же сильного и удалого — схваткой решали, кому уступать тропу. Бывало, смертью кончалась такая молодецкая сшибка, но бывало, и побратимством. Собрал себе Ярл дружину на загляденье, и называли его щедрым вождём: без скупости дарил он сокровища, дорогие кольца, поджарых коней, рубил на части серебряные кручёные ожерелья, чтобы каждому досталось. А потом заслал сватов к Херсиру — правителю части страны: полюбилась ему дочь Херсира, умница с пригожим белым лицом и тонкими пальцами. Звалась она Эрна — Умелая. Херсир хорошо принял сватов, ведь подвиги Ярла снискали ему немалые владения — целых восемнадцать дворов. Отдал он дочь замуж за Ярла. Сыграли свадьбу, и начали молодые жить в довольстве, достатке и счастье. Давали они своим детям хорошие имена: Наследник, Сын, Продолжатель. Младшим у них был Кон — Отпрыск. Все удались молодцами как на подбор, особенно младший. Умел он не только сражаться, укрощать коней и двигать на расчерченной доске резные фигурки, — лучше отца понял он силу рун, могучих волшебных заклятий. Мог облегчить женщине роды, успокоить морскую бурю, вещим словом затупить вражеские мечи. Говорят, даже язык птиц разумел. И однажды, проезжая по лесу и беседуя с птицами, услышал он голос ворона: рассказывал мудрый ворон о героических подвигах, о дальних странах и о достойных мужах, с которыми настоящему воину подобало бы сражаться и брататься. И думают Люди, что это Один, Отец Богов и Людей, послал юному Кону свой знак, призывая его к служению. Оттого называют Одина Покровителем Воинов, а лучших, могущественнейших вождей — конунгами, потомками Кона...

Вальхалла

У Одина было в Асгарде жилище Валаскьяльв, построенное Богами на самой заре времён; крыша его блестела на солнце, выложенная серебром. Много чудес было в этом чертоге, но главное — престол Хлидскьяльв. И если восседал на нём Один или другой какой-нибудь Ас, был им виден оттуда сразу весь мир. Холодное море, скалистые острова, извилистые фиорды. И боевые корабли конунгов, спешащие по фиордам навстречу друг другу — добывать славу и девичью любовь, отмщать за друзей, заключать нерушимое побратимство...

Было ведомо Одину — однажды настанет день последней битвы Богов, день, когда хватит в избытке ратной работы всякому войску, как бы велико оно ни было. Понадобятся тогда Всеотцу все герои Мидгарда. Вот почему дал он каждому человеку вечную душу, не умирающую, даже когда тело становится прахом или пеплом. Вот чего ради стал он бросать между конунгами руны раздора, руны сражений, испытывая мужество воинов и отбирая лучших.

Один велел героям огораживать поле битвы священным орешником и щадить тех, кто израненным выползал за ограду. И кружили над местом сражения девы валькирии, избирая самых достойных. Вот как звали вещих валькирий: Мист — Туманная, Хильд — Сражение, Херфьётур — Опутывающая войско, Хлёкк — Шум битвы. Много было валькирий, и одни вели род от Богов, другие были сёстрами и дочерьми конунгов Мидгарда. Даровали они вождям победы и поражения, а павших мчали на крупах своих могучих коней в Асгард, мчали по звонкому радужному мосту, мимо Небесных Гор, к престолу Отца Богов.

Скакали валькирии по воздуху и по морю, защищали своих избранников от случайной стрелы, отгоняли от их кораблей ведьм и мерзостных Троллей, охочих до человеческой крови. Ездила с ними и Скульд, младшая Норна. И думают Люди, немалое дело доверил им Один — отбирать дружину для боя, которым решится судьба девяти миров! Иные удивляются: женщины? Что они понимают в сражениях, деле мужчин? Но хорошо знает Вождь Асов — никто лучше женщины не отличит показную храбрость от истинной, переменчивость труса от верности и благородного мужества...

Смерть от оружия была жертвой Одину, и оттого называли его Отцом Убитых, а павшие воины становились его приёмными сыновьями — эйнхериями. Иногда, лунными ночами,

Люди видят войско эйнхериев во главе с Одином, мчащееся по Небу на призрачных скакунах. Тогда те, кто уже не помнит древних сказаний, пугаются грозных теней и в ужасе шепчут:

— Дикая охота!..

Для дружины Вождя Богов выстроен в Асгарде славный чертог, прозванный Палатами павших в битве — Вальхаллой. И говорят, что попавшему в Асгард нетрудно узнать Вальхаллу с первого взгляда: кровля её из боевых щитов, копья служат стропилами, дорогое оружие развешано по стенам, а на лавках всюду кольчуги. Парит над чертогом птица Одина — могучий орёл, а у западной двери раскачивается в петле волк, принесённый в жертву, — ибо Вальхалла не только пиршественные палаты, но и святилище. Шумит кругом двора река Тунд, вздувшаяся от непогоды, и стоят в чистом поле Ворота мёртвых — Вальгринд, не знающие ни замка, ни запора. Ибо не все приезжают в Вальхаллу с валькириями на конях, лишь самые достойные, не совершившие стыдных поступков. Иные из воинов идут на Небо пешком, и приходится им одолевать вброд реку Тунд и ворота Вальгринд, и таково испытание, которое им уготовано.

Говорят ещё, в Вальхалле бок о бок сидят за столами заклятые враги, в земной жизни так и не сумевшие примириться. Теперь они видят, что все их прежние распри — щенячья возня по сравнению с тем великим боем, что ждёт их и Богов на закате времён. Оттого каждый день поутру эйнхерии снимают со стен оружие и щиты и бьются между собою, как встарь, и сражённые насмерть поднимаются исцелёнными, едва коснувшись Земли. А потом все вместе моют звонкие чаши и понаряднее украшают чертог, если знают, что в Мидгарде нынче была великая битва и скоро валькирии привезут им новых друзей...

Велика дружина у Всеотца — пятьсот сорок дверей устроено в Вальхалле, и говорят, что из каждой выйдет по восемьсот воинов, когда рог Гьяллархорн позовёт их готовиться к последнему бою... Но об этом потом.

Ярко освещают Вальхаллу мечи, висящие по стенам: столь ярко блестят они, отточенные, что не нужен огонь. Ещё есть там очаг и над ним на цепи — закопчённый котёл по имени Эльдхримнир; повар Андхримнир всякий день варит в нём чудесного кабана. Так велик тот кабан, что хватает его насытиться всем эйнхериям, уставшим в бою, — а наутро он снова цел и бежит искать желудей. Но, верно, пристала к его щетине толика сажи от котла, оттого и прозвали чудесного вепря — Сэхримнир.

И неправ тот, кто думает, будто эйнхерии лакомятся мясом всухомятку или пьют обычную воду. Низко склонились над пиршественным чертогом зелёные ветви Иггдрасиля; коза Хейдрун стоит на крыше Вальхаллы, на золочёных щитах, обрывая листву ясеня и молодые побеги. И струится из козьего переполненного вымени в большой жбан не молоко — золотистый хмельной мёд, и хватает его допьяна напоить всех гостей...

Сам Один пирует в чертоге вместе с эйнхериями. Подносят ему валькирии еду и питьё, но не нужна пища Вождю Асов — всё бросает он волкам Гери и Фреки — Алчному и Жадному, лежащим у ног. Славный мёд — вот Одину и еда и питьё. Всякое утро посылает он двух вещих воронов облететь мир: Хугин и Мунин — Мыслящий и Помнящий — вот их имена. Без устали кружат они над Землёй, и страшится за них Отец Богов и Людей: возвратятся ли? Но всегда возвращаются птицы ко времени вечернего пира. Садятся на плечи Одину и нашёптывают ему обо всём, что делается на свете. Оттого-то воины, выступившие в поход, всегда радуются при виде двух воронов, с громким карканьем летящих вслед кораблю: это значит, сам Один незримо с ними в походе, и вот-вот появятся девять валькирий на взмыленных жеребцах, проскачут по вспененным гребням волн, сквозь седые клочья тумана — звать самых достойных на пир в чертоге Вальхаллы...

И кажется Людям — немалая это награда за раны и кровь, за смертные муки.

Валькирия и викинг

Бывает, однако, и так: шлёт Всеотец валькирию привезти в Асгард героя, уже совершившего достаточно подвигов, уже доказавшего, что достоин пить мёд на пиру у Богов. Спешит валькирия в битву, готовая подправить копьё, занесённое врагом, чтобы сразило оно героя, чтобы замерло пронзённое сердце, чтобы вылетела душа... И — в последний миг останавливается рука, не может подняться на храбреца, и вторгается в сердце героя не смерть, а любовь. Покидает подруг валькирия и живёт как обычная женщина, старится, умирает...

Вот что рассказывают про бесстрашного викинга Хельги и валькирию по имени Сигрун.

Отец Сигрун, прославленный вождь, решил породниться с конунгом Хёдброддом, богатым и знатным. Между тем дочь-валькирия видеть не могла жениха:

— Злой конунг, кошачье отродье! — вот как она про него говорила. Но отец стоял на своём:

— Пойдёшь замуж за Хёдбродда. Такова моя воля.

А потом Один послал её в битву:

— Ждёт Вальхалла лучшего из героев, жду я славного Хельги.

Сигрун послушно оседлала коня и отправилась на берег моря, к Волчьему Камню, туда, где Хельги поставил свой боевой корабль. На берегу, возле леса, гремело сражение; Сигрун быстро высмотрела вождя... но вместо того, чтобы отобрать его жизнь, принялась ему помогать. Что поделаешь, дрогнуло девичье сердце при виде героя, забилось больно и сладко. Видела Сигрун: вот он свалил грозного врага один на один, рассёк на нём шлем... но не стал добивать беспомощного, дал уползти. Когда же посрамлённые недруги с позором бежали, низкие тучи в небе неожиданно разорвались, и

Хельги заметил прекрасную всадницу в забрызганной кровью кольчуге, в серебряном шлеме и с копьём, как будто светившимся в тонкой руке. Отчаянный викинг убрал в ножны меч и пошёл ей навстречу, и всей его храбрости еле хватило, чтобы робко спросить:

— Кто ты, дева? И почему ты так невесела? Могу ли я чем-нибудь тебе послужить?

Сигрун назвалась и ответила:

— Вечной рабыней буду я тому, кто отнимет меня у Хёдбродда, злого конунга, кошачьего отродья.

— Я сделаю это с радостью, — молвил Хельги. — Только незачем тебе становиться рабыней, лучше будь мне женой...

Долго они разговаривали. И Сигрун сложила с себя доспехи валькирии, попрощалась с подругами и с волшебным конём и не вернулась к отцу. Когда же Хёдбродд разыскал беглянку-невесту, Хельги одолел его в поединке. Они были счастливы с Сигрун, родились у них красавицы-дочери и славные сыновья.

Но дома у Сигрун остался брат Даг, весь в отца, жестокий и жадный. Он дал клятву отомстить Хельги и в конце концов выполнил клятву — сразил викинга насмерть, ударил в спину копьём. Говорят, то копьё дал ему сам Один, которому Даг принёс богатую жертву. Давно хотел Всеотец видеть Хельги у себя в Вальхалле, давно хотел, чтобы тот возглавил эйнхериев... и вот — время пришло. Тело Хельги внесли в могильный курган, а Даг поехал к сестре:

— Я убил твоего мужа. Собирайся домой.

Но Сигрун не было дела до воли Богов и до той чести, что ждала Хельги на Небесах. Она прокляла брата:

— Пусть не плывёт
отныне корабль твой,
как бы ни дул
ветер попутный!
Пусть не бежит
конь твой послушно,
когда от врагов
спасенья ты ищешь!
Пусть не разит
меч твой в битве,
разве что сам
сражён им будешь!..

Перепуганный Даг пытался оправдываться, валил всю вину на Одина, предлагал сестре золото и половину владений... Но Сигрун не взяла назад проклятия и не поехала с ним. Часто сидела она на кургане, и Люди видели — лунными ночами тень Хельги вставала к ней из могилы. Непокорный викинг не торопился за пиршественный стол Вальхаллы, не хотел разлучаться с любимой. И вот однажды утром служанки нашли Сигрун мёртвую на кургане, и на губах у неё была такая счастливая улыбка, что Люди поняли: даже воля Всеотца склонилась перед любовью — валькирия и викинг вознеслись в Асгард вдвоём. Хельги возглавил эйнхериев, как Одину и хотелось. И вот что ещё говорят: иногда, раз в сто зим, души Хельги и Сигрун вновь сходят на Землю, вселяются в смертных Людей. Никогда не умирает любовь.

Богиня Любви

Мудрые Люди рассказывают: никогда не достигли бы Асы такого могущества, если бы не их дочери, сёстры и жёны — прекрасные и мудрые Асиньи. И если лучшим из Асов справедливо считают Одина, то самая великая и славная среди Богинь — конечно же, Фрейя, дарительница любви.

Ещё называют её Невестою Ванов, ибо отец её Ньёрд попал к Асам сначала заложником и лишь потом, прижившись, был введен в родство и стал зваться Асом. Добрая Фрейя всех благосклоннее к людским молитвам, особенно, когда влюблённые ждут её помощи. Очень по душе Богине, когда поют песни о верности и любви. А ездит она на двух пушистых ласковых кошках, запряжённых в лёгкую колесницу.

Те, кто видел палаты Фрейи в Асгарде, сказывают — дивно велики они и прекрасны. Недаром зовётся этот чертог Сессрумниром — Вмещающим много сидений. Часто ездит Фрейя вместе с Одином на поля битв, и верят Люди, что достаётся ей половина убитых героев, тогда как другие отправляются к Одину в Вальхаллу. Может быть, Фрейя берёт к себе в Сессрумнир тех, кто был влюблён?..

Как все Ваны, она сильна в колдовстве и научила Асов этому искусству, дарующему высшую власть. Есть у Фрейи волшебное соколиное оперение: немало помогло оно Асам, когда выручить мог лишь быстрый полёт. Ещё есть чудесное ожерелье: так хитро выковали его Карлики Брисинги, что можно носить его и как ожерелье, и как пояс; и верно сказывают мудрые Люди — нет лучшего лекарства роженице, чем пояс Богини Любви. Но так вышло, что колдовством начали заниматься трусливые Люди, привыкшие бить исподтишка вместо честного поединка. Вот почему мужчины бросили колдовство, считая его недостойным своего мужества. Только женщинам оно позволительно, да и то, немногие похвалят колдунью. Особенно когда она переодевается в мужскую одежду, чтобы верней соткать свои чары. А колдуна-мужчину с презрением называют — муж женовидный. Поистине нет худшего оскорбления ни у Богов, ни у Людей. И никто не осудит женщину, надумавшую разойтись с постылым супругом, если вдруг обнаружится, что одежда его похожа на женскую.

…Многие Асы сватались к Фрейе, покорённые нежностью и красотой дочери Ньёрда. И наконец отдала она сердце одному из них, стал её избранником Ас по имени Од. Родились у них милые дочери: Хносс и Герсими — Драгоценность и Сокровище. А потом Од снарядил свой корабль и отправился в дальние странствия. Захотелось ему посмотреть, что же там за тёмными волнами Океана, мглистым кольцом окружившего населённую Землю... Ушёл он в поход и не возвратился, говорят, до сего времени. Горько плачет по нему Фрейя, и слёзы Богини превращаются в червонное золото. Много неведомых стран объездила она в поисках мужа — и вечно ждёт своего путешественника, затерявшегося в Океане, вечно смотрит с надеждой в непогожую даль — не появятся ли знакомые паруса...

Может быть, потому и прозвали её Богиней Любви?..

Сватовство Фрейра

Брат Фрейи, Фрейр из племени Ванов, владеет дождями и солнечным светом, животворящим влажную Землю. Оттого не восходит посеянное зерно и не зреют плоды, если нет на то его воли. Есть у Фрейра вепрь Золотая Щетинка, на котором он ездит, и корабль Скидбладнир — Выстроенный из тонких дощечек. Хитро сделан этот корабль: куда бы ни шёл он, попутный ветер всегда тут как тут и наполняет полосатый парус. А выйдя на берег, можно свернуть чудесное судно, как простой платок, и спрятать в кошель.

Фрейр умеет за себя постоять, когда его обижают. Владеет он добрым мечом, похожим на солнечный луч, и сказывают, что ясный клинок сам наносит удар, если держит его рука мудрого храбреца. Фрейр не всегда носит этот меч, и как-то раз на него, безоружного, напал хримтурс

по имени Бели — Фрейр его уложил обломком
оленьего рога, подхваченным с земли, и не счёл
это подвигом, сказав, что хватило бы кулака.
Есть пророчество, что достанется Фрейру в последнем бою один из самых страшных врагов —
огненный исполин Сурт, но и перед ним он не
струсит...

И всё-таки Люди молят Фрейра не об удаче
в бою, а об урожае и мире, просят у него при-
плода скота, счастливого брака и здоровых,
крепких детей. Знают мудрые Люди, что безмя-
тежная жизнь ему милее войны.

А вот как его самого подстерегла однажды
Любовь. Ибо перед Любовью бессилен не то что
Фрейр — даже суровый Один, Отец Богов и
Людей...

Воссел как-то Фрейр на священный престол
Хлидскьяльв и принялся обозревать все миры.
И, видно, не обошлось тут без лишней гордыни:
на миг лишь вообразил себя Фрейр самовластным
владыкой Вселенной — и был тотчас же за это
наказан. На всякого владыку есть кара, называе-
мая любовью. Бросил он взгляд на север, в далёкий Иотунхейм, и разглядел там двор Гюмира и
Аурбоды — четы инеистых исполинов. Неумеха-
ми и неряхами слывёт всё это племя, но двор
Гюмира оказался уютным и красивым на диво.
А всего более поразила Фрейра девушка, шедшая
к дому: вот подняла руку к дверному кольцу, и
как будто сияние разлилось по Небу и по морю,
так что посветлело во всех девяти мирах...

— Белорукая дева, — только и мог прошеп-
тать Фрейр.

Неистово забилось сердце в груди наследника Ванов, а потом как будто застыло. И побрёл он прочь опечаленный, зная: ни Асы, ни светлые Альвы не согласятся принять к себе Великаншу. Великое немирье было тогда между Хримтурсами и Богами. Вернувшись домой, не ел и не спал юный Бог и ни слова ни с кем не произносил. Начали вянуть цветы на солнечном лугу Идавёлль, пожухла трава, остановились в полёте дожденосные летние облака...

Тогда Асы не на шутку встревожились. Даже отец с матерью не отважились расспросить сына, что с ним случилось: рассердится Фрейр — и не миновать голодной зимы на Земле и на Небесах. Решили послать к нему слугу Скирнира, с которым Фрейр вырос вместе, как с братом. Неохотно пошёл Скирнир, боясь услышать от друга недоброе слово. Но всё-таки пошёл и спросил:

— Отчего ты, хозяин и побратим, день за днём сидишь в пустой палате один? Расскажи, а я постараюсь помочь твоему горю.

Вздохнул Фрейр и ответил:

— Не знаю, как и поведать. Не светит мне Солнце, нет в мире места моей любви. Зачем жить?

— Доверься мне, — сказал Скирнир. — Мы с тобой с детства не разлучались и верим друг другу. Или так велика твоя любовь, что для неё и слова не подобрать?

Тогда рассказал ему Фрейр о дочери Великана и о том, отчего нет надежды на счастье. Выслушал Скирнир и дал разумный совет:

— Поговорить бы с этой Герд, дочерью Гюмира, что ещё скажет. Ибо сдаётся мне, Асы и Альвы рады будут согласиться на ваш брак, чтобы только ты не сидел здесь, как неживой.

Не ошибся слуга. Сам Один погладил длинную бороду и припомнил, как некогда в молодости проводил ночь за ночью в сырых тростниках, дожидаясь свидания, и как всё не мог встретиться с возлюбленной наедине: пришёл первый раз — дом был полон гостей, пришёл второй раз — воины стояли на страже, а когда наконец сумел пробраться к любимой, увидел, что девушка обманула его, владыку Богов: сама спряталась, а к лавке, в насмешку, привязана была собачонка...

Решили Боги послать свата к Гюмиру и Аурбоде, просить Герд для Фрейра. И снова выручил Скирнир. Знал он, что Великаны не потерпят в своей стране ни Аса, ни Вана, ни светлого Альва: отправятся свататься — не приключилось бы сражения вместо свадьбы! Он же, слуга, был простым Человеком, родом из Мидгарда. Дал ему Фрейр славного коня, не боявшегося даже мрачного пламени Муспелля, дал солнечный меч-самосек. И поскакал Скирнир.

Долго ли, коротко ехал — до самого Иотунхейма добрался верный слуга, подскакал к дому дочери Великана. Не испугался ни пламени, ни злых псов, лаявших у ворот. Пригласила Герд гостя в палаты, налила ему мёду, пошёл у них разговор. И так хотел Скирнир скорее обрадовать Фрейра, что позабыл совет мудреца: не заводить речей сразу о деле. Достал он подарки, что приготовили Асы:

— Вот одиннадцать золотых яблок, дарующих молодость всякому, кто их отведает. Это Фрейр, мой хозин, прислал их тебе, потому что ты ему полюбилась.

— Знать не хочу твоего хозяина, — ответила Герд.

Скирнир продолжал:

— А вот золотое кольцо, его послал сам Один — каждую девятую ночь порождает оно восемь себе подобных...

Едва глянула на подарки гордая Великанша:

— Не бывать Фрейру никогда моим мужем. Не выменяет он моей любви за яблоки и кольцо!

— А вот меч у меня в руке, — сказал Скирнир в отчаянии. — Видишь руны на его лезвии? Снесёт он тебе голову, если будешь злословить!

Герд молвила:

— Никогда ещё в моём роду не терпели угроз! Мало поможет тебе твой меч, когда вернётся отец.

Не стал разумный слуга затевать схватку с Гюмиром — ибо мечом не берут любви, не рождают счастья убийством. Вышел он за ограду двора в дубовую рощу и начертал священные руны, а потом произнёс песнь, полную приворотных заклятий:

— Руны я режу —
«турс» и ещё три,

но истреблю их,
так же, как резал,
когда захочу.
Жезлом укрощенья
ударю тебя,
покоришься мне, дева...

Было в той песни обещание праздника, были и кары упрямице. А когда вышел Скирнир из рощи — увидел: бежит Герд со двора, всюду ищет его, посланца Богов.

— Прими, гость, мой привет, — сказала, переведя дух. — Была я с тобою невежлива, разговаривала не подумав. Неправду я молвила. Пал мне на сердце Фрейр — вот уж не мыслила я, дочь Великана, что полюблю Вана...

Так и не понял Скирнир, что помогло: могучие руны, которым научил его Один, или Любовь, которой от века нет дела до распри племён — на Небе и на Земле...

Один у Вафтруднира

Великан Вафтруднир прослыл в своём племени мудрейшим. По всем девяти мирам прошёл слух о его уме и неисчерпаемых знаниях. А ещё — о том, что каждого гостя он заставлял состязаться с собой в мудрости, не выпускал из дому, не разведав, кто носит в груди больше знаний — он сам или путник, забредший к порогу. На любой вопрос

Вафтруднир отвечал без запинки, зато сам в конце концов всегда спрашивал что-нибудь такое, чего не знал гость. Оттого стали звать Великана Вафтрудниром — Сильным в запутывании. И так по душе пришлась ему игра, что начал он биться об заклад с каждым, с кем состязался. И бывало, что гибель ждала проигравшего.

Услышал про то Отец Богов и надумал проведать грозного Великана, решил сам взглянуть, кто такой Вафтруднир и где он живёт.

— Не ездил бы ты лучше, — молвила мудрая Фригг, когда Один пришёл к ней за советом. — Великаны родились прежде Богов, и кое-кто из них унаследовал древнюю мудрость. Вафтруднир старше тебя. Может, он вправду знает что-нибудь из прежних времён, неведомое тебе?

— И всё-таки я поеду, — сказал вождь Асов. — Не дело терпеть, чтобы хвастался враг Богов и Людей!

— Что ж, поезжай, коль надумал, — вздохнула светлая Асинья. — И вот тебе доброе заклятие в дорогу: здоровым отправься и возвращайся здоровым, будь невредимым в пути! И пускай в селениях Турсов не изменит тебе мудрость, Властитель Побед!

Фригг, пожалуй, сама посрамила бы в споре не одного мудреца: много тайн было в её власти, она даже провидела судьбы, как Норна, — хотя и не делала предсказаний. Потому и не стала особенно отговаривать мужа: знала, что не теперь суждена ему гибель...

60

Дом Вафтруднира стоял далеко на востоке, в Утгарде. Увидел мудрейший из Великанов гостя на пороге:

— Что там за пришелец, так неожиданно появившийся? Уж не состязаться ли со мною пришёл? Что ж, садись на скамью, если есть мужество поставить в залог свою жизнь, а если нет — уходи, иных условий я не приму! Да скажи сперва, кто ты таков?

Тогда вспомнил Один, как назвала его жена, напутствуя на дорогу.

— Зовут меня Гагнрадом — Властителем Побед... И во мне достаточно мужества, чтобы заплатить головой, когда проиграю. А на скамью сяду, когда признаешь меня достойным соперником и вновь пригласишь!

— Что ж, тогда отвечай, — начал Вафтруднир. — Как зовётся тот конь, что вывозит День в небо поутру?

— Скинфакси ему имя, — ответствовал Один. — Я слышал, немного найдётся коней, подобных ему: огнём горит его грива и освещает весь мир!

— А как, — спросил Вафтруднир, — имя коня, что привозит нам сумрак ночи из-за восточного края Небес?

— Это конь Хримфакси, — ответил тотчас же Один. — Вот кто вывозит к нам Ночь, и росой опадает на Землю пена с его удил...

И ещё много вопросов задал ему Великан: о далёком прошлом Вселенной, о древнем Имире, обо всех девяти мирах и о судьбах, что ждут живущих на свете. Но сколько ни спрашивал мудрейший из Турсов, гость отвечал без труда. Не мог Вафтруднир запутать его, как привык.

— Садись на скамью, я вижу, что встретил достойнейшего из достойных, — вновь пригласил он Одина. — Теперь твой черёд спрашивать, но запомни: не выдумаешь, чем меня удивить — домой не вернёшься!

И вновь пошло у них состязание, игра в жизнь или смерть. Расспросил Один Вафтруднира, светлого разумом, о Луне и о Солнце, о рождении Ночи и Дня, о родине ветра и почему зимой холодно, а летом тепло. Без раздумья рассказывал древний Турс, помнивший ещё чуть ли не Имира:

— Боги дали Луне изменчивый облик, чтобы отсчитывать время. А ветер дует из Утгарда, ибо там сидит Великан Хресвельг, принявший облик орла, и беснуется море, когда взмахнёт он крылами. Отцом Лета был Свасуд — Ласковый, и оттого оно благонравно. Отцом же Зимы был Виндсваль — Холодный-как-ветер, сын Васада — Неприятного, и у них в роду все жестокосердны и злобны...

Всю мудрость девяти миров выспросил у Вафтруднира Один. И наконец глубоко вздохнул и промолвил:

— Скажи, что поведал Один, Вождь Асов, своему любимому сыну, когда этот сын лежал на погребальном костре?

И тут Вафтруднир понял, кого вызвал на состязание.

— Никто не может этого ведать, кроме тебя самого, Один, Владыка Богов, — сказал он и опустил голову. — Обрёк я, глупец, себя на погибель: тщился я тягаться с мудрейшим, кому нет и не было равных...

Так закончился спор, и пришлось Вафтрудниру расстаться с жизнью или не пришлось, земные Люди не знают. Но вот что он никого больше не вызывал на состязание в мудрости и не предлагал заложить голову — это наверняка. Понял, знать, что на силу всегда отыщется сила, на хитрость — лучшая хитрость, на мудрость — высшая мудрость...

Рождение чудовищ

Есть между Асами и такой, которого называют сеятелем лжи и раздоров, позорищем всех девяти миров. Звать его Локи. Он сын Великана Фарбаути и жены его Лаувейи, то есть совсем не Ас по рождению. Себе на беду приняли Боги в свой род зачинщика распрей, стали ему побратимами. А от побратимства, уж коли оно совершилось, не отрекаются.

Локи красив собою и статен, но злобен норовом, труслив и очень непостоянен. Говорят, он хитёр на всяческие уловки и всех превзошёл в изворотливости и коварстве. Не раз и не два попадали из-за него Асы в беду и заставляли Локи самого расхлёбывать кашу, которую заварил... Но об этом потом.

Есть у Локи жена, зовут её Сигюн. И сыновья есть, Нари и Нарви, похожие на отца, такие же злобные, вечно дерущиеся между собой. И надо сказать, Сигюн всё-таки любит супруга, хотя от него никто не видел добра, в том числе и сама она, а в последнем бою — есть пророчество — ополчится он против Богов вместе с инеистыми Великанами и Сынами Огня...

Красавец Локи — коварный друг и муж не из верных. Случилось ему раз путешествовать в Утгарде, и забрёл Локи в самое гнездо Троллей, в Железный Лес. Там сидела старая-престарая Великанша по имени Ангрбода — Сулящая Горе. Не погнушался Локи отвратительной ведьмой, и родилось трое детей, все чудовища: Фенрир Волк по прозвищу Лунный Пёс, клыкастый, мохнатый, затем змей Йормунганд и ещё дочь Хель.

Спустя время Боги узнали от провидицы об этих детях и о великих бедах, которые принесут они в мир, ибо мерзкая была у них мать, одно слово — Сулящая Горе, а отец и того хуже. Тогда послал Один Асов за Фенриром, Йормунгандом и Хель. И когда их привели в Асгард, сделалось видно, что не обманулась провидица, не попусту пугала Богов. Неподвижные глаза были у Змея и яд капал из пасти; Волк щерил клыки, и было заметно — когда войдёт в полную силу, сумеет эта пасть проглотить Солнце. А Хель, ссутулившись, стояла молча в сторонке, но всякий спешил отвести от неё взгляд: была она огромного роста и наполовину синяя, наполовину цвета тухлого мяса, да и глядела свирепо...

Тут показалось Богам — незачем бы подобным созданиям осквернять собой мир. Но слишком священен был Асгард, чтобы пролить в нём кровь.

Взял Один Йормунганда и выпустил в Океан — и так разрослось там чудовище, что вытянулось вдоль всех берегов и начало кусать собственный хвост. За это прозвали его Поясом Земли и ещё Мировым Змеем — Мидгардсормом.

Великаншу Хель Один отправил вниз, в древний мрак Нифльхейма, велел давать приют всем, кто будет к ней послан — а это Люди, умершие от старости и болезней — в соломе, как принято говорить. С тех пор по имени Хель нарекся весь Мглистый Предел, и умерших часто называют «жителями Хель». Есть там добрые чертоги, мягко застланные лавки и накрытые столы для справедливых и славных Людей, проживших достойную жизнь. Но есть и злая река Слид, текущая с востока, с заснеженных гор, где ещё не растаял иней бездны Гинунгагап; ядовита её вода и несёт мечи и ножи вперемешку с осколками льда. Вечно идут через неё вброд подлые убийцы, нападавшие сзади или в ночной темноте, и с ними те, для кого не была священна чужая жена. А иных, кто предал побратима или вождя, кто нарушил крепкую клятву, ждёт Берег Мёртвых — Настранд и хоромы, сплетённые из живых змей, дверью на север. Вот какие владения у Хель.

А Фенрира Волка Боги вырастили у себя, чтобы не спускать с чудовища глаз, ибо из всех троих был он самым опасным. Лишь Тюр, бесстрашный и мудрый Ас-воин, Бог Справедливых

Законов, отваживался его кормить, и Волк ему доверял. Теперь убить его сделалось совсем невозможно, ведь он делил с Асами пищу. Но день ото дня он рос и делался всё злобней и ужасней, и пророчество за пророчеством говорило, что он и есть Лунный Пёс, будущий пожиратель Солнца, рождённый всем на погибель. Знал об этом и сам Волк. Собрались Асы на совет — и решили сделать крепчайшую цепь и связать Фенрира, чтобы отдалить погибель Вселенной, чтобы смирно лежал он до своего часа и не натворил лишней беды... Но как подступиться к чудовищу? Разве что подговорить его устроить испытание силы, ибо хвастлив был Фенрир, как почти все Великаны, и любил бахвалиться силой, а не умом.

Сказано — сделано. Волк охотно дал надеть на себя оковы, упёрся — лопнула толстая цепь, точно гнилая верёвка. Выковали Боги новые путы, вдвое крепче прежних. Подумалось Фенриру — немалая слава их разорвать! Снова дал надеть цепь на себя, рванулся — и только звенья посыпались...

Тогда Один послал Скирнира, слугу Фрейра, под землю, к Карликам. Ибо всем ведомо — нет более искусных умельцев во всех девяти мирах. Поведал им Скирнир про Волка: ведь это его, Фенрира, сыновья уже гнались по Небу за Луною и Солнцем, замышляя погибель Вселенной. Он сказал:

— Даже вам несладко придётся в ваших пещерах, не отсидитесь, когда грянет последняя битва и Небо рухнет расколотым...

Взялись за дело искусники. Смешали шесть сутей: шум кошачьих шагов, женскую бороду, корни гор, медвежьи жилы, рыбье дыхание и птичью слюну — всё, что есть на свете, и всё, чего нет. И выткали гладкую и мягкую ленту, шелковистую и на вид совсем не опасную. Привёз её Скирнир на остров Люнгви, что в озере Амсвартнир — там как раз собрались Боги и с ними Волк. Стали Асы передавать ленточку из рук в руки, и каждый пробовал разорвать. Но она не рвалась.

— Только Фенриру это под силу, — говорили они между собой. — Попробуй-ка, Фенрир, если не трусишь!

Обнюхал ленточку Волк и ответил презрительно:

— Не стяжать славы, порвав на куски подобную шелковинку. А если в ней какой обман или хитрость, тогда и пробовать незачем!

Молвили Боги:

— Коль не сумеешь порвать её — значит, лживы пророчества и есть предел твоей силе, а стало быть, ты не тот Лунный Пёс, которого мы так опасаемся. Разве не хочешь, чтобы мы отпустили тебя домой в Железный Лес бегать на воле?

Но всё-таки Волк заподозрил неладное и сказал так:

— Знаю, не видать мне пощады, если свяжете. И чем обвинять меня в трусости, пусть-ка один из вас вложит руку мне в пасть в знак того, что всё без обмана!

Подошёл Тюр и молча вложил Волку в пасть правую руку... Опутали Волка — и как он ни рвался, лишь крепче делалась лента и всё больнее впивалась в тело. Тогда Боги с облегчением засмеялись: не скоро освободится чудовище! Лишь Тюр не смеялся, мучимый болью, ведь у него не стало руки.

Асы тогда взяли конец пут, привязали к огромному камню и зарыли тот камень глубоко в недра Земли. Фенрир Волк в ярости страшно лязгал клыками, пытаясь дотянуться до каждого, кто приближался. Изловчились Асы и вставили ему в пасть острый меч, так что челюсти не смыкались. Остался Волк лежать связанным на острове Люнгви. В ветреную погоду оттуда по сей день доносится вой, а слюна, бегущая у Фенрира из разинутой пасти, смешалась с озёрной водой и дала начало реке. Зовут эту реку Вон — Надежда, ибо знает Волк, что плен будет не вечным: написано ему на роду проглотить Солнце и Месяц, погубить Богов и Людей. Знают это и Асы. Обманом отсрочили они гибель Вселенной, выбрав меньшее из двух зол. Но ведь Зло всегда остаётся Злом — малое и большое, на Небе и на Земле...

Тюра отнесли домой на руках. Он не жаловался, однако видели Асы — гложет его что-то хуже, чем боль. Наконец он сказал:

— Теперь я не могу больше быть Богом Справедливых Законов, ведь я пошёл на обман. Хотя бы этот обман и был нужен для спасения мира. Я не могу больше разбирать тяжбы и назначать выкупы. Теперь судить будет

Сила, а не Закон: кто сильнее, тот и окажется прав. Никто уже не назовёт меня миротворцем...

Тогда Боги задумались, а вправду ли они выбрали меньшее из двух зол. Но было поздно.

Волосы Сив

Старшего сына Одина зовут Тор, и сама Земля доводится ему матерью. Старшие сыновья нередко рождаются бесхитростными душой, но зато смелыми и надёжными. Таким удался и Тор. Он сильнейший среди Богов и Людей, и борода у него рыжая, как огонь, а кудри — как грозовые тучи. Тор ездит на колеснице, запряженной двумя козлами. Гремят окованные железом колёса, и слышат Люди катящийся по небу гром. Тор — Бог-воин и вечно сражается с Великанами; если бы он не держал их в страхе, уж верно, давно захватили бы они Асгард и опустошили всю Землю. Тор является тотчас, когда его зовут на подмогу. Он часто попадает в своих походах в опасные переделки и возвращается домой оборванным и босым — но непременно с победой.

Дома его ждёт старшая жена по имени Сив, младшая жена Ярнсакса, дочь Трюд, сыновья Моди и Магни и ещё пасынок Улль. Дружная семья у Бога Грозы, и он не завидует Одину, чью мудрость унаследовал другой сын — светлый Бальдр. Не всем быть вождями, не одни мудрецы на свете нужны...

Зато есть такие меж Асами, кто завидует Тору.

Сказывают, злобный Локи хотел в отсутствие Тора склонить Сив к измене; когда же не удалось — схватил Богиню за волосы и обкромсал ножом золотые пышные пряди, изуродовал красоту. Благо сыновья Сив были в ту пору совсем малы и не смогли заступиться за мать.

Вернувшемуся Богу Грозы хватило одного взгляда на плачущую жену. Оставил он запылённую колесницу и кинулся разыскивать Локи. Быстро бегал сын Лаувейи, но не быстрей молнии. Разъярённый Тор схватил Локи и переломал бы ему все кости, но тот завопил:

— Пощади!.. Я поеду к Карликам и упрошу их сделать для Сив новые волосы — из чистого золота!..

Тор встряхнул его, как крысу:

— Ты одного волоска её не стоишь, ничтожный!

Локи извивался в его железных руках, умоляя:

— Ты же знаешь, какие это умельцы...

Выслушал Тор заманчивые посулы, дал Локи пинка и отпустил.

Натянул злобный Ас волшебные башмаки, носившие его по воздуху, как по земле, что было духу помчался из Асгарда вниз, уломал одного Карлика сделать для Сив золотые волосы, а в придачу ещё копьё и корабль. Как уж ему удалось это, нам не известно — крепко, видно, перепугал его Тор... Когда же всё было готово, поуспокоившийся Локи не вытерпел — снова обнаружил коварство. Отправился к другому Карлику, Эйтри, и показал сокровища:

— У тебя никогда таких не получится.

Раззадорил мастера, даже поставил в заклад свою голову — ничего, дескать, не выйдет. Обиделся Эйтри. Пошёл в свою кузницу, положил в горн свиную кожу, а брата Брокка поставил у мехов:

— Работай без передышки, иначе погибнет положенное в горн!

Но стоило ему отойти — тотчас Брокку села на руку муха и начала жалить, да так больно, как ни одна муха не жалит. Хотел убить её Брокк, но не мог бросить меха, качал и качал — и вышел из горна вепрь с золотой щетиной.

Затем Эйтри положил в горн золото и велел поддувать вдвое сильнее. Тут вновь, откуда ни возьмись, прилетела муха и впилась Брокку в шею, так что он света не взвидел. И вновь он не бросил работы, и вышло из пламени кольцо — ничем не украшенное, но такое, что нельзя отвести глаз.

И наконец положил Эйтри в горн железо:

— Дуй втрое сильнее, иначе всё пропадёт!

Тут-то муха уселась Брокку меж глаз и ужалила в веко, так что кровь залила глаза. Не выдержал Брокк, вскинул руку отогнать злобную тварь... опали меха, и едва не погибло всё, что готовилось в горне. Но всё-таки Эйтри не оплошал и выхватил из пламени чудесный молот, сверкавший, как молния.

Эйтри вручил все сокровища брату, велел идти в Асгард:

— Локи ставил в заклад свою голову, вот и принеси её мне.

Надо думать, Брокк пошёл очень охотно: он ведь догадался, что за муха жалила его без пощады.

Вот встали Локи и Брокк перед судейскими тронами Асов, и поручено было судить дело Одину, Тору и Фрейру. Приложил Локи золотые волосы к остриженной голове Сив — и тотчас прижились они и принялись расти гуще прежнего. Дал хитрец Одину копьё Гунгнир, разящее без промаха. Подарил Фрейру корабль Скидбладнир. И стал уверенно ждать приговора Богов — ведь каждому из судей был поднесён подарок.

Тогда Брокк достал свои сокровища. Он отдал Одину кольцо, прозванное впоследствии Драупнир, ибо каждую девятую ночь капали из него восемь подобных же. Фрейру Карлик подвёл чудесного вепря: в самом Нифльхейме, в Стране Тьмы, с ним светло — так сияет его золотая щетинка. Можно было скакать на том вепре по воздуху и по воде — ни один конь не догонит... А Тору достался молот-молния Мьйолльнир. Можно метнуть его через полмира, и он, сразив цель, возвратится в руку хозяина. Без промаха бьёт этот молот и никогда не отказывается служить, и лишь один у него изъян — рукоять чуть коротковата. Это из-за того, что муха ужалила Брокка в глаз, когда он качал меха.

Боги признали молот лучшим сокровищем. Принялся Локи сулить выкуп за голову, но у Карлика всё ещё болели рука, шея и веко, и он стоял на своём.

— Что ж, лови меня, коротконогий, — засмеялся Локи и умчался прочь в своих башмаках, что умели бегать и по морю, и по облакам. Взмолился Брокк, упросил Тора поймать обидчика. Не смог Локи удрать от колесницы Бога Грозы, схватил его Тор и привёз назад на расправу. И быть бы Локи без головы, да вновь выручила хитрость:

— Несправедливо получится, если перережут мне шею, ведь договаривались не о шее, а только о голове.

Пуще прежнего обиделся Брокк — и, говорят, тотчас прыгнули ему в руки шило и ремешок, мигом зашили рот коварному Локи. Еле-еле избавился Локи от того ремешка.

Конь Слейпнир

Когда мир был ещё юным и Асы только-только обживали его, устраивая себе дворы в Асгарде и Вальхаллу для будущих поколений героев — явился к ним некий мастер и предложил за три полугодия выстроить вокруг всего Мидгарда хорошие каменные стены, чтобы ни горные Великаны, ни инеистые исполины Хримтурсы не сумели его захватить. А себе выговаривал каменщик в жёны Фрейю — Богиню Любви, и в приданое Фрейе — ни много ни мало Солнце да Месяц.

Стали Асы советоваться, да вот беда: мудрый Один как раз странствовал где-то, а Тор ушёл в поход на восток, отгонять от земных границ Великанов. И насоветовал Локи посулить каменщику всё, что он просит, но сроку дать не три зимы, а всего одну, и если к первому летнему дню хоть самая малость окажется не готова — не видать строителю ни Фрейи, ни Солнца, ни Месяца. Да чтобы строил один, никого не звал на подмогу. Выслушал мастер и стал просить позволения взять в помощь своего коня Свадильфари. И снова шепнул Богам Локи — дескать, надо позволить.

На том порешили и заключили договор при свидетелях, скрепив его многими клятвами, потому что не доверял строитель Богам, а Боги — строителю...

Вот настала зима, и он принялся за работу. Днём складывал стену, а ночью подвозил для неё камни, и тут-то поняли Асы, что не подумав позволили каменщику взять в помощь коня. Могучий конь Свадильфари делал вдвое больше хозяина: Асы только дивились, глядя, какие громадные глыбы он с лёгкостью перетаскивал... Ото дня ко дню вырастала стена и выглядела прочной и высокой, как горный кряж, — никто не возьмёт приступом, сколько бы ни пытался. Знай поглядывал строитель на светлую Фрейю да всё махал ей рукой. Поднимал глаза к Солнцу и Месяцу и потирал жадно ладони...

Три дня осталось до лета, и не на шутку забеспокоились Асы, ибо лишь только ворота стояли ещё не готовыми. Сели Боги на свои престолы и вновь начали совещаться, припоминая, кто посоветовал отдать Асинью каменщику и обезобразить небосвод, сняв с него Солнце, Месяц и звёзды? И решено было, что поделом достанется Локи, сыну Лаувейи, лютая смерть, если не выдумает, как помешать мастеру выполнить условия договора. Струсил коварный Ас и поклялся устроить, чтобы Фрейя осталась в Асгарде, а светила — на Небе...

И вот в тот же вечер, когда запряг строитель коня Свадильфари и отправился в горы за камнем — откуда ни возьмись, выбежала из лесу красавица кобылица и с призывным ржанием поскакала прямо к коню. И так была она хороша и так весело прыгала, скакала и каталась по весенней траве, что не выдержал Свадильфари — заржал в ответ, в клочья порвал упряжь и ринулся за кобылицей. А та повернулась — и в лес.

Это Локи опять унизился до колдовства и, что самое гнусное, изменил не только обличье — даже свой пол...

Схватился за голову каменщик и бросился вдогонку коню, принялся звать его, пытался ловить. Куда там! Могучий конь всю ночь носился с кобылицей, так что не привезли ни одного камня и утром не из чего было строить остаток стены. Едва-едва сдвинулось дело. А пришёл вечер, и всё повторилось: вновь увела жеребца красавица кобылица, и опять недоделанной осталась работа.

Тут понял каменщик, что не поспеет кончить работы, и впал в такую ярость, что Асы тотчас признали в нём горного Великана. Вот кто, оказывается, испрашивал себе в жёны Фрейю, а в приданое — Солнце и Месяц! Не посмотрели Боги на клятвы, кликнули Тора. И немедленно явился Тор, прогремели окованные колёса, взвился молот-молния, занесённый могучей рукой:

— Я-то никому клятв не давал!

Так заплатили Асы мастеру за работу — получил Великан не Солнце и звёзды, а удар молота, бьющего без промаха. Отправился он в Тёмный мир Нифльхель, в ту его часть, где селения умерших Турсов, а Боги с облегчением перевели дух. Но смутно было у них в сердце — ибо знали они, что нарушили крепкие клятвы, а это никому не прощается, ни на Земле, ни на Небе...

Поплатился и Локи за коварные советы и колдовство. Долго ещё пришлось ему ходить в облике кобылицы — пока не родил жеребёнка. Жеребёнок был серой масти и о восьми ногах, и назвали его Слейпнир — «Быстро скользящий». Он не унаследовал коварства злобного Локи и вырос в славного жеребца, верного спутника самого Одина. Один ездил на нём по Земле, по воздуху и по морским волнам. И говорят, нету лучше коня ни у Богов, ни у Людей.

Яблоки Идунн

Вещие вороны Хугин и Мунин каждое утро рассказывают Одину обо всём, что происходит на свете. Но даже и с такими помощниками не легко быть вождём Богов и Людей, если всё время жить в Асгарде, не спускаясь на Землю. Ибо многое видно с чудесного престола Хлидскьяльв, но не всё. Вот почему Всеотец нередко путешествует по Мидгарду на коне Слейпнире или просто пешком. Всего чаще приходит он в обличии одноглазого старика, одетого в полинялый синий плащ и широкополую шляпу, — так, как явился он к Гейррёду конунгу. И часто бросает Один между героями незримые руны раздора, руны вражды, испытывая мужей. Ему нужны лучшие для Вальхаллы, для небесной дружины, для последнего боя против чудовищ. Вот отчего синий цвет его одеяния с незапамятных пор прозван цветом отмщения; в синее одевается воин, идя мстить за обиду, и вороны Одина с карканьем летят ему вслед...

Иногда Один путешествует без спутников, иногда же берёт с собою других Асов — чаще всего Локи и Хёнира, того самого Хёнира, что ещё жил у Ванов заложником. Одно время они столь часто путешествовали втроём, что иным Людям стало казаться, будто даже Аска и Эмблу Один изваял и одушевил, странствуя не с братьями, а с Локи и Хёниром. В самом деле, иные в роду человеческом столь переполнены злобой и подлостью, что сам Локи охотно признал бы в них своих внуков, а другие простодушны и нерасторопны умом, в точности как Хёнир.

Между тем этот Ас — надёжный попутчик и ходок — лучше не бывает. Скальды Мидгарда величают его «проворным Асом» и даже «длинной ногой». Он не речист, но не поскользнётся на обледенелой тропе и в самый дождь ухитрится затеплить костёр на морском берегу, устраивая ночлег... Что же касается Локи, то с ним не соскучишься, но всё время надо держать ухо востро. Потому и берёт его Один с собой: от его единственного глаза коварному Локи трудней увернуться, чем от взглядов всех остальных Асов, вместе взятых. Однако бывает по-всякому...

Отправились трое Асов путешествовать в Мидгард, и завела их дорога на самый север Земли. Долго шли они извилистыми берегами фиордов, и скрипел под ногами влажный чёрный песок, а в спокойной воде лежали молочно-голубые осколки громадных льдин, не растаявшие с зимы. Шли через горы, закутанные в серые плащи тумана, и ещё через такие места, где пламя Муспелля когда-то вырвалось из-под земли и расплавленный камень застыл причудливыми потёками... Наконец, притомившись, стали подумывать о ночлеге. И когда летнее Солнце ненадолго направило коней к горизонту — остановились возле ручья в привольной долине. Припас же у них к тому времени кончился, и Локи, конечно, стал ныть и жаловаться на голод, а Хёнир без лишних слов поднялся и пошёл поглядеть, не найдётся ли чего съестного поблизости. И вскоре вернулся, неся на плечах быка: он встретил стадо, щипавшее зелень на склоне.

Решили Асы полакомиться. Набрали сухого хвороста, развели костёр, а когда дрова прогорели, нарезали лучшие куски мяса — окорока и лопатки — и положили между раскалёнными камнями поджариваться.

Спустя время голодному Локи подумалось, что, верно, уже готова еда; раскидал костёр и увидел — лежит мясо между дымящимися камнями холодное и сырое, словно и не коснулся его жар. Удивились Асы, сгребли побольше углей в середину, решили ещё подождать. Тут уж у Локи голова пошла кругом и живот прилип к спине — еле вытерпел срок, наконец снова раскидал угли... как прежде, холодное и сырое лежало мясо в камнях и не думало жариться.

— Что же это значит? — спросил тогда Хёнир.

— А вот что, — раздался чей-то насмешливый голос над их головами. — Я здесь хозяин, и по моей воле не жарится ваша еда.

Подняли Асы глаза и увидели громадного орла.

— Я знаю тебя, — сказал тогда Один. — Ты Тьяцци, Великан в обличье орла. Это верно, что ты здесь хозяин, ведь Утгард отсюда недалеко. Как бы сделать, чтобы ты разрешил нам поесть?

— Сырого мяса у меня вдосталь, — ответил орёл, — а вот жареного я давненько не пробовал. Обещайте досыта меня накормить, а я, так и быть, позволю огню приготовить ваш ужин.

— Что ж, угощайся, — сказал Один Великану. И тотчас мясо зашипело между камнями, покрылось корочкой и запахло так вкусно, что Локи затопал ногами и замотал головой. Тут орёл сел вместе с Асами у костра и, едва отодвинули угли, принялся за бычьи окорока и лопатки. Увидел Локи, как проворно начали исчезать в его клюве самые лакомые куски — не вытерпел, схватил большую палку и что было силы ударил орла. Орёл от удара встрепенулся и взлетел, и вот диво — палка накрепко пристала к его спине, а руки Локи — к палке. Повернул голову Тьяцци-орёл и усмехнулся, глядя на вероломного Аса. И полетел не спеша, на такой высоте, чтобы ноги Локи тащились по скалам и осыпям, а потом — по деревьям, когда начался лес. Никак не мог Локи освободиться: камни и острые сучья в клочки разодрали на нём одежду и обувь, изранили тело, а руки готовы были оторваться от плеч. Локи кричал от боли и страха, пока не охрип, потом слёзы полились из глаз. Забыл Локи всю свою заносчивость, стал умолять орла о пощаде, сулить выкуп за свою жизнь.

— Не бывать тебе на свободе, обидчик, — сказал наконец Тьяцци, — разве что поклянешься выманить мне из Асгарда Идунн с её молодильными яблоками. Я становлюсь стар и не хочу умереть, пока не выдам замуж дочь...

Исцарапанный Локи тотчас же согласился:

— Клянусь бортом корабля Скидбладнира, хребтом коня Слейпнира и лезвием меча-самосека, что выманю тебе Идунн, и поступай с нею как хочешь, только выпусти меня поскорее!..

— Добро, — молвил орёл, и палка отстала от его спины, а руки Локи — от палки. Свалился Локи на серые камни и долго лежал, охая и жалуясь на судьбу, потом кое-как поднялся и, хромая, поплёлся назад, туда, где сидели два Аса. И порадовал ли его кусок остывшего жаркого, что приберёг ему Хёнир, — земные Люди не знают. Известно лишь, что Локи никому не рассказывал о своём уговоре с орлом. И больше в тот раз ничего не случилось с троими Богами до самого возвращения домой.

Молодильные яблоки вправду росли в саду у Асиньи Идунн, и Боги, чувствуя приближение старости, приходили к ней и отведывали чудесных плодов. Вот почему Один всегда оставался седобородым мужем, но никак не дряхлым стариком, Тор — могучим воином в самой середине жизни, а все Асиньи — прекрасными юными жёнами. Идунн была замужем за Асом по имени Браги; этот Браги родился в Мидгарде, среди смертных Людей, но ему первому среди них довелось вкусить мёда поэзии, стал он величайшим на всей Земле скальдом — и был взят в мир Асов и введён в их род, стал Богом поэтов.

Однажды утром Локи заглянул в сад, где Идунн ухаживала за яблонями:

— Пойдём со мной в лес, я нашёл там яблоки, которые наверняка тебя удивят. Да захвати корзиночку этих, чтобы сравнить!

Доверчивая Идунн сорвала несколько яблок и вышла вместе с Локи за ворота Асгарда, расспрашивая дорогой, что за удивительные плоды попались ему в лесу. Но только вступили они в лес и вышли на поляну, где, по словам Локи, росли дикие яблони — пал с неба Великан Тьяцци в оперенье орла, схватил Идунн в огромные когти и мигом унёс в Утгард, на север, в окутанные туманом снежные горы.

Асы не сразу заметили исчезновение Идунн: Богам и Богиням нередко случалось путешествовать, надолго уезжая из дому. Даже Браги, вещий поэт, не понял сперва, что Идунн пропала. А Локи, понятно, молчал.

Но прошло время, и Асы увидели — случилась беда. Яблони Идунн соскучились по хозяйке и, как ни поливали их Боги, совсем перестали плодоносить. Начали Асы седеть и стареть, стали покрывать их лица морщины, а могущество — ослабевать. Тут собрались они на тинг и вместе припомнили, когда и с кем последний раз видели Идунн:

— Это Локи увёл её из Асгарда, и она не вернулась!

Немедля поймали и привели на тинг Локи. Начал он отпираться, мол, не поймёт, о чём речь, но глаза бегали. Пригрозили ему Асы, что не посмотрят даже на кровное побратимство:

— Из-за тебя мы опять попали в беду, так что держись, если не выдумаешь, как спасти Идунн и всех нас!

А Тор молча взялся за рукоять молота-молнии, и, говорят, это-то напугало Локи больше, чем все смертные муки, которыми ему угрожали. А впрочем, другим Людям кажется, всё дело в том, что красавец Локи и сам начал стариться и седеть, как другие, а стало быть, ни одна женщина, кроме верной Сигюн, скоро не захочет на него смотреть... Как бы то ни было — струсил Локи и обещал, что вызволит Идунн из плена, если только Богини одолжат ему соколиное оперение. Асиньи тотчас его принесли. Надел Локи быстрые крылья и во весь дух понёсся на север.

Промелькнули фиорды, забитые льдами, прибрежный чёрный песок, на который с шорохом выплёскивается волна; промелькнули горные снежники и поля бурого камня, вытекшего когда-то из-под земли жидким огнём. И вот наконец Страна Великанов и дом исполина Тьяцци, вот Идунн, грустящая на пороге.

Локи сразу увидел, что Идунн была дома одна — Тьяцци с его дочерью Скади уплыли в море на лодке, ловить рыбу на ужин. Не стал Локи терять времени даром — тотчас превратил Идунн в лесной орех, взял его осторожно в когти и помчался домой.

Тьяцци же, возвратившись, немедля хватился пленницы; а поскольку этому Великану была ведома древняя мудрость, он скоро понял, какой такой сокол мелькнул над его лодкой, когда он и Скади выгружали на берег улов. Поспешно надел Тьяцци своё орлиное оперение:

— Это Асы, дочь, выкрали у нас Идунн. И ты должна будешь отомстить, если со мной что-то случится.

И кинулся в погоню за Локи — только ветер свистел в огромных крыльях.

Долго мчались сокол и орёл — над морем и над горами, над каменными равнинами и вдоль извилистых ущелий фиордов, в морозной солнечной вышине и в тумане, что поднимался с клокочущих горячих озёр. Но вот наконец и Асгард; и Асы, увидев мчащихся птиц, выбежали за стены с ворохом стружек. Локи без сил свалился им прямо под ноги, а Браги подхватил лесной орех, выпавший из соколиных когтей, и мгновением позже целовал заплаканную Идунн. Асы тем временем подожгли стружки — и Тьяцци, не в силах остановиться, влетел прямо в огонь. Вспыхнули и сгорели орлиные перья, и Тьяцци вынужден был принять свой истинный облик. Подоспевшие Асы схватились с ним, и Тор поразил его насмерть.

А Идунн побежала к своим яблоням, и те, сказывают, при виде хозяйки немедленно расцвели, а к концу лета принесли урожай, да такой, какого не помнили самые старые Асы. Отведали Боги яблок, и возвратились к ним силы, вернулись молодость и могущество, а у Асинь пропали морщины и седина, и всё стало как прежде.

И Локи успел позабыть о Скади, дочери Великана. Локи привык делать первое, что ему приходило на ум, и редко размышлял о последствиях, да и то, если удавалось его изловить и припереть к стенке, заставить держать ответ.

Скади

Между тем Скади, дочь Великана Тьяцци, умела не только пасти коров, стричь непослушных овец и кроить нарядные платья. С детства выучилась она бегать на лыжах на зависть любому юному Великану, даже Хримтурсы не могли с нею равняться, а ведь они сами были детьми зимы и мороза. Скади привыкла стремительно мчаться с самой высокой горы, с самого крутого откоса, весело огибая деревья и валуны и не расплескав на ладони чашу с водой, — только лыжи свистели да снежная пыль вилась за плечами, как серебряный плащ!

А ещё умела Скади сражаться и так ловко со временем стала владеть отцовским мечом, что Тьяцци однажды подарил ей шлем, щит и кольчугу, сказав:

— Из тебя получилась бы валькирия!

И надо ли говорить, что ко всему прочему Скади была красавица, каких мало.

Долго, до самой зимы, ждала она отца, умчавшегося в погоню за Локи; и наконец поняла, что срок ожидания минул, настало время для мести. Тщательно осмотрела Скади кольчугу, наточила и смазала меч, взяла в руки копьё, надела за спину щит. Заперла дверь отцовского дома. Встала на лыжи и пустилась в путь по горам, заваленным снегом.

Долго путешествовала Скади. Тяжёлые облака ползли через перевалы, туманом окутывая тропу, лишь седые вершины вздымались в холодную синеву, сверкая на солнце. А по ущельям сонно переговаривались водопады, разодетые ледяными кружевами. И неумолчно ревел, сотрясая береговые утёсы, океанский накат, и ледяные горы, подхваченные течением, медленно проходили у горизонта...

И вот однажды рано поутру Асы проснулись и выскочили из домов, разбуженные громовым ударом в ворота. Закаркали вещие вороны в доме у Одина, завыли волки Гери и Фреки; рыжебородый Тор схватил молот; эйнхерии встали с оружием у двери Вальхаллы — не рог ли то Гьяллархорн протрубил, не Фенрир ли вырвался из оков?

Между тем за воротами Асгарда на снегу стоял одинокий воин в кольчуге и шлеме, с копьём в руках и со щитом за спиною, и далеко, до самого леса на склонах Гор Ущербной Луны, тянулась проторенная лыжня. Всем хорош был воитель, обрекший себя на погибель в схватке с Богами — недоставало лишь бороды, зато были густые светлые волосы, летевшие по ветру. И когда он увидел сбежавшихся Асов и снова поднял копьё, ударив черенком в ворота, — содрогнулись дубовые створки ворот и едва не упали.

— Кто ты? — спросил Тор. — И что тебе надо?

— Мой отец Тьяцци пал у этой стены, опалённый вашим огнём и сражённый вашим оружием, — ответил звонкий девичий голос. — Дело дочери взяться за месть, когда нет сыновей!

Тут поняли Боги, что перед ними дочь Великана. И нахмурился Тор, опустил руку, столько раз заносившую безжалостный молот. Переглянулись эйнхерии, не отступавшие перед врагом, убрали в ножны мечи...

— А не заключить ли нам мировую? — сказал тогда Один. — Ты же знаешь, что твой отец выкрал у нас Идунн и погиб, пытаясь помешать нам вернуть её. Он говорил, что не хочет состариться, пока не найдёт для тебя достойного жениха. Вот ты и получишь в мужья одного из наших Асов, кого сама изберёшь.

Скади сперва залилась краской от гнева, услыхав подобные речи; однако потом разглядела подле Вождя Богов его младшего сына, улыбчивого светлокудрого Бальдра... и сам собою стих её гнев. Бальдр показался ей мужественным, как Тор, только много красивее старшего брата. Волосы у него были мягкого золота, как весеннее облачко на рассвете, а глаза — синие-синие. Были в них мудрость и мужество — и что-то ещё... И вот что совсем растопило сердце дочери исполина: стоял рядом с Бальдром другой Ас, широкоплечий, но с плотно зажмуренными глазами и невесёлый на вид. Словно бы тень лежала на нём, и Скади заметила — прочие Асы как будто сторонились слепого, лишь Бальдр, светлый Бог, держал его за руку, рассказывая об удивительной гостье... Были эти двое похожи один на другого, как братья. Вот Бальдр поймал пристальный взгляд Скади — и не свёл золотистых бровей, не погрозил кулаком — приветливо улыбнулся...

И непреклонная Скади решила: не трону его, если всё-таки придётся сражаться.

— А ещё мы возьмём глаза Тьяцци и бросим их в самое Небо, и там они станут двумя звёздами, — сказал Один.

И подумалось Скади, что звёздное Небо, пожалуй, увековечит память её отца крепче, чем все рассказы о мести, которую могла бы совершить она, дочь.

— Хорошенько подумай, воительница, — сказал Один. — Истребовать выкуп с Богов — это много почётнее битвы!

И тут тугодумному Хёниру вспомнилось, как они жарили мясо и сын Лаувейи ударил орла. Он сказал:

— А Локи, зачинщик распри, пускай тебя рассмешит!

— Добрый совет, — согласились Асы и Асиньи. — Пусть он следующий раз думает хорошенько, прежде чем хвататься за палку!

— Вот уж вряд ли кому-нибудь скоро удастся меня насмешить, — сказала гордая Скади. — А в остальном ваш выкуп, пожалуй, стоит отмщения. Я его принимаю.

Перевернула она копьё остриём вниз и завязала ремешком ножны меча — так и Люди с тех пор поступают, когда у них на уме мир. Открыли Боги ворота и впустили Скади к себе в Асгард, усадили за стол и до вечера пировали.

Когда же стало темнеть, поднялся с хозяйского места Один, и два ворона взмахнули чёрными крыльями на его широких плечах. Взял предводитель Богов глаза убитого Тьяцци и могучим размахом метнул их в тёмное Небо, сопроводив заклинанием... полыхнуло белое пламя, прорезали ночной мрак две огненные стрелы — и две новые звезды засияли на небосводе. И до сих пор горят они там, так что каждый может найти их и удостовериться — ни слова лжи нет в рассказе о Тьяцци и Скади.

А потом молодые Асы разулись и предстали перед дочерью Великана закутанными в плащи с головой, так что она видела только их ноги. Долго приглядывалась Скади, пытаясь угадать младшего сына Одина, и решилась наконец, указала на самые пригожие ноги, промолвив:

— Вряд ли что некрасиво у Бальдра...

Откуда могла она знать, что Бальдр не пытал счастья среди женихов, ведь у него уже был маленький сын и жена Нанна, которую он очень любил.

Сбросил с головы плащ юноша, на которого указала Скади, — и оказался Ньёрдом, хозяином Ноатуна, заложником из племени Ванов... Ничего не сказала воительница, но про себя подумала: вот уж теперь даже выдумщик Локи не принудит её улыбнуться.

Между тем Локи притащил в дом козу. Коза упиралась и отчаянно блеяла, потому что Локи привязал её верёвкой за бо́роду. Встали они посередине палаты, у всех на виду, потянулся обидчик орла схватить козу за рога... и уронил вдруг штаны. Тут-то Скади прыснула в ладонь от неожиданности и ткнулась лицом в плечо Ньёрда, сидевшего подле неё, и Ньёрд обнял невесту, а Локи побежал вон, подхватывая одежду. И услышала дочь Великана, как засмеялись вокруг Асы и Асиньи, и не столь уж немилым показался ей Ньёрд, разговорчивый и весёлый, как море в ласковую погоду. Взяла Скади жениха за руку, стала расспрашивать о кораблях, о китовых дорогах и островах, встающих из волн...

Это знают Боги и Люди: нет смерти, пока звучит смех. Вот почему, схоронив любимого человека, устраивают пир и веселятся как могут, вспоминая об умершем что-нибудь смешное и не слишком пристойное. Смерть боится веселья, боится весёлых россказней о проделках любви: ведь если Мужчина и Женщина вместе смеются — это новая жизнь...

Пир был в самом разгаре, когда Скади заметила по другую сторону стола прекрасную Асинью и повернулась к жениху:

— Кто эта красавица? Расскажи про неё.

— Мы зовём её Гевьон, — ответил Вана-Ньёрд. — Мало того, что она красивее многих, она ещё и поёт так, что невозможно наслушаться. Как-то раз она пела для Гюльви, конунга шведов, и он в награду подарил ей столько земли, сколько поднимет её плуг. Тогда Гевьон позвала своих сыновей — видишь их подле неё? — обратила всех четверых в могучих быков и сдвинула плугом в море целый кусок страны с горами, лесами и возделанными землями... Теперь его называют островом Зеландией, а в Швеции, на его прежнем месте, теперь озеро Меларен...

Тогда Скади спросила ещё, на сей раз очень тихо:

— Скажи мне, кто это такой рядом с Бальдром, слепой, сильный и грустный?

— Это Хёд, его брат по отцу, — так же тихо ответил Бог моря и кораблей. — Он слеп от рождения, знать, так суждено: даже Асинья Эйр, славная врачевательница, не смогла для него зажечь солнечный свет.

Тогда Скади, с детства привыкшая быть самой ловкой и зоркой, впервые задумалась, как это страшно — ни разу в жизни не увидать бушующие морские волны и чистый утренний снег, тень орла, скользящую по песку, и робкие весенние цветы в морщинах древних утёсов... и непривычная дрожь пробежала по спине дочери исполина.

— Почему же с ним все так неласковы? — вновь спросила она жениха. — Даже Один — а ведь он обоим отец!

Опустил голову Ньёрд, и почудилось Скади, будто серый морской туман затянул пригожие берега.

— Есть пророчество, — медленно выговорил сын Ванов. — Быть Хёду слепому убийцей светлого Бальдра... Нам про то поведали Норны — Урд, Верданди и Скульд. И вовеки не будет худшего горя ни у Богов, ни у Людей.

И добавил:

— Бальдр — самый смелый из нас. Но его мужество особого рода. Он не боится быть добрым и справедливым, что бы ни сулила судьба.

Ледяным ужасом повеяло на Скади, замолчала она и долго не решалась произнести ни слова. Лишь смотрела во все глаза на незрячего Аса, бережного в движениях. И видела, как Бальдр заботливо передавал брату рог доброго мёда, пронесённый над святым огнём очага, и как Хёд брал кабанье мясо руками, избегая ножа, — хоть немного отсрочить недобрый приговор Норн, зловещее предсказание...

Скади и Ньёрд поженились и стали сначала жить в Корабельном Дворе. Там родились у них дети — Фрейр и Фрейя. Но минуло время, и Скади затосковала: начали сниться ей зимние обледенелые скалы, отцовский дом, водопады в ущельях и заснеженные долины в горах, где она училась стрелять дичь и бегать на лыжах. Захотелось дочери Великана вернуться на родину, не сумела она прижиться в Ноатуне, на берегу, где день-деньской с криками кружились морские птицы... Но что делать, если Ньёрду жизнь не в жизнь была без корабля, без солёного ветра и скрипа снастей, без полосатого паруса, летящего над головой?

Посоветовались муж и жена и решили, что станут проводить девять дней в Ноатуне, а другие девять — в горах, на родине Скади. Но не получилось. Однажды, вернувшись к морю, Ньёрд печально сказал:

— Не любы мне горы,
хоть я и был там
девять лишь дней.
Я не сменяю
клик лебединый
на вой волков...

Тогда Скади ответила, что на Корабельном Дворе ей было не легче, чем ему — в горах, в заснеженной чаще:

— Спать не дают мне
птичьи крики
на ложе моря,
всякое утро
будит меня
морская чайка...

Попробовали супруги жить врозь, он — у моря, она — за перевалами. И снова не вышло, потому что они любили друг друга, а Фрейя и Фрейр любили мать и отца. И кажется Людям, что Скади и Ньёрд до сих пор всё не могут решить, где же им поселиться. Когда Скади гостит у мужа в его Корабельном Дворе — крепкий лёд сковывает фиорды и морские проливы, а вокруг островов появляются белые ожерелья, и теперь это называют зимой. Когда же Ньёрд едет к ней в горы — оттаивают водопады и радуги повисают над облаками вьющихся брызг, а из-под белых глыб ледников с журчанием выбегают ручьи: Бог Моря освобождает воду из плена, принося лето на смену зиме...

Спутники Тора

Горные Великаны и обросшие инеем исполины Хримтурсы никак не могут смириться с тем, что посередине Мидгарда зеленеют возделанные поля, а в Асгарде каждый день льётся мёд на пирах Вальхаллы и цветёт яблоневый сад Идунн. Оттого нет покою храбрейшему защитнику Богов и Людей, Тору. Редко выпадает ему провести дома три ночи подряд: то и дело приходится рыжебородому Асу спешить кому-то на выручку, то и дело он вновь запрягает неутомимых козлов, Таннгниостра с Таннгрисниром, в надёжную колесницу и отправляется на далёкий северо-восток — туда, откуда летят холодные ветры, родившиеся меж ледяных гор, туда, где стынет на вечном морозе Железный Лес, гнездо Троллей, ведьм и всякой другой нечисти.

Быстро мчатся мохнатые, рогатые скакуны Тора, лишь знай лязгают и скрипят зубами на бегу. И всякий раз, когда потемневшее Небо из конца в конец сотрясается от тяжёлых раскатов, а за тучами вспыхивают мертвенные зарницы, это значит, что вероломные жители Утгарда снова что-то задумали на погибель Богам и Людям, и Тор, сын Земли, снова мчится в неравную битву, опоясанный Поясом Силы, в железных рукавицах и с молотом Мьйолльниром, чтобы в одиночку сразиться с полчищами Великанов — и победить…

Говорят, в прежние времена вместе с Тором нередко выезжал Тюр, и его меч не отставал от молота-молнии, когда доходило до схватки. Однако потом Тюр лишился правой руки, и рана, отравленная ядовитой слюной Волка Фенрира, по сей день его мучит. Так Тор потерял верного спутника и много полугодий путешествовал и сражался один.

И вот как-то раз, непогожим осенним вечером, только что не засыпая на ходу от усталости, ехал Тор по берегу моря. Глухо ворчал прибой, вкатываясь на галечную отмель, а по правую руку вздымались крутые бурые горы. Сырой туман окутывал плечи гор, а на вершинах лежал снег, предвестник зимы…

Долго ехал Тор под холодным мелким дождём и подумывал уже устроиться на ночлег где-нибудь под нависшей скалой — когда вдруг Таннгниостр и Таннгриснир учуяли впереди запах жилья и разом приободрились, натягивая упряжь.

Тор чуть не сокрушил впотьмах жалкий домик своей колесницей: только-только видна была над землёй его крыша, густо поросшая мхом и жёсткой осенней травой — козлы дружно принялись её дёргать, не видя лучшего корма. Распахнулась ветхая дверь, выскочили хозяева, до смерти напуганные шумом и громом: мужчина, женщина, дети-подростки — мальчик и девочка. Им показалось, что под землёй пробудилось пламя Муспелля и нужно спасаться. И надобно думать, вид грозного пришельца нагнал на них ещё пущего страху.

— Не бойтесь, добрые Люди, я с миром, — сказал им Тор. — А не найдётся ли здесь для гостя лишней миски овсянки и тёплого хлева на ночь — для моих скакунов?

Переглянулись растерянные хозяева и пригласили Тора в дом. И пришлось могучему Асу согнуться чуть ли не вдвое, входя в низкую дверь.

Там, внутри, едва теплились в очаге угли, озаряя врытые в каменистую землю, подгнившие, голые деревянные стены, и дым плавал в стропилах, а вместо еды и уюта пахло сыростью и ещё желчью зубатки, которой хозяйка отстирывала одежду. Муж с женой усадили нежданного гостя поближе к огню, повесили сушиться вымокший плащ, а сын с дочерью распрягли и устроили на ночь козлов. Собрала хозяйка угощение — всё, что в доме нашлось: несколько чёрствых лепёшек да две тресковые головы…

— Небогато живёте, как я посмотрю, — сказал Тор.

— Небогато, — ответил хозяин. — Видел ты, знатный гость, там, повыше в долине, край ледника? В прошлом году он начал расти и разрушил наш дом, погубил ячменное поле. Думаем мы, это не просто ледник, а пятки зимнего Великана. А нынче мы с сыном ходили в море за рыбой, но только поставили ярус — Мировой Змей Йормунганд повернулся в пучине и мало не съел нас обоих, еле спаслись.

96

— Змей Йормунганд? — спросил Тор и опустил руку на молот, и успоковшимся было хозяевам опять стало жутко. — Зимние Великаны?.. А эти засохшие корки, небось, последнее, что у вас есть?

— Не сердись, знатный гость, — вздохнули хозяева.

Тор молча поднялся и вышел наружу. Вывел из хлева Таннгниостра с Таннгрисниром — недовольно блеяли и упирались козлы, только-только пристроившиеся к кормушке, — вытащил из ножен боевой нож... да и зарезал обоих.

— Зачем ты это сделал? — всплеснул руками хозяин. — Как дальше поедешь?

Тор велел ободрать своих скакунов и сварить мясо на ужин:

— А шкуры сложите у очага и кидайте в них кости. Только смотрите мне, чтобы ни косточки не разрубили и не разгрызли!

Делать нечего, повиновались муж и жена, хотя становилось им чем дальше, тем страшнее: поняли, не простой гость забрёл к их очагу. А Тор, пока варилось мясо, подозвал к себе Тьяльви и Рёскву-Резвушку — хозяйских детей. Потрепал по затылку белоголового Тьяльви, и показался ему парнишка похожим на пасынка Улля: такой же смышлёный, ловкий и смелый.

— Правду ли говорит твой отец, — спросил Тор, — будто ты нисколько не испугался, когда Змей Йормунганд разинул на вас ядовитую пасть?

Тьяльви ответил:

— Я знаю лишь одного, кто не испугается Змея. Это Тор из племени Асов! Мы всякий раз приносим ему жертву, когда охота удачна.

Засмеялся Тор, так что труха посыпалась с кровли, а тут как раз хозяйка поставила мясо на стол. Стали ужинать знатный гость и хозяева, и все косточки, по уговору, складывали в разостланные козлиные шкуры. Давно не было в доме подобного пиршества, давно здесь не ели мяса досыта; и мудрено ли, что Тьяльви не выдержал — насадил на охотничий нож вкусную бедренную кость, расколол потихоньку и высосал мозг, а Тор и не видел. Иные же Люди рассказывают, будто в туманной ночи возле дома мелькнула тень злобного Локи, и он-то шепнул на ухо мальчишке, мол, ничего нету страшного, мол, всего одну кость...

Так или нет, а только Тор славно выспался в тепле, и снились ему всё добрые сны. А рано утром он встал, натянул одежду и вышел во двор, захватив козлиные шкуры. Вышли за ним хозяева, вышли Тьяльви и Рёсква: как поступит удивительный гость, как поедет дальше на своей колеснице?.. А Тор поднял молот Мьйолльнир и освятил им шкуры: полыхнула зарница, и как ни в чём не бывало встали козлы. Развернул Тор повозку, приготовил упряжь, поманил Таннгриснира и Таннгниостра. Послушно пошли круторогие скакуны... и тут-то приметил Тор, что один из них захромал.

— Кто посмел расколоть кость?! — загремел рыжебородый Ас, ощупав больную ногу козла. И задрожал низенький дом, а со склона горы посыпались камни. Он так стиснул рукоять молота-молнии, что побелели суставы: — Кто посмел нарушить запрет?!..

А надобно помнить, что Бог Грозы удивительно страшен на вид, когда хмурит брови и сверкает гневно глазами: самые свирепые Великаны не раз удирали прочь от одного его взгляда, не дожидаясь, пока он схватится за оружие. Вот и теперь, как позже рассказывали, язык ледника, разлёгшийся в горной долине, немедленно начал съёживаться, отступать и прятаться в тёмном ущелье, а Змей Йормунганд затаился на морском дне, не смея пошевелить хвостом.

— Пощади, пощади, знатный гость!.. — в один голос заплакали хозяин с хозяйкой и повалились Тору в ноги. А у Тьяльви достало мужества вымолвить:

— Это я виноват, меня и казни.

Ещё надо сказать про Тора, что он столь же отходчив, сколь гневлив. Увидя, как перепугались хозяева, он всё-таки выпустил свой страшный молот из рук, никого не ударив. И улёгся задувший было грозовой порывистый ветер, разошлись тяжёлые тучи, проглянула синева.

— Ну ладно, — смягчаясь, сказал наконец Тор. — Немного чести наказывать тех, у кого ел за столом. Пусть мой скакун стоит здесь в хлеву, пока не поправится. А вы, дети хозяйские, отныне будете следовать за мной неотлучно, куда бы я ни отправился. Будете служить Тору из племени Асов, Богу Грозы!

На том помирились. И, уж верно, не слишком печалила мать с отцом доля, доставшаяся Тьяльви и Рёскве: ратный труд и опасности рядом с Богом Грозы куда веселей жизни в ветхом домишке, у края бесплодной земли. Впрочем, ледник больше не смел приближаться к человеческому жилью, так что хозяева скоро поставили себе славный дом вместо отсыревшей землянки, и Змей Йормунганд не распугивал в море зубатку и нежную сельдь — ловилась лучше не надо. И, говорят, до сих пор, когда ночной шторм сотрясает Небо и Землю, а тучи от края до края пылают холодным огнём — хозяин с хозяйкой спешат на берег и долго слушают, как удаляется гром:

— Это ведь наши дети там, вместе с Богом Грозы...

Тор и перевозчик

Пока у козла заживала поломанная нога, Тор с новыми спутниками путешествовали пешком. Трудновато им показалось без колесницы, легко пролетавшей болота и тёмные чащи. Пришлось карабкаться по отвесным обрывам, вязнуть в глубоком снегу и переходить вброд холодные реки. Но никакой поток не мог повалить Бога Грозы, когда он шагал с камня на камень, держа на плече сразу Тьяльви и

Рёскву, с ним никакая гора не казалась слишком крутой, никакие дебри — непроходимыми. Славно, когда рядом кто-нибудь, похожий на Тора!

Но и Ас понял, какими помощниками наградила его судьба. Лакомка Тьяльви, оказывается, любил носиться взапуски с ветром, и ветер ни разу не изловчился его обогнать: второй пары таких быстрых ног во всём Мидгарде не было. Увидал это Тор и научил парня бегать по воздуху, не касаясь земли, начал посылать вперёд — разведывать путь. Научил не бояться каменных исполинов и Хримтурсов, сыновей древней зимы. И нередко мальчишка вставал с ним плечом к плечу в битве: случалось ему, легконогому, догонять удирающего людоеда, а не наоборот.

Что же до Рёсквы-Резвушки, думал Тор поселить её в Асгарде, у себя дома. Пусть бы помогала Сив по хозяйству, чистила горшки, пасла телят и гусей. Но Рёсква взмолилась не разлучать её с братцем, не захотела сидеть за высокими стенами, пока Тьяльви будет сражаться — и даже нахмуренные брови Бога Грозы не добавили ей послушания. Махнул рукой Тор и позволил ей путешествовать с ними, сидеть рядом на колеснице и даже править козлами, пока они с Тьяльви отдыхали после битвы. А ещё — стряпать еду, зашивать продранную одежду, мыть котелок, кормить Таннгниостра с Таннгрисниром... известно ведь: женским рукам обязательно сыщется дело, если они принадлежат не лентяйке.

Но об этом потом; а в тот самый первый раз, потеряв из-за Тьяльви охромевшего скакуна, Тор пешком возвращался в Асгард, неся всю еду и припасы в плетёной корзине за спиной, и был, понятно, очень не в духе. А Тьяльви и Рёсква шли следом, испуганно держась за руки и не смея шушукаться, чтобы снова не рассердить грозного Бога.

Они подходили к Асгарду со стороны моря. Уже виден был мост Биврёст, сверкавший и колебавшийся на ветру — когда впереди неожиданно открылся пролив, да такой широкий и глубокий на вид, что даже Тор принуждён был остановиться и поискать переправы. И тут-то попался ему на глаза человек, выехавший в лодке из-за скал на том берегу.

— Эй, парень! — окликнул Тор, приложив руки ко рту, так что птицы взвились с утёсов, а по проливу покатилась волна. Человек в лодке, однако, ответил без всякого страха:

— Что там за старик кричит из-за пролива?

— Переправь нас, — сказал Тор. — Поделюсь с тобой пищей: у меня здесь селёдки с овсянкой — вкусное варево!

— Селёдки с овсянкой — еда бедняков с побережья, — насмешливо отозвался незнакомец. — Какую ещё плату можно потребовать от сироты вроде тебя, оборванного и босого. У тебя, верно, и мать уже давно умерла?

Тор вправду стоял босиком, в истрепавшейся о камни рубахе, в штанах, лопнувших на коленях. Он сказал:

— Может быть, я неважно одет, но я не сирота. И не смей мне пророчить того, что тебе самому показалось бы худшим несчастьем! Правь-ка лучше сюда, я покажу, где пристать.

— Я держу здесь челнок у одного знатного воина по имени Волк Битвы — Хлидольв, — усмехнулся человек. — Он не велел мне возить ни воров, ни бродяг, ни конокрадов. Назови своё имя и род, если впрямь хочешь, чтобы я тебя переправил!

Между тем берег, на котором стоял Тор, принадлежал ещё к Стране Великанов, и вокруг полным-полно было всяческой нечисти — оборотней и скрытых жителей, что протягивают руки прямо из камня, утаскивая к себе в скалу неосторожного путника. Опасно произносить своё имя в подобных местах; не успеешь договорить — чего доброго, схватит имя какая-нибудь злобная тварь и нашлёт порчу, навеет чёрный недуг...

— Что ж, — сказал Тор, — назовусь, хоть и вижу, что не будет мне от тебя подмоги. Я сын Одина, Владыки Богов, я отец Моди и Магни, и ещё зовут меня Винг-Тором, метателем молнии, хозяином грома! А теперь скажи сам, кто ты таков, если не трусишь.

Перевозчик погладил длинную серебряную бороду и молвил насмешливо:

— Зачем же скрывать: моё имя Харбард — Седобородый...

Тор склонил голову набок:

— Вряд ли кто-нибудь скрывает имя чаще, чем ты, Харбард. А может, ты нидинг-преступник и боишься, что мстители настигнут тебя?

Седобородый ответил:

— Нет, я нынче не в распре, а то нипочём не назвался бы, особенно тебе: ты бы меня немедленно выдал.

— Неохота гоняться за тобой вброд и мочить остатки штанов, — сказал Тор, — а не то по достоинству проучил бы за брань и насмешки. Длинна у тебя борода, а беседуешь, как сопливый мальчишка.

Харбард засмеялся:

— Прежние противники показались бы мальчишками по сравнению со мной, если бы впрямь не был ты сиротой и не боялся вымочить последнюю одежонку!

— Мало привык я состязаться в болтовне, мне больше по сердцу мой молот, — нахмурился Тор. — Ловок ты на словах, а вот есть ли дела, достойные похвальбы?

— А как же, — ответствовал Харбард. — Не счесть воинов и могучих героев, которых я перессорил. Иные из них теперь пьют мёд в Вальхалле у Одина, есть там и ярлы, и конунги. А у тебя, Тор, кто пирует? Рабы, наверное?

— Тьяцци, северный Великан, ворвался в Асгард на крыльях орла, — сказал Тор. — Мой молот низверг его в Хель, за тёмные реки. Хотел бы я знать, что ты делал в то время?

— Я, — сказал Харбард, — как раз сидел тогда на острове Альгрён. И не осталось там ни одной девушки, ни одной юной жены, что отвергла бы мою любовь.

Тор усмехнулся:

— Неужели хоть одна впрямь была к тебе благосклонна? Их, верно, сводила с ума твоя длинная борода?

Харбард ответил:

— Гордые утрачивали в моих объятиях гордость, умницы теряли рассудок, а уж до чего были хитры: умели верёвки вить из песка, находить воду в глубоких долинах... Твои подвиги, Тор, не идут с моими в сравнение.

— Верно, — кивнул Тор. — Мне чаще приходится видеть не белоруких девчонок, а злых Великанш, грозящих дубинами. Скольких я этим вот молотом отвадил разбойничать — не перечесть!

— Не самое достойное дело — драться с жёнами, — заметил Харбард ядовито. — Нашёл тоже, воин, чем похваляться!

— Эти жёны, — сказал Тор, — вряд ли стали бы долго с тобой разговаривать: мигом перевернули бы чёлн, а тебя бросили в воду. Был бы ты хорош со своими насмешками, если бы я, как ты, целовал красавиц вместо того, чтобы ездить сражаться.

Тут Харбард захохотал:

— Знаю я одного, с кем тебе нынче не помешало бы сразиться: красавец гость сидит в твоём доме на мягко застланной лавке, и Сив, я слышал, с ним много приветливее, чем обычно бывает с тобой...

— Придержи язык, острослов! — посоветовал Тор. — Смотри, взвоешь громче волка в петле, когда я до тебя доберусь! Не хочешь перевозить, скажи хоть, как пройти берегом?

— Дойдёшь до бревна, — прозвучало в ответ, — а от бревна до камня; оттуда свернёшь налево и окажешься в Мидгарде; а там спросишь свою мать Землю, она тебе как-нибудь объяснит...

Ударил веслом и со смехом скрылся за скалами. Тор молча поднял и приладил корзину, подхватил Тьяльви и Рёскву, посадил на плечо — и одолел пролив вброд, едва замочив колени.

И вот что всего более удивило брата с сестрой: Бог Грозы вовсе не был разгневан дерзкими насмешками и злословием, даже наоборот — улыбался в бороду и весело щурил глаза. Тогда Тьяльви осмелел и спросил:

— Кто был там в лодке, такой седобородый? Ты, верно, знаешь его?

Тор спустил Тьяльви наземь и ответил:

— Это был мой отец, Один, Вождь Богов и Людей.

И на том, верно, всё дело кончилось бы и позабылось — но минуло время, и как-то раз Тору со спутниками довелось сидеть в Мидгарде на пиру у одного человека. Никто из гостей не подозревал, что за рыжебородый воин сидит подле хозяина. И тут вышел заезжий скальд, взял раскрашенный щит и стал говорить щитовую драпу — стихи обо всём, что там нарисовано. И надо же — умельцы-забавники, украшавшие щит, изобразили на нём перебранку Тора и Харбарда.

Складно говорил скальд, и в его песне было всё: продранные колени, корзина за плечами и даже селёдки с овсянкой, припасённые к ужину. Верно, впрямь подслушали Тролли, о чём говорилось тогда на берегу. И, подслушав, поведали Людям.

Складно говорил скальд, и без умолку смеялись весёлые гости. Надо же, каким простаком оказался в тот раз Бог Грозы, как ловко поддевал его Один!.. А всех громче — так, что сажа сыпалась со стропил, — смеялся рыжебородый незнакомец. Когда же скальд кончил, он снял с себя серебряную цепь и надел стихотворцу на шею. И навряд ли врут те, кто рассказывает: скальд немедленно понял, в чём дело, когда разглядел на цепи крохотный оберег-молоточек...

Да. Сильные не боятся насмешек и не хватаются, чуть что, за мечи. Обижаться, таить зло — это не для мужчин. Истинный воин умеет отшутиться и от настоящего оскорбления, не доводя дело до ссоры. Не в диковинку было могучим героям осыпать друг друга насмешками на весёлом пиру, прилюдно сравнивать доблесть и мужество, восхваляя себя и без удержу подначивая побратима. И всё ради того, чтобы позабавиться острым словечком, похохотать от души. Это ведь удаётся нечасто — на Небе и на Земле...

Похищение молнии

Много имён, много прозвищ у каждого из Богов, в том числе и у Тора. Зовётся он Аса-Тор — Тор из племени Асов, и ещё Эку-Тор — Тор с колесницей, и ещё

Хлорриди — Повелитель Громов. Но всего чаще называют рыжебородого Аса Винг-Тором, то есть Тором-Метателем: это из-за молота Мьйолльнира, что летит через всё Небо, как синяя молния. Не сразу он появился у Тора, но когда появился — уже не представить было Бога Грозы без его верного молота: всё равно что Одина без коня Слейпнира и вещих воронов на плечах или Фрейра без вепря Золотая Щетинка...

Потому-то нетрудно вообразить себе ужас всех домашних и самого Тора, когда однажды утром оказалось — пропал Мьйолльнир. Тор с Уллем и Сив поспешно перерыли весь дом и весь двор... ни следа молота, как и не бывало его! Впервые не знал Бог Грозы, что предпринять, к кому броситься за советом; грозовые тучи собрались в небесах — так он в бессильном гневе взмахивал огненной бородой и тряс волосами... и тут-то попался ему на глаза пронырливый Локи.

Тор мгновенно схватил его за шиворот.

— А ну отвечай, родитель чудовищ: твоих рук дело?

— При чём тут я, это твой новый слуга стащил молот и продал его Великанам, а я даже не знаю, в чём дело, — заюлил хитрый Ас. Но Тор сразу увидел, как бегали у него глаза.

— Не крал, говоришь? — зарычал Бог Грозы. И добавил чуть-чуть потише: — Ну, значит, один раз совершишь доброе дело, поможешь его отыскать. Пошли-ка, да поживей!

Было раннее утро, даже в Асгарде не все ещё услышали о пропаже, и Тор надеялся — минует какое-то время, прежде чем разнюхают про то в Стране Великанов...

Вдвоём подошли они к дверям Сессрумнира — просторных палат красавицы Фрейи. Расступились эйнхерии, охранявшие вход.

— Славься, Фрейя, — сказал не на шутку испуганный Локи. — Не дашь ли, сестрица названная, соколиное оперение? Пропал молот у Тора...

Богиня Любви со всех ног побежала за волшебным нарядом:

— Будь он даже из золота, с радостью бы его отдала!

Обернулся Локи стремительным соколом и полетел в Утгард — только ветер в перьях гудел. И сказывают, не пришлось ему долго рыскать по голому побережью, над ледяными пустынями. Знал, верно, где искать пропажу. Примчался он в край каменных Турсов, прямо к их вождю по имени Трюм — Шумный. Тот сидел на холме, сам похожий на обледенелую гору. Сидел, плёл страшным псам золотые ошейники, разглаживал густые гривы мохнатым белым коням...

— Что нового в Асгарде и у светлых Альвов? — спросил он с усмешкой, когда Локи спустился подле него. — Неладно, должно быть, раз ты пожаловал сюда, Локи!

— Твоя правда, неладно у Асов и у светлых Альвов тоже неладно, — ответствовал Локи. — А что, скажи, Трюм, не у тебя ли молот нашего Хлорриди?

— У меня! — захохотал исполин. — На восемь поприщ в землю запрятал я страшный Мьолльнир, не сокрушит он более никого из моего племени! Никому не отдам его, разве что...

— Разве что? — подхватил хитрейший из Асов.

— Разве что отдадут мне в жёны Фрейю, Богиню Любви! — сказал Трюм. — Да поторопитесь с приданым, покуда я не передумал!

И снова зашумели соколиные перья — что было духу помчался Локи обратно. Тор ждал с нетерпением:

— Нашёл ли ты молот? Рассказывай!

— Погоди, — заныл Локи. — Неужто не видишь, как я устал? Дай сперва отдохнуть...

— Рассказывай! — рявкнул Тор. — Потом отдохнёшь! Тебе дай только сесть — мигом всё позабудешь, а то и наврёшь!

Пришлось Локи поведать:

— Твой молот у Трюма, конунга Турсов. Скрыл он его в камне, да так, что не откопать даже тебе. Выкуп требует — Фрейю невестой...

Тор не стал долго раздумывать — пошёл прямо к Фрейе:

— Собирайся, Богиня Любви, надевай брачный убор. Поедешь со мной в Страну Великанов...

Фрейя от ужаса ахнула так, что ожерелье Брисингов сорвалось с груди:

— Или ты девкой распутной считаешь меня, сын Одина?

— Погоди, не кричи, — сказал Тор. — Никто тебя не обидит, ведь я там буду с тобой. Пусть Трюм только вынесет молот...

Тут начали собираться Асы и Асиньи. Услышали о пропаже, кликнули собрание-тинг и стали держать совет — как быть. Долго спорили. Наконец поднялся светлый Хеймдалль, сын морских волн, провидевший судьбы:

— Вот как мы поступим. Пусть Фрейя останется дома, нечего ей делать у исполинов. Нарядим-ка мы самого Тора невестой!

Тут иные из молодых Асов стали смеяться, а Тор схватился за голову:

— Не уследил я за молотом, но чести своей я пока ещё не проспал! Как же я надену женское платье, да ещё свадебное? Чтобы меня всю жизнь потом называли — муж женовидный?

Асы в один голос принялись его успокаивать, в том числе Локи, первый насмешник:

— Никто не станет звать тебя женовидным, даже в шуточной перебранке, клянёмся нашими мечами. Подумай лучше — если ты не вернёшь молот, не отстоять нам ни Асгарда, ни Мидгарда!

...Бесстрашный Тор чуть не плакал от унижения, когда ему на голову надевали остроконечный убор из полотна, укрывали колени длинной женской одеждой, привязывали на пояс связку бренчащих ключей. Ожерелье Брисингов еле сошлось на могучей шее Бога Грозы, и то лишь потому, что было оно не простым ожерельем, а волшебным. Фрейя и Сив вместе шили платье для бородатой невесты, а Локи приготовил нарядный покров — до поры спрятать лицо. Он сам вызвался переодеться и ехать с Тором на свадьбу:

— Буду тебе разумной служанкой, выручу, если вдруг что.

Ему-то не впервой было притворяться женщиной, даже и превращаться в неё... А что Локи, сын Лаувейи, думал о чести — ни Богам, ни Людям неведомо.

Тьяльви и Рёсква бегом привели козлов, Таннгниостра с Таннгрисниром, впрягли в колесницу. И помчались два Аса на далёкий северо-восток — задрожала земля, вспыхнуло под колёсами пламя, зашатались высокие горы, увенчанные ледниками...

Услыхал это Трюм, конунг Турсов:

— А ну-ка, бездельники, лежебоки, скорей застилайте широкие лавки, готовьте столы: везут ко мне Фрейю, красавицу Ванов, дочь Ньёрда из Ноатуна!

И продолжал, любуясь собою и домом, богато украшенным к свадьбе:

— Позолочены у моих коров крутые рога, потерял я счёт откормленным чёрным быкам, пасущимся на лугах Страны Турсов. Ошейники у моих псов — и те из золота сплетены. А теперь у меня будет ещё и Фрейя!

Близился вечер, когда въехала во двор колесница. Трюму бы обратить внимание на запряжённых козлов — куда там, смотрел лишь на невесту. Дивной красавицей показалась ему Фрейя: широкоплечая, с поступью, от которой сотрясался весь двор, а ростом — чуть не выше самого Трюма! Как раз невеста для Великана!..

Радостно ввёл он приехавших в палату, и расторопные слуги тотчас внесли накрытые столы. Чего только не было на тех столах: целые жареные быки, ячменное пиво, медовые лакомства — и рыба, конечно: копчёные палтусы, жареная треска и нежные лососи, посоленные накануне. Начали пировать, и Трюм вновь восхитился, поглядев, как угощалась невеста: в одиночку управилась с огромным быком, одолела восемь вкусных лососей, выпила три бочки мёда...

— Ай да Фрейя! — сказал Трюм. — Никогда не видел я девы, чтобы так ела и столько пила!

Смолчала скромная невеста, не подала голоса. Ответила служанка-разумница:

— Восемь дней не ела Богиня Любви, уж так не терпелось ей поскорей приехать сюда, к тебе, Трюм...

Наконец хмельное пиво ударило Трюму в голову: придвинулся он вплотную к невесте, хотел её поцеловать, но едва приподнял брачный покров — отшатнулся и вмиг протрезвел:

— Ишь глаза сверкают у Фрейи! Пылают, как жаркое пламя!..

И снова не растерялась служанка-разумница, отвечала умильно:

— Восемь ночей не спала Богиня Любви, уж так не терпелось ей поскорей поглядеть на тебя, Трюм!

Тут, отколь ни возьмись, подошла мерзкая Великанша, начала требовать у невесты подарков:

— Подари-ка мне, Фрейя, свои золотые запястья — буду тебе ласковой золовкой, не стану обижать...

— А вы, лежебоки, тащите скорей сюда молот! — крикнул Трюм слугам. — Положим его на колени невесте: Асы говорят, он священен и помогает на свадьбах, так пусть освятит мою женитьбу во имя Вар — Богини обетов!

Двое самых могучих Турсов с трудом приволокли молот-молнию... и Трюм, говорят, успел удивиться, когда Фрейя одной рукой подхватила Мьйолльнир, как пёрышко, и издала боевой клич, от которого слетела с палат тяжёлая кровля. Тут сорвал с себя Тор женский наряд — и пошёл крушить молотом Великана за Великаном! Всех положил, кто не успел убежать.

Сын

И Боги, и Люди пуще всего пекутся о своём роде. Род — это верная заступа обиженному, опора — ветхому старцу, кров и ласка — осиротевшим. Никакая беда не страшна, пока рядом дружные родичи. А чем в первую голову крепок род? Конечно, детьми — сыновьями и дочками.

Оттого-то мудрые Асиньи, жёны старших Богов, не слишком гневаются на мужей, когда те приводят в дом младших жён и отпрысков, рождённых на стороне. Для чего ссориться жёнам, ведь места у очага Богов хватает на всех. Говорят, в начале веков иные Богини тоже вступали в брак с двумя мужьями разом; но те времена давно миновли. А молодые Асы забыли и многожёнство. Одна возлюбленная подруга у корабельщика Ньёрда, одна — у пахаря Фрейра, одна — у светлого Бальдра...

А вот Аса-Тору, мужу золотоволосой Сив, случалось порою засматриваться на девушек из Иотунхейма. Не все племена Страны Великанов носили в крови жестокий яд Имира, не все были вероломны и глупы. И Тор, истребитель чудовищ, с иными славными Великанами водил нерушимую дружбу. Ездил в гости на пир и беседу, и молния-Мьёлльнир дремал себе мирно, вися, по обычаю, на столбе...

Вот так, на пиру в дружеском доме, и увидал Бог Грозы светлокудрую Ярнсаксу, красавицу Великаншу. Впрочем, была ли она в самом деле красавицей, земные Люди не знают. Древняя песнь говорит лишь, что редко встречала могучая дева равных себе по силе: не зря родичи-Великаны прозвали её Ярнсаксой, то есть Железной. Но кроме немереной силы, билось в её груди хорошее сердце — и было что-то ещё, что заставило Бога Грозы взять её за руку, когда она подносила ему рог на пиру. И не отняла руки дочь Великанов, села рядом с Тором, как он попросил. А потом взошла на запряжённую козлами повозку, поехала с ним в Асгард...

— Многое совершит этот мальчик, — сказала мудрая Фригг, принимая рождённого Ярнсаксой ребёнка. И подивились слышавшие: жена Одина видела далеко в глубь грядущих времён, но ни разу до тех пор не делала предсказаний.

Тор освятил младенца поднятым молотом и окропил водою из чаши:

— Я назову тебя Магни — Могучим. Вырастешь таким же сильным, как я!

— Сильнее, — негромко сказала старая Норна Урд, появившаяся неизвестно откуда.

— Мудрее, — откликнулась Верданди, средняя Норна. А младшая, Скульд, предрекла:

— Он будет носить молот Мьйолльнир, когда придёт его время.

А мальчишка открыл разумные голубые глаза, улыбнулся и ухватил отцовское оружие за железную рукоять, точно игрушку. Еле-еле разжали его пальчики Ярнсакса и Сив…

Дочь

Дочь Сив и Бога Грозы звалась Трюд — Сила: такими уж крепкими и удалыми рождались все в этом роду. Известно, как быстро растут дети. Каждый раз, возвращаясь из похода, Тор радовался чему-нибудь новому: вот прорезался зубик, вот стала бегать, забавно топоча пухлыми ножками, вот впервые поднесла отцу тяжёлый окованный рог с пивом — освежиться с дороги…

И однажды на закате, остановив возле дома запылённую колесницу, увидел Тор на крыльце пригожую юную Асинью, а у ворот — смущённого молодого эйнхерия, воителя из Одиновой дружины... выросла дочь!

Улыбнулся Тор и повёл Таннгниостра с Таннгрисниром к хлеву, и внезапно как из-под земли выскочил не то Карлик, не то уродливый Тролль:

— Вы что тут оба делаете подле моей невесты? Пора уже ей ехать со мной и завязывать волосы в узел, как то пристало замужней!

Схватился за меч молодой воин, заслоняя дочь Бога Грозы... но остановил его Тор. И спокойно сказал Троллю:

— Ты-то сам кто таков, чтобы здесь распоряжаться? Не видал я тебя, хладнорёброго, прежде на этом дворе!

Житель ночи ответил высокомерно:

— Много чести беседовать со всякими оборванцами! Я пришёл к Повелителю Грома, а не к тебе: просватана за меня его белорукая дочь!

— Что-то я не припомню ни сговора, ни сватовства, — нахмурился Тор. — Но даже если ты без меня заморочил голову Сив — не видать тебе дочери, пока я, отец, её не отдам! Или думаешь выкрасть её без моего позволения?

И если пришелец ещё сомневался, что воин в потрёпанной одежде и есть сам Бог Грозы — он тотчас в это поверил, увидев, как сверкнули в сумерках глаза Аса и встала дыбом его рыжая борода. Куда только делась былая заносчивость жениха:

— Как же заслужить твоё согласие на свадьбу, храбрейший из Асов? Послушай меня: я живу в камне, в толще горы. Много там золота, много дорогих самоцветов. Да и сам я хорош: ведь зовут меня Альвисом — Всезнайкой, потому что я умней Квасира, умней даже Мимира, с чьей головою советуется Вождь Богов и Людей...

— Что же ты, Всезнайка, не угадал меня? — спросил Тор, но Альвис даже не заметил насмешки:

— Любовь помрачила мой разум, о хозяин золоторогих козлов. Белоснежную деву в жёны возьму — или жизнь не нужна мне...

— Не нужна, говоришь, — недобро усмехнулся Тор его алчности. И присел на крыльцо, поставил молот между колен. — Что ж, пусть будет по-твоему...

Трюд испуганно вскрикнула и спряталась за эйнхерия, ибо рядом с мужами Одина всякая женщина — всего лишь слабая женщина, даже если её зовут Сила и сам Бог Грозы приходится ей отцом.

— Пусть будет по-твоему, подземный жених, — повторил Тор. — Но сперва докажи, что ты вправду мудрейший. Ответь для начала, каким именем величают мою мать Землю в разных мирах?

— У смертных Людей она Ёрд или Фьёргюнн, — разгладил бороду Альвис. — Ваны зовут её Дальним Путём, Турсы, хозяева пасущихся стад — Зелёной, Альвы-землепашцы — Родящей, а у Богов она — Луг, только не трава в том лугу, а листья ясеня Иггдрасиля...

— Верный ответ, — сказал Тор. — Ну, а Небо как прозывают?

— У Людей оно — просто Небо, у Богов — Твердь, на которой выстроен Асгард, у Ванов — Ткач Ветра, у Турсов — Верх Мира, у Альвов — Кровля, а у нас, жителей подземелья — Дом Влажный, потому что мы не любим дождя.

— И это правильно, — молвил Тор. — А что скажешь, Альвис, про Месяц?

И про месяц ему рассказал Тролль без запинки. И ещё про косматые тучи, льющие дождь, про ветер, без устали мчащийся по Вселенной, про море, несущее корабли, про нивы и лес, про огонь, разгоняющий тьму...

Незаметно минула ночь, а Всезнайка всё говорил и говорил без конца, упиваясь собственной мудростью. Мнилось Троллю — вот-вот исчерпает старший сын Одина свои вопросы, поквитается с ним подземный жених, как когда-то сам Один — с Вафтрудниром...

Но Тор не уставал спрашивать, и уже засерело к востоку от Асгарда ночное небо, когда он сказал:

— А Солнце, Всезнайка?

Альвис вздрогнул и словно бы съёжился:

— Не напоминай мне о Солнце, отец Трюд! Солнце — самое страшное, что создано в девяти мирах! Любят его только Асы, Люди и светлые Альвы, для Турсов оно — Пылающее, ибо грозит растопить их ледяные тела, а для нас, в камне живущих, оно — Гибель...

И вот тут-то могучие кони, Арвак и Альсвинн, рванули упряжь и вынесли в небо солнечную колесницу. Залило светом Асгард, озарило дом Тора и двор перед ним и пропал Альвис, серым камнем навеки встал у ворот, лишь донеслось последнее:

— Белоснежную деву в жёны возьму, или жизнь не нужна мне...

Вызов

Однажды Отец Богов и Людей, одноглазый Один, оседлал восьминогого Слейпнира и отправился путешествовать. Долго ехал он без особенной цели, мимо крутых, обрывистых скал, где морские птицы устраивали себе гнёзда; уверенно нёс его конь по замшелым древним камням и по морской зелёной воде, и хищные косатки поднимались из глубины — посмотреть на вождя Асов и поклониться ему.

А потом нехоженая тропа завела Одина в глубь страны, на самую границу Утгарда, где не было ни звериных гнёзд, ни человеческого жилья — только нагромождения камня, расколотые валуны, лишь изредка украшенные пучками жёсткой травы. Легконогий Слейпнир скользил над ними, как тень бегущего облака, а Один сидел неподвижно в седле, опустив голову и крепко задумавшись.

Наконец впереди послышался рёв: то река, проточившая в камне глубокое ложе, тремя пенистыми потоками рушилась в бездну, в расщелину треснувшей когда-то Земли. Содрогались, гудели мокрые скалы, неверная радуга колебалась в облаке брызг...

Не стал жеребец Одина брать разбег для прыжка, не стал искать брода и тревожить хозяина; спокойно ступил в клокочущие буруны и перешёл на другой берег по радуге, как по мосту.

Тут разглядел всадника Великан Хрунгнир, живший неподалёку, на хуторе Каменные Дворы.

— Эй!.. — закричал исполин, без труда перекрыв рёв и грохот реки. — Кто там скачет по радуге и не боится упасть? Сдаётся мне, старик, этот конь для тебя слишком хорош! Продай мне его, не то отберу!

— Можешь взять заодно и мою голову, если догонишь, — сказал Один и погладил холку коня, а тот выгнул шею и тронул его колено.

— А что ты думаешь, и догоню! — раззадорился Хрунгиир. — Неплох твой жеребец, но у моего Гулльфакси ноги длиннее. Ну что, не раздумал закладывать голову, седобородый?

— Я слов назад не беру, — сказал Один, и с ближнего камня с карканьем взвились два ворона.

Тогда вывел Хрунгнир своего коня Гулльфакси — Золотую Гриву, бросил ему на спину кусок бычьей шкуры вместо седла, и понеслись они взапуски. И надобно молвить, что впрямь не было скакуна лучше Гулльфакси во всей Стране

Великанов, а может быть, и в остальных мирах, освещаемых солнцем. Во весь дух он летел через пропасти, через каменные пустоши и озёра, окутанные холодным туманом, взмывал над бесплодными ледниками и над вершинами гор, отражённых в спокойных водах фиордов — лишь грива струилась назад, как ясный огонь! До сего дня можно видеть следы той бешеной скачки: кипящие родники и глубокие ямы, наполненные горячей грязью. Так она и не остыла с тех пор, когда Гулльфакси разбрызгал её копытами. Славный конь!

…Но с восьминогим Слейпниром даже он сравниться не мог. В ярости нахлёстывал Гулльфакси Великан, видя, что всадник в синем плаще вовсе исчезает из глаз. Потекла кровь по израненным конским бокам, потемнела золотая грива, прилипла ко взмыленной шее. Но не замечал того Хрунгнир — видел только трепещущий синий плащ впереди и знай стегал жеребца, ругаясь, колол короткими шпорами, привязанными к башмакам… Не оглядывался исполин и не видел, что давно за спиной скрылись Каменные Дворы, исчезли вдали горы родного Иотунхейма. В самый Асгард влетел разъярённый Хрунгнир следом за Одином, и застонал Гулльфакси, последним прыжком взмыв над запертыми воротами.

Глянул Хрунгнир а седобородый уже водит Слейпнира по двору, чтобы остыл верный конь после быстрого бега, гладит крутую шею любимца, и в единственном зрачке — насмешка над глупостью Великана. Только тогда узнал

Хрунгнир повелителя воинов и понял, куда завело его хвастовство.

— Здесь ты — мой гость, — успокоил его Один. — Не хочешь ли пива?

— Хочу, — облизнул пересохшие губы Хрунгнир и соскочил наземь, бросив поводья. Пошатнулся измученный Гулльфакси, задрожали тонкие ноги... но не оглянулся хозяин, даже не подумал позаботиться о славном коне. Вовсе плохо пришлось бы Золотой Гриве, но тут заглянула во двор Великанша Ярнсакса и привела за руку маленького Магни: прожив всего одну ночь, сын Бога Грозы уже выучился ходить. Увидел внук Одина опечаленного Гулльфакси, тотчас подошёл, начал ласково с ним разговаривать, отважился взять под уздцы и долго водил, а потом выкупал в славной реке Тунд, что течёт у Вальхаллы, напоил и накормил. Радовалась Ярнсакса, глядя на сына. Знала юная мать — не зря сказывают, будто молодые орлы рано пробуют голос. Была в маленьком Боге отцовская сила, была дедовская премудрость. И что-то ещё...

Между тем Хрунгнир расселся на лавке в чертоге Одина Валаскьяльве, и ему поднесли пиво в той самой чаше, из которой обычно пил на пирах Тор. Подумалось Великану: неплохо бы осушить её одним глотком! Похвалиться перед Асами да показать, что есть в Утгарде воины не слабее Бога Грозы! Задумано — сделано. Схватил он могучими руками серебряную чашу и не отрывался, пока не опорожнил. Только вот Тора никто не видел хмельным, а Хрунгнир немедленно опьянел.

— Ты, кривой, думаешь, что могущест-
вен! — неверным языком выговорил вождь Турсов. — Подумаешь, твой жеребец чуть-чуть быстрей моего! А вот есть у кого-нибудь сердце,
как у меня? Оно из твёрдого камня, с тремя
острыми выступами. По его подобию режется
одна из рун — «Сердце Хрунгнира»! Вот!..

Асиньи отворачивались от пьяного Великана,
гневно хмурились Асы... но до поры до времени
помалкивали. Не гнать же из дому гостя, да ещё
приглашённого Всеотцом. И всякий раз, когда
пустела его чаша, Фрейя молча подходила с
кувшином и подливала: гость ни в чём не должен
знать недостатка, а уж сколько пить — пусть
думает сам. И Хрунгнир продолжал хвастаться,
размахивая свободной рукой:

— Вас, Богов, давно пора выгнать отсюда,
а Асгард разрушить. Пожалуй, я так и сделаю,
я, Хрунгнир, сильнейший в Иотунхейме. Я по-
убиваю всех Асов... кроме тебя, Фрейя, и тебя,
Сив, вы пойдёте за меня замуж. А ещё я прямо сейчас унесу отсюда Вальхаллу и поставлю
у себя во дворе, а эйнхериев сделаю свинопа-
сами...

— Позови Тора, — сказала служанке мудрая
Фригг, и быстроногая Фулла выскочила за
дверь. И немного минуло времени — содрогнулся чертог Валаскьяльв от тяжёлых шагов, зазвенели кубки в углу, грозовым ветром пахнуло из
растворившейся двери:

— С каких это пор здесь пьют пиво коварные
Великаны? Да ещё срамословят хозяев? А
Фрейя прислуживает, точно на пиру у Богов?

Обернулся Хрунгнир, и вмиг покинул его хмель: на пороге стоял Тор, и с молота в его руках слетали синие искры. Не по-дружески посмотрел исполин на Бога Грозы:

— Это Один меня сюда пригласил, я гость и под его защитой, и не тебе меня прогонять!

— Гость в доме священен, — ответил Хозяин Громов. — Но вот выйдешь из Асгарда, и не будь я сыном Земли, если тебе не придётся жалеть о своих поносных речах!

— Мало славы прибавит Аса-Тору расправа над безоружным, — сказал тогда Хрунгнир. — Я ведь, глупец, позабыл дома щит и точило, которым обычно сражаюсь. Подлецом назовут тебя, если ударишь! — И добавил: — А коли не трусишь померяться силой в честном бою, приезжай драться в Иотунхейм, ко мне в Каменные Дворы. Там я буду ждать тебя для поединка через две ночи!

— Никто ещё не вызывал меня на поединок, — сказал Тор. — Что ж, уклоняться не буду!

Поединок

Хрунгнир беспощадно гнал Гулльфакси до самого дома: так не терпелось ему скорее похвастаться перед друзьями своей поездкой к Богам, рассказать, как он едва не выпил у Асов всё пиво и в конце концов вызвал Тора на поединок.

Весть об этом скоро облетела весь Иотунхейм, и на хуторе собрались Великаны — ледяные и каменные, одноголовые и многоголовые, Турсы-оборотни и Турсы, похожие на Людей.

— Ты, Хрунгнир, по праву наш вождь, — говорили они. — Ты не только самый сильный из нас, ты ещё и храбрейший!

— Надо только хорошенько снарядить нашего конунга в битву, — сказал старый-престарый Великан с бородой, обросшей вековым инеем. — Туго придётся нам всем, если Тор его одолеет!..

Тогда сильно забеспокоились Турсы и поспешно принялись за работу. Взяли они целую гранитную гору и вытесали из неё щит, тяжёлый и толстый. Принесли Хрунгниру. Взвесил он щит на руке и остался очень доволен:

— С таким мне и молот Мьолльнир нипочём!

А другие Великаны пошли к горячим источникам, набрали там глины и вылепили человека:

— У Тора есть Тьяльви, пускай и у Хрунгнира будет помощник.

Девяти поприщ ростом был глиняный воин и трёх поприщ в обхвате. Начали Великаны подыскивать для него подходящее сердце: иначе не сможет шагнуть, не будет сражаться. Долго искали. Обшарили весь Утгард и наконец принесли сердце какой-то старой кобылы, умершей, как сказывают, от испуга. Затрепетало оно в глиняной груди, открыл глаза исполин Мёккуркальви и сразу сказал:

126

— Ой, что-то мне страшно…

И говорят ещё, будто Турсы-оборотни, жившие на берегу Океана, вызвали из пучины Мирового Змея Йормунганда и попросили его облить ядом боевое точило Хрунгнира. Змей, конечно, с радостью согласился. Он тоже помнил пророчество:

— Нам с Тором сражаться в последней битве Богов… И не я огорчусь, если он станет хоть немного слабей…

…И вот наконец наступил день поединка, и Хрунгнир вышел из Каменных Дворов и встал посреди пустоши, оглядываясь в поисках Тора. Бесплодна была широкая пустошь, лишь полосы чёрных и жёлтых камней, сплетаясь, тянулись к обледенелым хребтам, синевшим у края Земли… Хрунгнир приготовил своё боевое точило и поднял каменный щит, вытесанный из целой горы, и сделался до того страшен на вид, что попряталось всё живое на много поприщ вокруг. А исполин Мёккуркальви стоял подле хозяина и так трясся от ужаса, что глина сыпалась на каменистую землю.

Вот глухо заворчал вдали гром, зарокотали мчащиеся колёса, надвинулись на Иотунхейм чёрные тучи… Это Бог Грозы нёсся на поединок во всём своём сокрушительном гневе. Легконогий Тьяльви, однако, поспел к Каменным Дворам прежде хозяина — и встал перед Великанами, разглядывая врагов.

— Вот это и есть Тор?.. — шёпотом спросил перепуганный Мёккуркальви. Хрунгнир ответил:

— Тора ты сразу узнаешь, когда он появится. А это всего лишь мальчишка!

Между тем Тьяльви показалось несправедливым, чтобы вождь Турсов держал в руках щит, ведь Тор никогда не заслонялся щитом.

— Эй, Хрунгнир! — крикнул он, приложив ладони ко рту. — Не поможет тебе эта гора, которую ты так высоко держишь! Тор видел тебя! Он приближается под землёй, чтобы напасть на тебя снизу!

Хрунгнир тотчас бросил щит себе под ноги и вскочил на него, радуясь, что обманул Бога Грозы. И тут полоснули близкие молнии, оглушительно ударил гром. Разорвались тучи — и Великаны увидели Тора, летевшего на колеснице. Клубились на ветру его волосы, развевалась огненная борода, пламя полыхало в глазах... Говорят, Мёккуркальви попятился за спину Хрунгнира и от ужаса промочил штаны. А вот Хрунгнир был хоть и глуп, зато не труслив. Вскинул он боевое точило и что было силы метнул навстречу Тору, навстречу его страшному молоту. Столкнулось оно с молнией — и разлетелось на части. Рассыпались осколки по всей Стране Великанов и даже по Срединному Миру — каждый может найти куски кремнёвых скал, раскиданные по земле, и убедиться, что в рассказе о поединке нет ни одного слова вранья...

Разлетелось точило, не остановив безжалостной молнии, — грянул Мьйолльнир в каменный лоб Хрунгнира и раскрошил ему череп. Но и

Тор зашатался на колеснице: попал в него всё-таки осколок точила, вонзился в славную голову Аса. Рухнул наземь Тор-победитель... упал рядом с ним Хрунгнир, и одна его нога оказалась на горле у Бога Грозы. И настолько тяжелой была нога сильнейшего из Великанов, что раненый Тор не мог шевельнуться под ней, едва-едва только дышал...

И не видел сын Одина, как Тьяльви бесстрашно кинулся ему на выручку, заслонил от глиняного исполина: тот, как все трусы, горазд был топтать врага, сбитого с ног. Девяти поприщ ростом был Мёккуркальви и трёх поприщ в обхвате — но не смог справиться с отважным маленьким Тьяльви. Пришлось ему без всякой славы погибнуть, рассыпаться глиняным прахом. До сих пор находят Люди в земле остатки того праха. И до сих пор Мёккуркальви вредит Людям трусливо, исподтишка, причиняя оползни после дождей...

Одолев помощника-Хрунгнира, Тьяльви сразу бросился к Тору, хотел снять с его шеи тяжёлую каменную ногу — и не сумел. Тьяльви очень боялся, как бы не подоспели вероломные Турсы и не добили беспомощного Бога Грозы. Он видел, как они выглядывали из-за ледяных гор, и хотел звать всех Асов на помощь, но те уже мчались из Асгарда: Один на Слейпнире, Фрейр на вепре Золотая Щетинка, Ньёрд и Тюр — на корабле Скидбладнире. Все вместе обступили они лежащего Тора, дружно взялись за обломок горы... и не хватило сил у могучих Богов, как они ни старались!

В тревоге стали советоваться славные Асы, как бы им оградить Тора от мести злых Великанов... И тут загудела земля от чьих-то шагов, как прежде гудела только под ногами самого Повелителя Грома. Оглянулись Боги и замерли от удивления: бежал к ним из Асгарда незнакомый юноша, лицом и статью похожий на Тора. Подбежав, он схватил ногу Хрунгнира и отшвырнул её, как соломинку.

— Жаль, отец, я пришёл слишком поздно и не поспел к поединку! — сказал юный Ас, помогая Тору подняться. — Я загнал бы старого Хрунгнира в Хель кулаком, если бы ты мне только позволил!

— Магни, сынок, — сказал Тор и обнял его. — Теперь я вижу, что из тебя получится воин...

Магни поднял молот Мьолльнир с земли, и было видно, что он сумел бы с ним справиться. Магни исполнилось тогда всего три ночи от роду, но в детских глазах мерцала древняя мудрость. Каким же станет этот Ас, когда войдёт в полную силу?

— Возьми коня Золотую Гриву, ты заслужил, — сказал Тор. Но Один нахмурился:

— Не ты ставил в заклад свою голову, не тебе и распоряжаться добычей. И следует ли дарить таких добрых коней сыновьям Великанш, рождённым на стороне?

— Где была бы твоя одноглазая голова, если бы не Магни и я? — сказал Тор. — А кроме того, моя мать Земля тоже не была тебе законной женой, хоть теперь её и почитают как

Асинью. Пусть конь Гулльфакси достанется тому, кого сам изберёт. Это будет по справедливости.

С таким приговором согласились все Асы. Открыли двери конюшни и выпустили Гулльфакси — он так и стоял там, непоенный и голодный. И сказывают, будто он испуганно покосился на Одина, из-за которого натерпелся беды, и тотчас подошёл к Магни, потянулся к нему, прося защиты и ласки...

А когда Тор взошёл на колесницу и Боги двинулись в обратный путь, на широкой пустоши всюду по их следам начали распускаться крохотные цветы.

Заклинания Гроа

Вот так Тор вернулся в Асгард. И долго отлёживался дома, под присмотром Сив, Трюд и Ярнсаксы. Говорят, Один сам вырезал на палочке могучие руны, унимающие боль. А Тьяльви и сыновья, взяв коня Гулльфакси и колесницу, всё это время без отдыха странствовали по Вселенной — искали лекарство для Бога Грозы. Такое, чтобы сумело извлечь острый осколок точила, засевший у него в голове.

Объехали юноши все владения Асов, побывали у Альвов — светлых и тёмных...

— Куда же теперь? — спросил Улль однажды под утро, остановив козлов на развилке дороги. — К Ванам в Ванахейм? Или к Карликам?

Или, может быть, в Тёмный Мир Нифльхель, расспрашивать мёртвых?

— К Людям, — сказал Магни и повернул Гулльфакси на тропу, ведущую в Мидгард.

И первой, кого юные Асы встретили в Мидгарде, была провидица Гроа. Одиноко сидела она на берегу притихшего озера и роняла в воду горькие слёзы, а из воды вырастали прозрачные пряди тумана, окутывая громоздящиеся валуны... Вполголоса пела Гроа печальную песню о любимом муже — Аурвандиле Смелом, затерявшемся где-то на далёких дорогах, где даже ей, вещей, нелегко было его разглядеть... И утренняя звезда лила с Неба мерцающий свет, словно бы отвечая.

Юные Боги вежливо стояли поодаль, пока не смолкла песня, а потом окликнули провидицу:

— Славься, Гроа! Не поможешь ли вытащить осколок точила у Тора из головы?

Гроа не пришлось уговаривать долго. Конечно, она рада была помочь Богу Грозы, с которым её муж нередко странствовал вместе. Быстро домчалась в Асгард стремительная колесница, и Гроа склонилась над Повелителем Молний. Тор не стал жаловаться, но она сама видела, как ему плохо — не шло наружу точило, не зарастала рана, обожжённая ядом...

Мудрая женщина хранила в памяти множество песен, множество волшебных заклятий — даже больше, чем Асиньи. Умела остановить бегущую кровь, послать исцеляющий сон и утихомирить лютую боль. Стала Гроа пробовать заклятья одно за другим и наконец добралась до самых древних, столь же древних, как камни, из которых создано было точило. Искусно сплетала она волшебные слова, вдохновенно нанизывая их, словно драгоценные бусины, а Асы и Асиньи стояли вокруг молча, не смея проронить ни звука.

И наконец Тор почувствовал, как стихла мучительная боль, а камень в голове начал шататься. Захотелось ему обрадовать Гроа, отплатить добром за добро.

— Как твой муж, провидица? — сказал он ей. — Наверное, уже вернулся домой?

— Лучше не спрашивай, — вновь заплакала Гроа. — Сколько зим я жду своего Аурвандиля и всюду ищу, наверное, он погиб и больше не вернётся ко мне, к нашим детям, Амлоди и Свипдагу...

— Непременно вернётся! — твёрдо и весело пообещал Тор. — Я встретил его в Стране Великанов, мы вместе возвращались оттуда. Аурвандиль не мог перейти через ядовитые реки Элигвар, и я взял его в корзину, которую ношу за плечами. Правда, корзина моя немного дырявая, так что Аурвандиль высунул из неё палец ноги и отморозил. Мы расстались с ним в Дании, на дороге к вашему дому. Наверное, он сейчас уже там и расспрашивает о тебе сыновей. Он теперь немного хромает, зато я взял его палец и сделал звезду. Смотри сама, я не лгу, вон она сияет на Небе — Палец Аурвандиля, утренняя звезда!

Гроа побежала во двор, чтобы глянуть на Небо, и опять разрыдалась — на сей раз от счастья. Потом возвратилась и вновь стала вспоминать древние заклинания. Но слишком внезапная радость отогнала вдохновение, затуманила ясную память провидицы как она ни старалась, осколок точила так и не вышел из раны и даже перестал шататься, крепко засев.

— Что же мы наделали, Тор! — сказала Гроа в отчаянии. — Я не могу вынуть его!

— Не страшно, — ответил ей Повелитель Громов. — Главное, рана перестала болеть и уже заживает, и моя сила снова при мне. Проживу я и с этим камешком в голове.

И действительно, вскоре Тор вновь поехал сражаться, оборонять от чудовищ Асгард и Мидгард, и те, с кем он дрался, не находили, чтобы он хоть чуть ослабел. Но Люди с тех пор, затачивая топоры и ножи, остерегаются бросать точило поперёк пола: от этого шевелится осколок в голове Бога Грозы.

Тор идёт в гости

Злокозненный Локи, летая по свету в крылатом соколином наряде, выпрошенном у Фригг, добрался однажды до Утгарда и разглядел с высоты дом одного Великана. Великана звали Гейррёдом, совсем как того конунга, у которого когда-то побывал Всеотец. По совести молвить, два Гейррёда, два Кровавых Копья, вполне стоили друг дружки. Но, конечно, они никогда и не слышали один о другом.

Двор Великана стоял между серых гор, одетых в каменные осыпи, словно в плащи. Тени облаков бродили по склонам, по пятнам зелёного мха, уцепившегося за откосы. Мутная река, порождение ледников, бежала внизу.

Любопытный Локи решил спуститься во двор и подслушать, о чём говорят Великаны. Покружившись, уселся он на стену, вырубленную в скале, и стал оглядываться вокруг. Тут заметил его сам Гейррёд, сидевший в палате. Ему понравился красавец кречет: серебряно-белый, с длинными крыльями. Подозвав слугу, он велел забраться на стену и попробовать изловить сокола:

— Обучу его и стану охотиться. Или дочкам отдам...

Ибо у Великана были две дочери, Гьяльп и Грейп, и обе в отца — могучие, безобразные и жестокие. Настоящие Великанши.

Слуга, посланный Гейррёдом, послушно полез за соколом по стене. Локи сверху смотрел, как цепляется Великан за гладкие камни, и про себя потешался, предвкушая, как подпустит его вплотную и взмоет в последний миг из-под носа. Молодой Великан, конечно, понятия не имел, что ловит хитрого Аса. Он тихонько посвистывал соколу и говорил с ним ласковым голосом, показывал утиные крылья и кусочки вкусного мяса. Сокол же искоса поглядывал на него, чистил клюв, ерошил перья, любуясь узором, бурым на серебре...

Вот слуга, изодрав колени и локти, дополз до самой вершины, вот осторожно и медленно протянул руку... прянул Локи лететь, расправил сильные крылья — и не тут-то было! Накрепко пристали соколиные лапы к камню скалы! Вспомнил тогда сын Лаувейи про колдовство орла Тьяцци и палку, прилипшую к ладоням, но поздно. Схватил его слуга, завернул осторожно в холстину, спустился во двор и отдал хозяину.

— А глаза-то у тебя не птичьи, — промолвил Гейррёд, развернув тряпку и осматривая добычу. — Ну-ка отвечай, оборотень, кто ты таков?

Это знают во всех девяти мирах: волшебство может как угодно переменить руки, ноги, лицо — но не глаза, ведь в глазах отражается подлинная душа. Вот почему оборотня всегда легко отличить по глазам. И как ни царапался Локи кривыми соколиными когтями, как ни разевал отточенный клюв, блестевший, будто сталь, — Гейррёд так и не поверил, что перед ним обычная птица. Хорошенько связал Локи крылья и запер в тёмный сундук:

— Посиди здесь, авось и разговоришься.

Тщетно пробовал Локи вернуть свой истинный облик, вырваться из душного сундука... но плохо слушаются заклятия, когда связаны руки, а сундук был вдобавок окован железными полосами — известно ведь, что никаким колдовским чарам с железом не справиться... Отчаявшись, Локи стал ждать возвращения Гейррёда, чтобы поведать ему о себе всю правду; но Великан не торопился расспрашивать. Лишь через три месяца вспомнил он про пернатого пленника и вытащил его:

— Ну, что скажешь теперь?

— Локи меня называют, — прохрипел пересохшим клювом отощавший, измученный Ас. — Отпусти меня, Великан, не то пожалеешь: все Боги и сам Винг-Тор — мои побратимы...

— Вот как? — засмеялся Гейррёд. — Что ж, придётся тебя отпустить, но только за выкуп. Приведёшь ко мне Тора, да без молота, без Пояса Силы и без рукавиц!

— Приведу, — согласился Локи охотно.

— Поклянись! — потребовал Великан. И Локи дал нерушимую клятву всё выполнить, как обещал.

Вернувшись домой, он сразу отправился к Тору.

— Славься, Тор! — приветствовал хитрый Локи Бога Грозы.

— Где ты пропадал столько времени? — спросил Тор. — Расскажи, что нового слышно, только не ври!

— Был я в Утгарде, у Гейррёда Турса, — ответствовал Локи. — И знаешь ли, Тор, исполины настолько напуганы гибелью Трюма и Хрунгнира, что подумывают заключить с нами мир...

— Мир? — удивился сын Одина. А коварный Ас продолжал:

— Ну да, мир, и Гейррёд зовёт тебя в гости, чтобы обо всём договориться без обмана. Гейррёд теперь у них конунг. И он просит, чтобы ты в знак мира пришёл к нему без молота Мьйолльнира, без Пояса Силы и без рукавиц... — И добавил: — Если не боишься, конечно.

— Я боюсь?.. — загремел Тор.

Быстро собрался он в путь и пошёл в Утгард пешком, чтобы кто-нибудь не подумал, будто он собирается в случае чего пуститься в бегство на колеснице.

Скорым шагом шёл Тор; сияло над ним беспредельное Небо, полосы облаков окутывали заснеженные плечи утёсов, холодные горные реки звенели на тысячу голосов, разбиваясь о камни...

На границе Иотунхейма стоял двор доброй Великанши Грид. Когда-то она подарила свою любовь Одину, Властителю Побед, и теперь во дворе играл сын.

— Здравствуй, Видар! — окликнул Бог Грозы меньшого братишку.

— Славься, Тор, — отозвался мальчик.

— Что это ты мастеришь? — спросил Тор.

— Башмак, — сказал Видар и пояснил: — Я шью его изо всех обрезков кожи, что Люди выбрасывают, скроив сапоги. Неплохо движется моя работа, когда они не жадничают.

— Зачем тебе такой толстый башмак? — спросил Тор. И немногословный Видар ответил:

— Наступить Фенриру Волку на челюсть, когда придёт срок.

Тор засмеялся и потрепал его по вихрам:

— На тебя вся наша надежда!

Но потом заглянул в глаза Видару и увидел в них обещание стать таким же сильным, как он, Тор, и даже сильнее. И было что-то ещё...

Тут, вытирая руки вышитым полотенцем, из дому появилась сама Грид-Великанша и приветствовала Бога Грозы:

— Куда идёшь, Тор?

— К Гейррёду, вождю исполинов, — ответствовал Ас. — Слышал я, он хочет заключить со мной мир!

— К Гейррёду? — покачала головой Грид. — Не верь ему, Тор. Хитроумен Гейррёд и наверняка задумал тебя погубить. И как это получилось, что ты идёшь в Утгард безоружным и без Мегингьярдира — Пояса Силы?

— Таково условие мира, — нахмурился Тор. — И если я вернусь за оружием, он назовёт меня трусом!

— Знаешь что? — сказала тогда мудрая Грид. — У меня ведь тоже найдётся и Пояс, и железные рукавицы, и о них Гейррёд не договаривался. Вот, возьми! Я их сберегала для Видара, но не много будет в них проку, если ты не вернёшься...

Вынесла она рукавицы и Пояс и ещё посох, длинный и крепкий:

— Удачи тебе.

А молчаливый Видар ничего не сказал, только кивнул.

Кровавое Копьё и его дочери

Границы между мирами издавна пролегают по рекам. Вот почему, собирая умершего в Хель, а павшего в битве — в Вальхаллу, чаще всего снаряжают ему надёжную лодку. А то и корабль. Или хотя бы колоду, обтёсанную наподобие судна. Или ставят вокруг могилы плоские камни, как бы обводя ими контуры корабля...

Утгард тоже отделяла река. А поскольку за нею жили огромные и страшные Великаны, река была им под стать: гремела между каменных стен, ворочала глыбы, несла мутную грязь... Звалась она Вимур. Подойдя к реке, Тор заметил рябинку, одиноко стоявшую на том берегу и, казалось, дрожавшую от зловещего рёва...

— Будь при мне колесница, я бы и не заметил тебя, Вимур, — проговорил Бог Грозы, разуваясь и пробуя босой ногой ледниковую воду и ненадёжные камни, склизкие от водорослей. — Ну, выручайте, пояс и посох!

Застегнул он узорчатую пряжку, воткнул посох Грид ниже по течению, чтобы упираться им в дно, и решительно зашагал вброд. Скоро бешеный поток покрыл его колени, потом вымочил пояс, что одолжила мать Видара... Когда же Тор добрался до середины, река неожиданно начала подниматься, да так быстро, словно в верховьях разразился неожиданный ливень. Понял Тор — кто-то очень хотел погубить его или по крайней мере не пропустить на ту сторону. Что ж, когда идёшь в Иотунхейм, надо быть готовым ко всякому вероломству. Даже если направляешься в гости. Попробовал Тор укротить реку заклинанием:

— Вимур, спади!
Вброд я иду
в Страну Великанов.

Если растёшь,
то знай, что растёт
до Неба мощь Аса!

Услышав заклятие, Вимур перестал подниматься, но и спадать не спадал: клокотали косматые буруны, перекатывались через плечи Бога Грозы. Тогда Тор, опираясь на посох, повернул голову глянуть, что делается выше по течению. И увидел старшую дочь Гейррёда, Гьяльп. Сидела она над расщелиной, над самой тесниной, упиралась чудовищными ногами в разные берега... вот откуда небывалое наводнение!

Недолго раздумывал Тор: подхватил огромный валун, что катила река, и метнул в Гьяльп со словами:

— Будет в устье запруда!

Винг-Тор никогда не промахивался. Сшиб Великаншу и живо добрался на другую сторону потока. Там, под отвесными скалами, Вимур прорыл омут, да такой, что и посохом Грид не достать было до дна... и тогда с неприступной скалы к Тору наклонилась рябинка:

— Держись за меня!

— Уж больно ты тоненький, кустик, — сказал Хозяин Громов.

— Зато крепкий, — отвечала рябинка. Делать нечего, взялся Тор за гибкие ветки и полез на скалу, а деревце что было силёнок вцепилось в камень корнями. Наконец Тор выкарабкался из потока и твёрдо встал на ноги:

— Спасибо, рябинка! Будут чтить тебя Люди, станут прозывать Спасением Тора!

С ним больше ничего не случилось, пока он разыскивал затерянный между горных хребтов двор Гейррёда конунга Турсов. Когда же он туда прибыл, Гейррёд, Гьяльп и Грейп его встретили как ни в чём не бывало, так, словно никому из них и не досталось пребольно на переправе увесистым камнем. Тор, в свою очередь, тоже не стал ничего говорить. Радушный хозяин повёл усталого гостя в козий хлев ночевать:

— Здесь, сам видишь, тепло и чисто, да и не впервой тебе, Тор, ночевать рядом с козами, верно ведь? А в доме мы ещё не всё приготовили…

Что же, Тору действительно было не привыкать. Тем более что у Великана Гейррёда и хлев был великанский, просторный, высокий… Сел Тор на широкую лавку, собираясь укладываться, и внезапно почувствовал: тяжёлая лавка под ним, казалось бы, вросшая в бревенчатые стены и пол, зашевелилась и начала подниматься вверх, под самую крышу! Однако Тор вовремя вспомнил о посохе Грид, успел схватить его и упереться в стропила, когда они уже касались затылка. Тогда лавка остановилась, несмотря на пыхтение, которое из-под неё раздавалось. Выждав немного, Тор как следует оттолкнулся посохом — и услышал внизу громкий хруст и двойной отчаянный крик, а лавка встала на место. Тор заглянул под неё и увидел обеих дочерей конунга Великанов, Гьяльп и Грейп, распростёртых на полу, мёртвых. Не пошло им на пользу попранное гостеприимство!

— Знать бы ещё, что они затеяли в доме, — сказал себе Тор. Вытащил Великанш вон из хлева, вернулся и спокойно заснул.

Утром Гейррёд сам его разбудил.

— Вот теперь всё готово, — вымолвил он сквозь зубы. — Пойдём, позабавимся играми перед пиром!

Внутри дома горело на полу множество очагов, и все они нещадно чадили, так что дым не успевал выходить в отверстие крыши. Гейррёд поторопился войти первым и, как только Бог Грозы ступил через порог, щурясь в потёмках, — схватил кузнечные клещи, выкатил из ближайшего очага добела раскалённый кусок железа и изо всех великанских сил швырнул его в Тора!..

Хорошо, тот загодя позаботился надеть рукавицы доброй матери Видара! Он схватил ими пылающее, брызжущее искрами железо и поднял высоко над головой:

— Если ты вздумал поиграть со мной в мяч, Кровавое Копьё, то где две черты на полу? А может, хочешь взглянуть, за что зовут меня Винг-Тором, Метателем?

Гейррёд, видя, как вздыбилась огненная борода его гостя, кинулся в густой дым очагов и спрятался за подпиравшие кровлю столбы. А надобно молвить, столбы в его доме были кованные из железа, и Великан уже думал, что спасся, когда Тор всё-таки высмотрел его сквозь густой дым... С шипением полетело железо, раскаляясь на лету всё больше и больше, грянуло в столб, разнесло его в мелкие брызги, уложило спрятавшегося Гейррёда и ушло глубоко в землю.

Сказывают, забил на том месте горячий источник и бьёт до сих пор, свищет, плюётся паром и кипятком. Никак не может остыть под землёй брошенное Тором железо. И всякий, кто усомнится в правдивости этого сказания о Гейррёде и его дочерях, может перейти через Вимур в Страну Великанов и своими глазами в том убедиться.

Котёл для пива

— Я хочу ввести Магни в род, чтобы он наследовал мне по закону, — сказал Тор. — Пусть он носит такую же обувь, как и мы все!

Дело было после удачной охоты, когда довольные Асы, воссев на холме, потрошили добычу, а дева Солнце смотрела на них с небосклона.

— Магни ещё не исполнилось пятнадцати зим, — хмуро возразил Один.

— Ну и что? — не смутился Тор. — Он совершил подвигов больше, чем я или даже ты в его возрасте. Он взрослый муж, если судить по делам!

И не нашлось никого, кто с этим не согласился бы.

— Ладно, пусть будет по-твоему, — скрепя сердце кивнул Отец Павших и обратился к собравшимся Асам: — Мы все здесь в родстве между собой. Кого выберем на счастье, кто устроит для Магни священный праздничный пир?

Асы начали переглядываться и засмеялись. Вырезали на палочках руны и бросили их, загадывая, на траву... Руны не указали ни на кого. А может, всё дело в том, что у Одина, повелителя рун, не лежало-таки сердце к юному Магни, рождённому Великаншей. Легко ли вводить в права чужого наследника, когда своему, мудрому, доброму и всеми любимому, напророчена неотвратимая гибель?..

Не добившись ответа от рун, Асы обратились к жертвенной крови добытых зверей. И кровь оказалась словоохотливее: растёкшиеся струйки указали на Эгира сына Мискорблинди, сидевшего в тени ясеня у вершины холма.

Эгир был родом из Иотунхейма, однако давным-давно уже побратался с Асами, и Люди чтили его как владыку подводных глубин. Если у Вана-Ньёрда, хозяина Лебединой Дороги, просили попутного ветра и удач в морском путешествии, то у Эгира — хорошего улова рыбы и всего того, что зовут морским урожаем. Эгир выстроил себе двор на самом дне Океана и далеко прославился хлебосольством: у него гостили те, кого принимала холодная водяная пучина. Рыбаки, утонувшие осенью на ловле трески возле западных островов, и воины, раненными свалившиеся за борт... Жена Эгира, Ран-Добытчица, носила широкую сеть и день-деньской обходила моря, собирая утонувших...

Эгир был давно уже дедом и прадедом, потому что девять волн, девять матерей великого Аса Хеймдалля, приходились ему дочерьми. Но ни морщинкой, ни складочкой не отметили прожитые века юного лица Великана. По-прежнему шумен бывал он во гневе и улыбался, точно дитя, в хорошие дни... Кто видел, чтобы состарилось Море?

— Я буду рад приготовить вам славный пир, побратимы, — сказал весело Эгир. — Хорошо бы только вы подобрали мне котёл для пива, чтобы хватило для всех!

Тогда Асы разошлись по своим дворам и стали смотреть котлы, в которых мудрые Асиньи со служанками варили светлую брагу. У каждого отыскался добрый котёл, но для священного пира всех Богов эти котлы были слишком малы.

Минула ночь, потом другая, потом ещё и ещё; нетерпеливый Тор уже думал вызвать из нижних миров Карликов-двергов и попросить выковать подходящий котёл... когда совсем неожиданно к нему подошёл Тюр. И Бог Грозы тотчас заметил, что у однорукого воителя был очень взволнованный вид.

— Родич и друг, — обратился к нему Тюр. — Ведомо ли тебе, что вороны Всеотца нынче видели как раз такой, как надо, котёл у Великана Хюмира?

— Вот славные новости, — обрадовался Тор. — Сейчас же запрягу козлов и съезжу к Хюмиру. И если добром не одолжит котла — отберу!

Вскормивший Волка вдруг попросил его:

— Возьми меня с собой, брат, вместо Тьяльви...

И объяснил удивлённому Тору:

— Помнишь ли мою мать, светлобровую красавицу Асинью, пропавшую много зим назад неизвестно куда? Хугин и Мунин её повстречали в доме у Великана, когда высматривали котёл. Это Хюмир похитил мою мать из Асгарда и насильно взял в жёны. Сказывали вещие вороны — несладко ей с отвратительным Турсом, а тут ещё свекровь — о девяти головах...

Бог Грозы в ярости схватился за молот:

— Асинья в плену у Турса, а я ничего не знал?! Едем, брат!

Целый день неслась быстрая колесница. Дорогою Тор изменил облик, прикинулся безбородым парнишкой, чтобы злой Хюмир не догадался тотчас же, с кем имеет дело. Не жаловал могучий Тор хитростей, но на сей раз решил уступить другу, ибо Тюр не хотел затевать открытую схватку — боялся погубить мать.

Тор и Тюр оставили золоторогих козлов, Таннгниостра с Таннгрисниром, на краю Мидгарда у родителей Тьяльви, а сами отправились дальше пешком.

Двор Хюмира стоял на обрывистом берегу Океана, там, где подводные скалы круто обрывались в непроглядную бездну, в логово Мирового Змея Йормунганда... Угрюмые чёрные камни вздымались тут и там из холодной серой воды, изглоданные прибоем; поздняя осень увешала их сосульками, припорошила макушки... закатное Солнце медленно пробиралось меж ними, дрожа в сизом тумане...

— Вон он — Хюмир, — указал однорукий воин на длинную лодку вдали. И рыбак-Великан как будто почувствовал: поднял безобразную голову, окинул берег тяжёлым подозрительным взглядом...

Первой встретила двоих Асов сама хозяйка двора — мерзкое чудище о девяти всклокоченных седых головах:

— Это что ещё за юнцы? А ну прочь отсюда, незваные, покуда целы!

Разгневанный Тор хотел уже вытащить молот, но Тюр ответил миролюбиво, как мог:

— Привет тебе, бабушка, от Фенрира Волка. Недавно я был у него на озере Люнгви и видел, что река Вон ещё не иссякла. А здесь мы только затем, чтобы одолжить у твоего сына котёл — затеваем пиво варить!

Обрадовала такая речь Великаншу.

— От Лунного Пса? — смягчилась старуха. — Стало быть, он не теряет надежды!.. Что же, входите, подождите Хюмира в доме... — И зло крикнула в дверь: — Эй, сноха! Беги живо, бездельница, устрой добрых гостей!

Тут из палат появилась несчастная Асинья, и Тюр застонал про себя, видя, как изменилась мать, как поблекла её светлая красота, поседели пышные волосы...

— Шевелись проворней, безрукая!.. — зашипела старая ведьма на женщину, замершую при виде воина-сына. И уже Тюр шагнул вперёд, на выручку матери, но Тор удержал.

— Сыночек, — всхлипнула Асинья, когда страшилище наконец убралось. — Какой ты большой и красивый вырос, сынок!.. Но что у тебя с рукой?..

— Про это потом, мама, — ответил Тюр шёпотом, чтобы не слыхала злая хозяйка. — Кончились наконец твои муки, поедешь с нами домой! Скажи только ещё, где Хюмир держит котлы?

— А вот и я, — раздался со двора зычный, грубый голос, и Великан шагнул в дом, обдирая звенящий лёд с бороды. Асинья только успела шепнуть:

— Берегитесь его!..

И действительно, Великан бросил на гостей такой тяжёлый и злой взгляд, что потрескался каменный столб, за которым они сидели на лавке, расщепилась над головами прочная балка. Восемь котлов обрушилось с неё вниз и разбилось о пол, лишь один, девятый, прочно выкованный, уцелел.

— Этот нам и нужен, — тихо сказал Тор другу.

Хюмир был между тем на что-то очень сердит. Он всё время ворчал, отбирая коров для ужина, сдирая с них шкуры и складывая туши печься в глубокую яму, как принято у дикарей. Он не захотел даже слышать о том, чтобы одолжить котёл:

— Не по-зимнему гремел нынче гром, всю рыбу мне распугал! Вот будет завтра хороший улов — тогда, может быть, поговорим!

За ужином проголодавшийся Тор не сумел удержаться и один съел двух коров, пока Хюмир, Тюр и Великанша о девяти головах управлялись с одной.

— Этак съешь у меня все припасы на зиму, — сказал неучтивый хозяин. — Силён ты на еду, таков ли в работе? Вот что: завтра каждый будет есть то, что сам раздобудет!

— А ты возьми меня с собой на рыбалку, — посоветовал Тор. — Право, не будет у тебя недостатка ни в камбале, ни в треске, если дашь мне удочку и наживку!

Великан оглушительно захохотал:

— Тебе, недомерку? Сперва как следует подрасти!

— Испытай меня прежде, потом будешь смеяться, — сказал Тор. — Быть может, я не такой неумеха, как тебе думается. Неужели не наскучило одному трудиться на вёслах?

Это показалось Хюмиру заманчивым, но он не подал виду:

— Ты, коротышка, пожалуй, замёрзнешь там, в море, если я буду удить так далеко от берега и так долго, как я привык. Не запросишься ли раньше срока на берег?

Тор ответил:

— Не пришлось бы тебе самому проситься назад, когда я сяду грести.

И так сверкнули при этом глаза Бога Грозы, что Тюр понял — воистину чудо, если теперь же не схватит молнию-молот. Но Хюмир неожиданно согласился:

— Ладно, поглядим, на что ты способен. Смотри только, не проспи. А калека пускай останется здесь и поможет моей рабыне мести пол, всё равно он ни на что больше не годен!

Промолчал Тор, стиснув молот до боли, промолчал Тюр, Бог победы в отчаянных поединках, тот, с кем сравнивали лучших мужей, называя их — смелые, точно сам Тюр...

А светлобровая Асинья неслышно сновала туда и сюда, прислуживала страшному Хюмиру и злобной свекрови, трепетала от ужаса и надежды и не смела глаз поднять на гостей.

Рыбалка Тора

Утром Хюмир проснулся и вскочил ни свет ни заря:

— Эй, коротышка! Ещё не раздумал ехать со мной?

— А что будет наживкой? — спросил Тор.

— Наживку, — сказал Хюмир, — добывай сам, какая приглянется. У меня лишней нет. — И усмехнулся злорадно: — Сходи в стадо, возьми какую-нибудь коровёнку... если не трусишь!

Тор немного подумал и в самом деле пошёл со двора, навстречу быкам и коровам, возвращавшимся с водопоя. Впереди всех выступал огромный, как туча, с чудовищными рогами бык, прозванный Вспоровшим Небеса. Увидя незнакомца, бык ударил копытом, глухо взревел и кинулся на Бога Грозы, но не рассчитал сил. Тор живо справился с ним и швырнул наземь, схватив за рога. Оторвал у злого животного голову и принёс с собой к берегу. Там Хюмир уже спускал на воду лодку.

— Вот навязалось несчастье!.. — зарычал Турс, увидев, какую наживку раздобыл его гость. — Я смотрю, на промысле от тебя ещё больше убытку, чем за столом!

Тор молча сел на корме и начал грести, и Хюмир сразу увидел, что с этим гребцом даже он, Великан, сравниться не может. Скоро пропали в утренней дымке сторожевые утёсы, открытое море стало мерно раскачивать рыбацкую лодку...

— Здесь я всегда ловлю камбалу, — сказал Хюмир. Тор скривил губы:

— Здесь дно пальцем можно достать. Ты, кажется, приглашал меня в море, а не на прибрежную мель?

Пришлось Великану смолчать. Но Тор грёб и грёб, и наконец Хюмиру сделалось не до бахвальства:

— Поворачивай, парень! Там, на дне, уже близок обрыв и под ним логово Змея! Даже мы, исполины, боимся его, хоть он и одного с нами племени. Сколько раз я едва уносил ноги, а тебя он проглотит и не заметит!

— Змей Йормунганд? — спросил Тор и нащупал верный молот. — Ты говоришь про этого жалкого червячка, которым только детей в потёмках пугать?

И не отпускал вёсел, пока лодка не встала как раз над обрывом. Тут вытащил Тор голову Вспоровшего Небеса, надел на отточенный крюк и закинул, посмеиваясь, в самую бездну. Хюмир ничего не сказал, но было видно, что ему очень не по себе. У него была снасть с двумя коваными крючками, и он поспешно наживил и забросил её, надеясь поскорей наловить рыбы и возвратиться на берег, не потревожив чудовища под водой. И удача ему улыбнулась: очень скоро на оба крючка попались киты. Великан живо подтащил их к лодке и оглушил тяжёлым багром. И открыл уже рот — уговаривать Тора грести обратно домой... но тут Мировой Змей всё-таки проснулся на дне, разбуженный запахом свежей крови от бычьей головы, которую Хозяин Громов опустил к самому его носу. Вмиг распахнулась ядовитая пасть и проглотила наживку вместе с рогами и острым крюком. Сладко облизнулся сын Локи, прозванный Поясом Земли, закрыл жёлтые глаза и хотел снова заснуть, но Тор наверху почувствовал дрожь лесы, понял, что Мидгардсорм взял приманку, и резко подсёк.

Вонзилось острое железо в нёбо чудовищу, и тут уж Змей рванулся изо всех великанских сил, так, что кулаки Повелителя Молний ударились о дубовый борт! В бешенстве забился Пояс Земли, заревел так, что далёкие горы Иотунхейма отгрянули эхом и содрогнулся весь Мидгард... но сила напоролась на силу. Тор постепенно наматывал лесу на кулак, не давая Змею поблажки и держа в правой руке занесенный Мьйолльнир. Лодка так накренилась, что перепуганный Хюмир хотел уже бросить добытых китов и попытаться спастись вплавь. Но в это время Тор проломил ногами дубовое днище и встал прямо на морское дно. И подтащил-таки Змея вплотную к себе, так, что безобразная, ядовитая голова приподнялась над водой, и два вечных противника увидали друг друга: защитник Асгарда и Людей, славный Бог Грома — и отвратительный родич Фенрира Волка! Страшным синим огнём горели глаза Тора, и отсветы Муспелля дрожали в немигающих змеиных зрачках! Хюмир, скуля от ужаса, закрыл ладонями голову и повалился прямо в холодную воду, плескавшуюся на дне лодки, на крепких досках...

Раз за разом взлетал сокрушительный молот, обрушивался на плоскую голову Йормунганда! Гремящая молния, что с одного удара укладывала даже такого исполина, как Хрунгнир. Но Пояс Земли был на диво живуч и неистово бился, вздымая громадные штормовые волны, раскалывая ледяные горы хвостом, между тем как Тор подтаскивал его всё ближе, чтобы поразить уже наверняка...

До самого родника Норн докатились судороги Змея и трепет Земли, и три Девы вышли взглянуть, в чём дело. Вот рассеялся над священным источником клубившийся пар, и отразился в бегучей воде смертный поединок Тора со Змеем. Но бесстрастными остались лица древних сестёр. Знали вещие Норны: даже Богам не под силу вмешиваться в дело Судьбы, произносящей их устами свой приговор...

— Они уже виделись прежде, — припомнила старшая, Урд-Прошлое.

— Сегодня Змей не умрёт, — сказал Верданди-Настоящее.

— Они ещё встретятся, — предрекла Скульд-Будущее.

И будто подслушав, вконец перетрусивший Хюмир схватил нож и полоснул по натянутой, как струна, лесе Тора, там, где она лежала на борту. С шумом и грохотом сомкнулись волны над головой нырнувшего Змея, и, говорят, молот Мьолльнир настиг его ещё раз, уже под водой, и вода ослабила удар, не то быть бы ему для чудовища роковым.

— Заступился за родича?.. — отдышавшись, сказал Хюмиру Тор. — А сколько раз он хотел тебя проглотить, и, надеюсь, когда-нибудь ещё проглотит?

С этими словами разъярённый Бог Грома так дал Хюмиру по уху, что Великан полетел за борт кувырком — только пятки мелькнули. Еле выкарабкался он назад, пока Тор затыкал пробоины в днище. Молча сели они на вёсла и погребли назад к берегу, очень недовольные друг другом.

Но когда засинели вдали знакомые скалы и Хюмир почувствовал себя в безопасности, тотчас возвратились к нему и самоуверенность, и наглость. Он сказал Тору:

— Эй, коротышка! Невелик твой улов, да и лодка из-за тебя едва не погибла. За это придётся тебе ещё поработать, если хочешь, чтобы я отдал котёл. Привяжешь лодку и вычерпаешь воду досуха — или, может, дотащишь до дому хоть одного из китов?

Тор взял лодку за носовое кольцо и одной рукой выволок далеко на сушу — не снимая вёсел, не выливая воды. Бросил в неё обоих китов и понёс к дому Великана, зашагал лесистыми склонами через долину. Еле поспевал за ним Хюмир. Уже понял Турс, что с котлом придётся расстаться, но сдаваться всё ещё не спешил:

— Для такого малявки ты впрямь неплохо гребёшь. Но вот тебе последнее испытание. Видишь тот кубок? Сумеешь разбить его — и котёл твой. Мне ведь ни к чему кубок, если не будет котла. А не осилишь — останутся у меня и котёл, и звонкая чаша!

Тор взял хрупкий с виду кубок, подержал, дивясь про себя, на широченной ладони — и с размаху хватил о ближайший столб из тех, что подпирали крышу. Откуда мог знать Хозяин Козлов, что кубок Хюмира был совсем не простой! Содрогнулось жилище, в мелкую пыль разлетелся прочный каменный столб — а тонкий сосуд отскочил, зазвенев, прямо в руки Великану.

— Полегче, недомерок! — захохотал исполин. — Никак захотел сокрушить весь мой дом и засыпать меня обломками по колено!

Тору, следует молвить, как раз того и хотелось, и, верно, пустил бы он всё-таки в ход молнию-Мьёлльнир... но тут пленённая Асинья, идя мимо с тяжёлым грязным ведром, сумела незаметно шепнуть ему:

— Кидай кубок прямо в лоб людоеду, иначе не разобьёшь!

Владетель Колесницы так и поступил. Надобно было видеть, как он полусогнул ноги и призвал всю свою силу Аса на помощь! Со свистом полетел кубок и угодил Хюмиру как раз между заиндевелых бровей — только осколки брызнули в стороны!

Делать нечего, пришлось Хюмиру расставаться с сокровищем, которое он столько веков сохранял для своих друзей-Великанов:

— Вон он, котёл, забирайте... если сумеете.

Он надеялся — братья-Асы попросту не поднимут котла, до того был тот вместителен и тяжёл. И решил уже, что не ошибся: два раза пытался Тюр сдвинуть котёл с места, но всё без толку. Тут подошёл Тор и с лёгкостью поднял посудину Великана. Перевернул, подлез — и пошёл себе в дверь, только бренчали кольца в ушках котла, задевая его по пяткам!

...Хюмир с матерью были так опечалены потерей котла, что не сразу хватились Асиньи, светлобровой рабыни. Но всё же, не дозвавшись, хватились.

— Сбежала! — заревел Хюмир. — То-то мне показалось, что однорукий похож на неё, верно, она ему мать!..

— И всё время шушукался с нею, пока ты был в море, — поддакнула старая ведьма.

Затопал ногами Хюмир, придя в великанскую ярость... Выбежал скорее во двор и закричал на весь Утгард, созывая родню — двухголовую, трёхголовую, многоголовую... Без промедления собрались исполины и поспешили в погоню.

...Тор глядел только под ноги, покрытый огромным котлом, но зоркий Тюр приметил погоню и постучал по кованому боку:

— Выручай, брат!

Бог Грозы сбросил котёл и увидел войско Турсов, перелезавшее через далёкие каменные горы. Что долго рассказывать? Загремел безжалостный молот, сыпанул горячими искрами — и покатились с плеч головы Великанов, у кого одна, у кого две, у кого целая сотня... Рушились хладнорёбрые Турсы и превращались в мёртвые горы, в россыпи безжизненных скал. Иные стоят в том месте и по сей день.

— Скверно вышло, — сказал Тюр, когда Таннгниостр и Таннгриснир уже мчали в Асгард их колесницу. — Хюмир ведь угощал нас за столом...

— Мало ли, что угощал, — хмуро ответил Бог Грома. — Он начал с того, что похитил твою мать!

Но и у Тора на душе было неладно. Ведь угощение — та же клятва о мире. Где поел, там становишься за своего и не то что разбойничать — не должен даже мстить за обиду. Горе всякому, кто нарушает этот закон...

Наследник

Привезя в Асгард котёл, Тор не стал больше медлить со священным пиром для сына:

— Будешь носить такую же обувь, как все в нашем роду, в славном племени Асов!

Так водилось в древности и у Людей — каждый род обувался и одевался на свой, особенный лад, украшал одежду узорами, каких другие не вышивали. Ибо многие возводили свой род к зверю-женщине, вышедшей замуж за человека, или к зверю-мужчине, взявшему жену из Людей. Был род Тюленя, род Зубатки и Волка, род Лося все и не перечесть. Предок-зверь только внукам давал носить свою шкуру или хоть её часть. Например, кожу с задних ног, переделанную в башмаки. Вот почему было достаточно поглядеть на обувь человека, чтобы сразу понять, какого он рода.

У племени Богов, конечно, не было предков-зверей. Зато Боги чтили корову Аудумлу: ведь это она своим ласковым языком целых три дня и три ночи вылизывала самого первого Аса из солёного камня, а когда он родился — не пожалела для него молока. В память об Аудумле Тор сам отобрал в своём стаде трёхлетку-бычка, длиннорогого, солнечно-рыжего... заколол и содрал шкурку с задней правой ноги, сделал башмак. Станет Магни своим среди могучих Богов, потомков пращура Бури!

А пока разделывали бычка, Бог Грозы взял глубокое решето и трижды наполнил его солодовым зерном — сварить пива на всех, вот почему у первых Людей число «три» значило попросту «много». Эгир, новый хозяин котла, сразу взялся за дело. Забурлило хмельное светлое пиво, наполнило глубокий чан до самого края...

— Утонуть можно, пожалуй, — задумчиво молвила, глянув в котёл, жена Эгира, Добытчица-Ран. Встряхнула сеть, всегда висевшую на плече, отправилась обходить моря, собирать захлебнувшихся рыбаков и воинов, упавших за борт в бою. И ведь напророчила: с той поры у Людей не раз получалось, что пьяные сваливались в пивные котлы и тонули. Но у Богов, конечно, подобного не бывало. Боги любили полакомиться брагой, однако же властвовать над собою ей не давали.

Асы и Асиньи весело собирались на пир. Лишь один злобный Локи, сын Лаувейи и Великана Фарбаути, выглядел недовольным. И всё озирался, ища, к чему бы придраться. Хитрейший из Асов жестоко завидовал Тору и его дружной семье и с горечью вспоминал собственное потомство, рождённое в Железном Лесу. Змея Йормунганда, мрачную Хель и Фенрира Волка, связанного на острове Люнгви. Локи никогда их не любил, как не любил и тех сыновей, что родила ему верная Сигюн — Нари и Нарви, вечно дравшихся между собою, точно пара свирепых волчат... Тщеславный Локи не мог спокойно думать о том, что его дети никогда не станут своими на празднике у Богов, никогда не побратаются с младшими Асами: улыбчивым Бальдром, широкоплечим Магни и молчаливым Видаром, хозяином толстого башмака...

Переполнила чёрная зависть недоброе сердце Локи. Он громко сказал:

— Жертвенная кровь солгала! Тебя, Эгир, зря выбрали хозяином пира! В твоих палатах темней, чем на дне гнилого болота!

Дом Эгира, как уже говорилось, стоял в морской глубине, и под вечер в нём вправду сделалось сумрачно. Эгир не стал пререкаться со злоязычным: кивнул проворным рабам, Эльдиру-Повару и Фимафенгу-Ловкому. Расторопные слуги тотчас внесли ясное золото. И так ярко блестело и переливалось сокровище моря, что в доме стало светлее, чем в самый солнечный день.

Но завистливый Локи никак не мог успокоиться. С ненавистью глядел он на слуг, подливавших гостям вкусное пиво. Боги щедро награждали рабов, хваля их усердие. Локи знал: о нём, Асе, никто здесь не произнесёт доброго слова. Когда Фимафенг подошёл наполнить его кубок, Локи не сдержался и ударил его кубком по голове, так что брызнула кровь.

— Кровь! — в испуге ахнули Асиньи. — Не к добру это!

— Он облил меня пивом, — довольно ухмыльнулся Локи, любуясь испорченным торжеством.

— Мы клялись соблюдать мир! — сказал Один. А Тор в гневе схватился уже за молнию-Мьйолльнир, но Бальдр остановил его руку, чтобы не нарушать правду Богов, не убивать пусть негодного, но побратима. Один указал Локи на дверь:

— Вон, мерзкий! — громче молота Тора прогремел его голос. — Не помешаешь ты сделать Магни наследником Асов!

Не желая пускать в ход оружие, Тор и Тюр разом схватили щиты, висевшие на стенах, и двинулись, грозно потрясая ими, на злобного Аса.

— Я припомню тебе, обманщик, сгоревшие орлиные перья! — воскликнула воительница Скади и встала с братьями рядом.

Локи был столь же труслив, сколь и коварен. Он понял, что может действительно поплатиться. Выскочил за двери и убежал далеко в лес. Асы же вернулись к прерванному пиру, ибо негоже оставлять доброе дело из-за одного подлеца.

Вот Магни сел подле матери, славной Великанши Ярнсаксы, а подошедший Тор силой стащил юношу с лавки, причём сын отчаянно упирался и делал вид, что совсем не хочет вставать. Рождённый вне брака, он всё ещё был в роду матери, и покровителям её рода незачем было гневаться на него за предательство. Пускай они видят, что измена эта — невольная. Весело смеялись могучие Асы, глядя, как Тор за ухо ведёт рослого сына к священному башмаку и заставляет вступить в него правой ногой. Правая сторона к худу не приведёт: хочешь удачного дня — вставай с правой ноги. Хозяин Громов сам вступил в башмак после сына, накрывая след Магни своим, утверждая его в семье.

За ним подошли сын и пасынок — Моди и Улль, потом другие мужчины племени Богов: Один, Тюр, Бальдр, Ньёрд, Фрейр, братья и побратимы... Вот теперь ни один злой колдун, даже сам Локи, не сумеет навести порчу на юного Магни, вынув его след и опалив на огне! Кто осмелится подступиться со злом, сглазить, подослать немочь и неудачу, когда рядом родня?!

— Я ввожу этого человека в права на имущество, — твёрдым голосом произнёс Тор памятную Клятву Отца. — Ввожу его во все права на владения и подарки, на место в общем пиру, на заступничество и на месть. Он будет отмщать за наших погибших и отвечать за убитых нами врагов — так, как если бы его мать была мне законной женой!

Асы и Асиньи стали по очереди сажать юношу к себе на колени, освящая родство, подтверждая усыновление.

— Он будет рядом с тобой, Тор, до самой гибели мира, — сказала Урд, старшая Норна.

— Он отомстит за тебя, — добавила средняя, Верданди.

— Он поднимет твой молот, когда ты его выронишь, — приговорила младшая, Скульд.

Молчаливые сёстры обычно бывали так разговорчивы только у постели роженицы. Но ведь Магни теперь всё равно что умер для прежнего рода, а для нового — как будто родился.

И Ярнсакса-Железная, отважная Великанша, знай утирала неслышные слёзы, бежавшие по щекам. Племя отца, племя Асов, должно было отныне стать её сыну роднее, чем она — мать... Магни перехватил её взгляд и ободряюще улыбнулся: не плачь!

Пир был в самом разгаре, когда в дымовое отверстие крыши влетели два ворона — и закружились, хлопая тяжёлыми крыльями, над столом.

— Великаны нар-р-рушили мир-р... — прокаркал Хугин, усаживаясь Одину на плечо.

— Дети Хюмир-ра втор-р-рглись в Мидгаррд... — откликнулся Мунин.

Тор нащупал молот и поднялся.

— Я с тобой, отец, — сказал Магни, вскакивая на ноги. Тор посмотрел на него и улыбнулся:

— Идём, сын.

Перебранка Локи

Проводив взглядом стремительно умчавшуюся колесницу, хитрейший из Асов покинул колючие кусты, в которых отсиживался, и пошёл назад, к дому, навстречу звукам праздничного веселья.

У самой двери ему встретился Эльдир. Невольник испуганно отшатнулся при виде обидчика слабых, но Локи лишь поднял руку:

— Погоди бежать, поварёнок... скажи мне сперва, о чём говорят на пиру Боги и дети Богов?

Эльдир ответил:

— О мудрости Одина и о подвигах Тора, о славном былом и о том, что ещё суждено.

— А обо мне? — спросил Локи. — Говорят ли обо мне?

— О тебе, — ответил слуга, — Боги стараются не вспоминать. А если и вспоминают, никто не зовёт тебя другом и не сожалеет, что тебя выставили. Ни Боги, ни дети Богов.

— Ну что же, — пробормотал Локи. — Скоро они узнают, как быть невежливыми со мной. Я приправлю желчью их мёд, подмешаю в кубки вражду и раздор!

— Не делал бы ты этого, — осмелился посоветовать Эльдир. — Тот, кто брызгает грязью в других, вполне может дождаться, что эту грязь об него же и оботрут!

— А ты помолчи, сын Трэля и Тир, пока я не превратил тебя в лягушонка, — ощерился родитель чудовищ. — Невелик будет тебе прибыток, если начнёшь браниться со мной!

Слуга попятился прочь, а Локи вошёл в дом и злорадно отметил, что Асы и Асиньи, только что весело беседовавшие за столом, разом смолкли и повернулись к нему.

— Славься, день, славьтесь, сыны дня! — приветствовал их Локи. Никто не откликнулся, и красавец Ас обвёл палату насмешливым взором: — Или нет среди вас, побратимы, такого, кто поднёс бы мне доброго мёда? Или иссякло ваше гостеприимство, жители Асгарда? Зовите меня за стол или уж гоните наружу, в ночную тьму!

Браги, покровитель поэтов, нехотя молвил:

— Ты сам во всём виноват, зачинщик раздоров. Зря ты пришёл сюда снова. Такому, как ты, нет места на священном пиру!

Локи воскликнул с видом несправедливо обиженного:

— И ты спокойно слушаешь это, Отец Богов и Людей? Или позабыл, как мы смешивали кровь, вступая в родство? А ведь ты тогда говорил — никому из названных братьев не гоже лакомиться пивом, пока не поднесут и другому!

— Видар, сын, уступи ему место, — сумрачно проговорил хозяин Вальхаллы. — Пусть сядет и больше не портит нам пир у Эгира в доме!

Молчаливый Видар налил Локи полную чашу, и тот поднял её над огнём, чтобы сбылось пожелание:

— Во здравие Асам и Асиньям! Славьтесь, могучие Боги! — Помолчал и добавил: — Все, кроме одного — неучтивого Браги…

— Локи, я подарю тебе меч и коня, только не затевай ссор, — сказал слагатель стихов. — Я добавлю кольцо, лишь не злословь!

— Меч и коня? — захохотал сын Лаувейи. — Но где же ты возьмёшь их, домосед? Это воинская добыча, а ты не любишь сражаться. Ты храбр только здесь, за мирным столом!

— Если бы мы не клялись соблюдать мир, — сказал Браги, — я показал бы тебе, злой наветник, храбр я или нет.

— Стоит ли вам осыпать бранью друг друга, двум Асам, — сказала светлоокая Гевьон, та самая, что выпахала своим плугом датский остров Зеландию. — Неужели мы первый раз забавляемся, сравнивая мужей, неужели вы разучились шутить?

— Ты-то молчала бы, непостоянная Гевьон! — повернулся к ней Локи. — Ты готова всякого обнимать, кто подарит тебе нарядный убор!

— Небольшая беда, если женщина обнимает мужчину, а он радует её подарком, — вмешался Один. — Не тронь, Локи, вещую деву: она провидит все судьбы — обрадуешься ли, узнав, что тебе суждено?

Но Локи уже не мог остановиться, даже если бы захотел:

— Кто здесь говорит о судьбах? Ты, одноглазый? А сколько раз ты даровал победу в бою совсем не тому, кто был достоин? Ты даровал её трусам!

— Я даровал им земную победу, но в Вальхалле они не ступали и на порог, — не сдержался Отец Павших. — Зато я не превращал себя в женщину и не рожал под землёй страшилищ-детей, как ты, муж женовидный!

Локи выплеснул пиво наземь из чаши:

— Тебя самого видели колдующим! Это ты — муж женовидный!

— Зачем трогать старое, — попробовала усовестить его мудрая Фригг. Но не тут-то было.

— Молчи, распутная Фригг! — крикнул Локи. — Скольким ты дарила любовь, пока Один странствовал далеко от Асгарда?

Асинья закрыла руками лицо, не зная, куда себя деть от стыда. Светлый Бальдр обнял её, укоризненно глядя на Локи.

— Радуйся сыну, пока не сбылось предсказание, — издевался глумливый насмешник. — Право, хотел бы я, чтобы оно скорее исполнилось!

— Уймись, Локи, — хмуро посоветовал Ньёрд, хозяин Лебединой Дороги.

— Сам уймись, Ван, несчастный заложник, — тотчас оборвал его злокозненный Локи. — Все знают твою распутницу-дочь, жену — приблудную Великаншу и сына, помешавшегося от любви!

Ньёрд ответил с достоинством:

— Только глупец попрекает любовью. Мой сын Фрейр никогда не обижал ни пленников, ни беспомощных пленниц. В нём нет никакого изъяна перед Богами. Такое ли потомство у тебя, злоязычный?

— Фенрир Волк когда-нибудь проглотит Солнце и Месяц, — сказал Локи. — Вот тогда и поговорим о потомстве. А Хель, моя дочь, уже скоро получит вашего любимчика Бальдра, ведь его убьют не в сражении...

— Замолчи! — крикнули разом Хёд и Тюр.

— Что такое? — наклонил красивую голову Локи. — Ты, безглазый, не видящий перед собою дороги! И ты, однорукий, укушенный Лунным Псом, моим сыном! Где ты был, когда твою мать целовал отвратительный Турс?..

Но слепой Хёд перебил его:

— Слышу!.. Слышу колесницу могучего Хлорриди!

И точно — не успел ещё он договорить, когда грохнула дверь, и плечом к плечу встали посреди палаты два победителя-Аса, сын и отец.

— Смолкни, мерзостный Локи! — сказал сразу же Тор. Он успел довольно расслышать из-за двери, и широкая ладонь сжимала послушную рукоять, а голос гремел: — Смолкни, мерзостный Локи! Не то отведаешь молота!

— Ты, Тор... — начал было Локи. — Твоя жена Сив...

Но Бог Грома шагнул вперёд, и занесённый Мьйолльнир полыхнул синей зарницей:

— Смолкни, мерзостный Локи!

Тут уж сын Лаувейи стрелой вылетел вон: Тор не из тех, кто станет тратить время на перебранку, его оружие — молот, а не язвительные слова. И, говорят, Боги возобновили прерванный пир, и никто более не мешал им веселиться в доме у Эгира. И ещё говорят — с тех пор они каждое лето собираются на священный пир у Хозяина подводных глубин. Вот за что скальды зовут иногда Эгира — Пивоваром. Иные же утверждают, что Эгир левша. И оттого-то, когда он варит в своём волшебном котле океанские бури и потом выплёскивает их в полёт, они крутятся противосолонь...

А Локи выгнали из Асгарда, запретив возвращаться.

Скрюмир

Однажды Тор вместе с Тьяльви и Рёсквой-Резвушкой коротал дождливую осеннюю ночь на краю Утгарда у лесного костра. Они думали на другой уже день возвратиться домой и подъели почти все припасы, когда Локи, сын Лаувейи, изгнанный Ас, вышел к ним из тумана. Боги давно уже не считали коварного зачинщика распрей своим побратимом, но у промокшего и голодного Локи был до того жалкий вид, что отходчивый Бог Грозы невольно смягчился:

— Садись к огню, оскорбитель Богинь, поешь да обогрейся. Заодно и расскажешь нам, что нового слышно.

Локи не заставил себя долго упрашивать и с таким прожорством взялся за остатки еды, что даже Тор мог бы ему позавидовать, если бы чувство зависти было ведомо Метателю Молний.

— В Утгарде объявился могучий волшебник, — наконец насытившись, поведал былой обманщик Богов. — Говорят, он собрал к себе множество Великанов и сулится вести их походом на Асгард, добывать сокровища Асов и прекрасных Богинь в жёны самым отважным... Никто не знает его имени, я сам слыхал только прозвание — Утгардалоки...

Тор погладил рукоять верного молота:

— А не мог бы ты показать, где живёт этот Утгардалоки?

— Отчего же, — сказал изгнанный Ас. — Покажу!

На другое утро они двинулись в путь и шагали весь день, пока не забрались в самую глухомань. Там застала их новая ночь, такая же холодная и непогожая, как и минувшая. На счастье, уже впотьмах они вышли к какому-то заброшенному дому, на удивление просторному и с таким широким входом, что сперва он им показался проломом в стене. Обрадованные путники забрались под крышу и устроились на ночлег. Но едва они успели заснуть, как началось сильное землетрясение: застонали деревья, ходуном заходили надёжные стены, послышался отовсюду грохот и шум, как будто вокруг топтались чудовища. Напуганные путешественники попятились внутрь дома и обнаружили там, как раз посередине, небольшую пристройку. Туда они и забились, а Тор встал у входа, сжимая рукоять молота и готовясь к отпору. Шум возле дома не затихал до рассвета, но никто не пытался напасть на прятавшихся внутри.

Когда же наступил день, Тор вышел наружу и сразу увидел поблизости на поляне спящего Великана. Тот громко храпел, раскинувшись на траве, и Бог Грозы тотчас понял, что за шум они слышали в ночной темноте. А дом при солнечном свете оказался вовсе не домом — всего лишь брошенной рукавицей.

И, говорят, Тор впервые в жизни покраснел от стыда, предвидя, что ещё не раз и не два припомнят ему ту рукавицу на пирах в Асгарде, в дружеской перепалке... Поглядел он на спящего Великана и — тоже впервые в жизни — спросил себя, по силам ли ему подобный соперник.

— Стар становлюсь, видно, — сказал сам себе Тор. Опоясался Мегингьярдиром — добрым Поясом Силы — и тогда только подошёл к незнакомцу, держа молот наготове. А проснувшийся Великан протёр глаза и посмотрел на него совсем не враждебно:

— Славься, Аса-Тор! Что ты делаешь в этом лесу? Уж не Утгардалоки ли ищешь?

— Истинно так, — ответствовал Тор. — А ты, случаем, не..?

— Куда мне, — захохотал молодой Турс, и с дубов посыпались жёлуди от этого хохота. — Да против Утгардалоки я сущий цыплёнок!.. Но я как раз направляюсь в ту сторону, ибо думаю вступить в его войско. Пойдём вместе, если хочешь!

— Ни разу ещё у меня не бывало в попутчиках Великанов, — сказал задумчиво Тор. — Однако отказываться не буду, пойдём, коли не шутишь! Как звать-то тебя?

— Зови меня Скрюмиром, — ответил тот.

Скрюмир означало Хвастун, но Тору вовсе не показалось, чтобы исполин бахвалился зря. Тор со спутниками едва поспевали за ним, идя через лес. На диво широк был шаг незнакомца, а ведь он ещё вызвался нести все пожитки и до вечера шагал, убрав котомку Тора в свою!

К закату дня Скрюмир подыскал место для ночлега и отказался от ужина, заявив, что ляжет сразу же спать:

— А вы развязывайте котомку и ешьте, если проголодались.

Улёгся под деревом и тотчас захрапел. Тогда Тьяльви попробовал распутать ремень, которым был затянут мешок Великана, — и не совладал. Тут уже Тор отстранил его и сам взялся за дело. Но сколько ни бился — ни единого узла не сумел ослабить, ни одного ремешка так и не развязал...

— Видишь, какие рождаются ныне в Утгарде Великаны? — сказал ему Локи. — Угости-ка его своим Мьйолльниром, Тор, пока он не наделал всем нам беды!

— Негоже нападать на спящего, — свёл густые брови Хозяин Козлов. — Мой брат Тюр пошёл на обман, думая избежать великого зла, но оно оттого лишь стало неотвратимее. Не пришлось бы и мне пожалеть, если сделаю, как ты предлагаешь!

Локи ответил:

— Подумай лучше, что будет, когда такие, как этот Скрюмир, вторгнутся в Мидгард, пойдут походом на Асгард!

— Всё равно, не поступаться же честью, — сказал Тор. — Я воин, а не убийца!

— О какой чести речь, когда борешься с Великаном? — возмутился хитрейший из Асов. — Сколько раз ты сам едва уносил ноги из-за их вероломства!

— Я воин, а не убийца, — упрямо повторил Тор.

— Стало быть, ты хочешь услышать, как твоя Сив плачет в объятиях многоголового Хримтурса? — спросил язвительный Локи. — А дочь проклинает день, когда родилась?

Опутал он Повелителя Молний своими речами, как паутиной. И наконец Тор поднялся и, вытащив молот, подошёл к спящему Скрюмиру. Тот храпел на весь лес, не чуя беды. Взвился Мьйолльнир и обрушился на голову Великана... Даже Мидгардсорму — Мировому Змею — несладко пришлось бы от такого удара, но на чистом лбу Скрюмира не осталось даже царапины.

— Не листок ли с дуба свалился?.. — зевая, спросил проснувшийся исполин. — Ну как, Тор, поужинали?..

— Поужинали, — пробормотал Хозяин Козлов, отходя прочь в великом смущении. Улеглись они четверо подальше от Турса, но, правду молвить, было им, как и в прошлую ночь, совсем не до сна. И вот в самую полночь Тор вновь поднялся и, подкравшись, с маху опустил молот Скрюмиру на самое темя. Удар мог раздробить гору, но у Великана даже волосы на темени не шелохнулись. Он лишь открыл глаза и спокойно сказал:

— То листья падали, а теперь, кажется, жёлудь!.. А что ты всё бродишь, Тор? Ложись, завтра долго идти!

Перевернулся на другой бок и вновь захрапел во всю великанскую мощь.

Перед самым рассветом Бог Грома решил попытать счастья в последний раз. Неслышно подойдя, ударил он Скрюмира в обращённый кверху висок и мог бы поклясться, что молот вошёл в тело по рукоять... каменная скала, пожалуй, разлетелась бы в мелкую пыль, а Скрюмир приподнялся и сел, сладко потягиваясь:

— Вот уже и птицы проснулись, ишь, роняют на меня сучки и травинки... Славься, Тор! Пора нам позавтракать да и двигаться дальше!

Легко развязал котомку и вынул припасы, но Тору со спутниками кусок в горло почему-то не лез.

Состязание

Ближе к полудню путешественники действительно увидели впереди крепость. Да такую, что Тору пришлось запрокинуть голову, оглядывая её. Когда они вошли внутрь, Скрюмир сразу смешался с толпой молодых Великанов, и больше они его не видали. Воины стали спрашивать Тора, кто он да откуда родом. Он назвался, и его провели к конунгу крепости — самому Утгардалоки.

— Это ты, что ли, и есть Тор-Метатель, Тор-с-Колесницей, Хозяин Громов, Тор из племени Асов?.. — спросил конунг, наклонясь с хозяйского места и разглядывая пришлецов, и вид у него был разочарованный. — Я-то, наслушавшись про тебя, думал, ты и ростом повыше, и в плечах покрепче... ладно, будь гостем и не обижайся! Но надобно тебе знать, каков у нас здесь обычай: каждый должен чем-нибудь отличиться. Есть ли у вас искусство, которому бы мы удивились?

— Есть, — сказал Локи и вышел из-за широкой спины Тора, где прятался всё это время. — Я ем так быстро, что никому за мной не угнаться, ни Асу, ни Великану!

— Что ж, — сказал конунг. — Испытаем, на что ты способен.

Тут принесли длинное корыто, полное вкусного варёного мяса. И вот Локи устроился у одного конца, а у другого сел его соперник, огненно-рыжий малый с похожим именем — Логи. Они разом взялись за мясо. Проголодавшийся

Локи ел с удивительной быстротой, но и Логи не отставал. Встретились они как раз посередине корыта, стукнулись лбами. И оказалось — пока Локи дочиста обгладывал кости, Логи умудрился съесть не только все кости, но даже само корыто. Ему и присудили победу.

— А что этот юноша, пришедший с тобой? — спросил конунг Тора, указывая на Тьяльви. — Какая игра ему по сердцу?

— Он быстрый бегун, — ответил Тор. — Вот послушай, какой подвиг он совершил. Знают ли здесь у вас об острове Готланд, что поднимался из моря и вновь уходил под воду, так что никто не мог на нём поселиться? Тьяльви сумел обежать его за один день, держа в руках огонь, и остров остановился. Теперь там живут Люди и говорят, что это доброе дело.

А Тьяльви добавил бесстрашно:

— Я готов бежать взапуски с любым, кого ты назовёшь.

Рёсква с гордостью поглядела на брата.

— Славное искусство, — похвалил Утгардалоки и обернулся к своим воинам, стоявшим вокруг: — Эй, Хуги! Поди-ка сюда!

Вышел парнишка, казалось, совсем не умевший смирно стоять; ноги под ним так и плясали. Все вместе они отправились в поле, где была ровная тропинка, как раз подходящая для состязаний. Пустились Тьяльви и Хуги бежать по первому разу... и Тьяльви тотчас сильно отстал — когда он достиг поворота, Хуги уже мчался навстречу ему.

— Придётся тебе подналечь, парень, если хочешь выиграть эту игру, — засмеялся Утгарда-локи. — Но и то верно, немного видал я Людей, чтобы бегали быстрее тебя!

По второму разу Хуги повернул обратно, когда Тьяльви был ещё на расстоянии полёта стрелы от поворота. И всем стало ясно, кто из двоих легче на ногу.

— А ты, Тор? — спросил конунг, когда они вернулись в палаты. — Уж ты-то наверняка чем-нибудь меня удивишь!

Тор исподлобья обвёл глазами пиршественный чертог:

— Ну... говорят, ещё не бывало такой чаши, чтобы я не смог единым духом её осушить...

Конунг велел подать Тору полный рог доброго пива:

— Из этого рога у нас обычно пьют те, кто опаздывает на пир. Но тебе-то он, верно, покажется безделицей...

Тор приободрился: рог впрямь выглядел не слишком вместительным, хотя и длинным изрядно. Поднёс он его ко рту и принялся жадно пить, благо чувствовал немалую жажду. Питьё, правда, показалось ему не особенно вкусным — горчило оно и было солоноватым, — но он глотал его и глотал, не желая срамиться перед Великанами. Вот уже круги поплыли перед глазами... а пива в роге как будто и не убавилось.

— Сказал бы мне кто, что Аса-Тору больше не осилить, я бы не поверил, — покачал головой Утгардалоки. — Ладно, попробуй опять!

И снова Тор пил, пока не потемнело в глазах, а потом и ещё раз... теперь стало заметно, что к рогу всё-таки прикасались, но и немногим более того.

— Теперь ясно, что мощь твоя вовсе не столь велика, как мы все здесь полагали, — сказал конунг насмешливо, глядя на отдувающегося Тора. — А может, ты попытаешь счастья в забаве, которой тешится здесь ребятня? Они поднимают с полу мою кошку...

Сейчас же выскочила откуда-то серая кошка, крупная и пушистая. Наклонился к ней Тор, взял одной рукой под брюшко и стал поднимать. Но вот странное дело: чем выше он её поднимал, тем больше она изгибалась, и лишь когда Тор ухватил её обеими ладонями и сам встал на цыпочки — оторвала одну лапу от пола.

— Всё правильно: кошка большая, а Тор совсем маленький! — захохотал Утгардалоки.

— Может быть, я и маленький, как ты говоришь, — сказал вконец пристыженный Тор. — Но найдётся ли у тебя удалец, что поборолся бы со мною один на один?

— А как же, найдётся, — отвечал конунг. — Такому, как ты, как раз впору бороться с моей дряхлой старой кормилицей. Эй, бабушка Элли, выйди сюда!

Тотчас появилась старуха — седая, сгорбленная, однако проворная, и под дружный смех Великанов Тор принуждён был с нею схватиться. Но и тут ему не досталось удачи: чем больше силился он повалить древнюю бабку, тем крепче она стояла. А потом и сама дала Богу Грозы такую подножку, что он упал на одно колено. Подошёл Утгардалоки и велел им кончить борьбу:

— Дело к ночи, пора уже спать.

Он сам отвёл Тору и его спутникам спальные места на широкой лавке в палате. Меховые одеяла были мягкими, а от очага веяло добрым теплом — но Тьяльви и Рёсква знай прижимались к Тору, да и сам Хозяин Козлов еле дождался утра, чтобы уйти поскорее из этого места.

Утгардалоки вышел его проводить, хотя Тору это было очень не по сердцу.

— Натерпелся я у вас сраму, — с горечью молвил он конунгу. — Никогда мне этого не позабыть, а и забыл бы, так не дадут!

Тогда Утгардалоки оглянулся назад, на далёкие уже стены своей крепости, и вдруг усмехнулся:

— Послушай меня, сильнейший из Асов. Ведь это я был с вами в лесу под именем Скрюмира. Видел ты возле моих палат каменную скалу с тремя глубокими вмятинами? Это её я подставил под твои удары, а ты и не заметил, потому что я отвёл тебе глаза. То же было и с играми. Логи значит Огонь, не так ли? Тот, кто звался Логи, и был просто огнём, а ты сам знаешь — прожорливее огня ничего нет во всех девяти мирах. Хуги значит Мысль, и это в самом деле была моя мысль, вот почему Тьяльви, легконогий бегун, так сильно отстал. Кроме мысли его, пожалуй, и не обогнать никому.

Тор остановился в изумлении, а конунг продолжал:

— Когда ты стал пить, я снова отвёл тебе глаза, и ты не разглядел, что рог был другим концом соединён с Океаном. Мои Турсы едва не умерли на месте от ужаса, увидев, как много ты сумел выпить и как обмелел Океан. Люди станут называть это отливом. А ещё больше мы все испугались, когда кошка оторвала от пола переднюю лапу: ведь не кошка это была, а сам Мидгардсорм, Пояс Земли. Едва-едва достало его длины удержать на земле голову и кончик хвоста: ты так высоко поднял руку, что близко было до Неба. Но поистине величайшее чудо тебе удалось, когда ты так долго сопротивлялся, сражаясь против старухи. Элли, ведь это была сама Старость. И там, где любой другой рухнул бы замертво, ты едва припал на колено... И вот что я ещё скажу тебе, Аса-Тор: если бы я знал наперёд, что так велика твоя мощь, нипочём не позволил бы я тебе отыскать мою крепость и тем более проникнуть в неё. И не надейся опять увидеть её, у меня хватит власти этого не допустить. А впрочем, меня славно позабавило твоё унижение. И в особенности то, что ты напал-таки на Скрюмира, отбросил честь воина, попытался убить его спящим...

Тут Бог Грозы, заворожённо слушавший хитреца, опомнился и с глухим проклятием схватился за молнию-Мьёлльнир... Но поздно: и сам конунг-волшебник, и крепость растаяли без следа, точно вовсе их не бывало — лишь ветер гнал по полю жёлтые осенние листья...

Тогда Тор, Тьяльви и Рёсква-Резвушка стали оглядываться кругом и заметили, что Ас-изгнанник, злокозненный Локи, тоже куда-то исчез.

— Утгардалоки, — первой сообразила проворная разумом Рёсква. — Утгарда-Локи, Локи из Утгарда! Это он нас морочил!

Тор только сокрушённо покачал головой и ничего не сказал. И молчал всё время до тех пор, пока они не вернулись домой.

Гибель Бальдра

Когда Тюр не смог больше быть Богом Справедливых Законов — а случилось это после того, как Тюр пошёл на обман, помогая опутать Лунного Пса, — он передал свою власть Бальдру. Но светлому Бальдру, ненаглядному сыну Одина и Фригг, любимцу всех Асов, написано было на роду: не исполнится ни один его приговор, даже самый разумный и мудрый. Поразмыслил Бальдр и сделал Богом Справедливых Законов своего наследника-сына.

— Его приговоры, — сказал Бальдр, — будут исполняться всегда. Недаром я назвал его Форсети — Старейшиной Тинга!

Славные Асы сначала недоумевали: и как это сможет мальчишка распутывать старинные тяжбы, над которыми в раздумье хмурился сам Всеотец, как это он станет мирить ненавистников, давно позабывших, кто первым начал вражду?.. Но маленький Старейшина Тинга с бесконечным терпением выслушивал одну сторону и другую, вспоминал подходящий закон и произносил его без запинки. Назначал плату за угнанный скот и разбитые лодки, выкупы за невест, убежавших с любимыми от немилого сватовства. Объявлял вне закона убийц и подлых насильников, мирил оскорблённых, бывало — прежние кровники уходили от него друзьями...

— Таким был прежде и я, — с горечью сказал как-то однорукий Тюр. И повторил: — Теперь меня никто не зовёт миротворцем!..

Бальдр с женой Нанной приходили иногда посмотреть, как идёт дело у сына. Приводили с собой Хёда. И когда они вместе шли по цветущему полю Идавёлль, полю тинга Богов, цветы хвастались друг перед другом:

— Взгляните на мои лепестки: они такие чистые и белоснежные, что их сравнивают с ресницами Бальдра!..

А от Хёда отворачивались, не желая дарить ему даже своё благоухание.

Спустя немного времени Бальдра начали одолевать дурные, зловещие сны, и он понял, что древнее пророчество, сулившее ему недолгую жизнь, готово было исполниться.

— Отчего ты невесел, сынок? — спросила однажды мудрая Фригг. Бальдр отвечал неохотно:

— Снятся мне серые кони, предвестники гибели. Снится отточенная боевая стрела, летящая в грудь...

Задумалась Фригг. И материнское сердце подсказало ей, как перехитрить злую судьбу. Немедля отправилась она в путь и не ведала отдыха, пока не взяла нерушимую клятву с каждого живого существа, с огня и воды, с железа и всех металлов, камней и оружия, земли, деревьев, болезней и ядов — не трогать Бальдра, не причинять ему зла. И, как сказывают, все с искренней охотой давали ей эту клятву, даже злые, коварные Турсы:

— Были бы другие Асы, как Бальдр, незачем было бы и драться!

Когда же все поклялись, Бальдру случилось однажды затачивать нож и попасть пальцем на лезвие — и лезвие не тронуло его, не пролило крови, только зазвенело тихонько...

Обрадованный Бальдр поделился этой вестью с друзьями, и вот какую забаву придумали молодые Асы: поставили Бальдра посреди поля тинга и по очереди метали в него камни, кололи острыми копьями, стреляли из луков. И радовались его неуязвимости, видя, что оружие вправду не причиняло ему вреда. Лишь Хёд сидел в стороне, сложив на коленях сильные руки и улыбаясь, и не брал ни меча, ни копья, сколько ни предлагали.

И вот, пока они так развлекались, Бальдр углядел далеко внизу, за мостом Биврёст, одинокого и понурого Локи.

— Локи! — позвал светлый сын Одина. — Иди к нам, у нас праздник сегодня!

И хитрейший из Асов не заставил приглашать себя дважды — взбежал по трепещущей радуге проворно, как в прежние времена. А того, что мост прогнулся под ним и жалобно охнул, словно чуя беду — никто не услышал.

— Бальдр сделался неуязвимым, — сказали Локи юные Боги. — Порадуйся с нами: предсказание не исполнится!

— Действительно, радость в Асгарде и на Земле, — пробормотал зачинщик раздоров. Взял протянутые кем-то лук и колчан, прицелился в Бальдра — прямо в сердце! Спустил тетиву. Неохотно полетела давшая клятву стрела, а у самой груди Бальдра словно ударилась о невидимый щит, упала к ногам.

Локи отдал оружие и не стал больше стрелять, но зависть вошла в его сердце и затаилась в нём ядовитой чёрной змеёй. Известно же — злые не терпят подле себя мудрых, добрых и чистых, не могут спокойно видеть их без того, чтобы не замышлять им погибели... Локи долго раздумывал, как поступить. И наконец, отойдя в сторонку, изменил облик, прикинувшись женщиной-служанкой, пошёл прямо к Фригг.

— Славно веселятся Боги, — сказал он матери Бальдра. — А ты уверена, Фригг, что взяла клятву со всех и всего и никого не забыла?

В Асгарде давно уже было запрещено постыдное колдовство, и Асинья не заподозрила худого:

— Конечно, со всех! Вот разве что... там, к западу от Вальхаллы, на ветви Иггдрасиля поселилась омела, но её росток показался мне слишком юным для клятвы. Я решила повременить, пока он подрастёт...

— Верно, верно, мудрая Фригг, — одобрила женщина. — Пусть росток немного окрепнет, а я послежу, чтобы его никто не сорвал!

И снова порадовалась Фригг тому, как все любят её сына и стремятся оградить его от беды. А Локи, выйдя из дому, поспешно принял свой истинный облик и со всех ног кинулся мимо Вальхаллы к вечному Древу. Тут ему опять повезло: эйнхерии вышли взглянуть на невиданную забаву, никто не заметил его, никто не остановил. У Локи тряслись руки от возбуждения, когда он срывал тоненький побег омелы, выросший на ясеневом суку... Спрятал его в рукав и побежал обратно на поле тинга, откуда летел смех, звон оружия и весёлые голоса Богов.

Он подсел к незрячему Хёду и вложил веточку ему в ладонь:

— Хватит скучать, побратим, кинь в Бальдра хоть это!

— Нет, — сказал Ас и бросил веточку наземь. Но Локи не отставал:

— Неужели ты, Хёд, не хочешь увериться, что больше не причинишь Бальдру вреда?

— Не нравится мне этот прут... — заколебался слепец и отломил кончик побега, показавшийся ему слишком острым.

— Бросай, брат! — крикнул весело Бальдр. — Не то всю жизнь так и будешь бояться!

— Да ведь я даже не вижу, где ты стоишь, — пробормотал Хёд, но Локи опять был тут как тут:

— Я направлю твою руку, а ты лишь замахнись.

Так они и сделали. И многие потом утверждали, что безобидный на вид прутик вдруг засвистел, как тяжёлая боевая стрела. И Бальдр вскинул руки к груди, потом медленно осел на траву и остался лежать неподвижно, пронзённый навылет — в самое сердце...

Пригвождённые ледяным ужасом, застыли славные Боги, замерли отчаянные эйнхерии... Руки и ноги не повиновались им, слова не шли с языка. Только несчастный Хёд, безвинный убийца, упал на колени и протянул могучие, беспомощные ладони:

— Убейте меня! Убейте меня кто-нибудь!..

Но никто не ответил желанным смертоносным ударом: слишком священно было поле Идавёлль, чтобы затевать месть. Потом Асы попробовали заговорить, но сперва был слышен лишь плач. Только Один не плакал, хотя горе легло ему на плечи всего тяжелее. Ибо лучше других постигал Отец Богов и Людей, какова в действительности была цена случившемуся: покуда жил Бальдр, гибель Вселенной была ещё отвратима. А теперь оставалось лишь ждать...

Фригг обняла бездыханного сына, прижала к своей груди его голову:

— Вы, Асы!.. И вы, светлые Альвы! Кто хочет навеки снискать любовь и благодарность Богов? Кто отправится в Нифльхель и предложит Владычице Смерти выкуп за Бальдра, чтобы она отпустила его назад?..

— Я поеду, — промолвил Хермод, сын Одина, брат Бальдра по отцу.

— Возьми Слейпнира, — сказал Один и сам вывел лучшего из коней. — Удачи тебе!.. Скачи!..

...А Хёд, закрыв руками слепое лицо, ушёл с поля тинга и брёл наугад, сам не зная куда. Легла ему под ноги тропинка и вывела к дому Асиньи Ринд, младшей жены Всеотца. И послышался звонкий мальчишеский голос:

— Что случилось у Асов, брат Хёд? Почему сперва все смеялись, а теперь плачут так горько? И почему над твоей головой повисла такая чёрная тень?

Это был Вали, сын Одина и Ринд, родившийся лишь накануне. Малыша не взяли на тинг, и он пробовал лук и стрелы на широком дворе, натягивая звенящую тетиву.

Хёд тихо ответил:

— Нет больше Бальдра, меткий стрелок. И я причиной несчастью.

— Как же вышло, — спросил Вали, — что тебе никто не отомстил?

Хёд прошептал:

— Самая худшая месть — оставить в живых, когда даже Солнце скупится для меня на свет и тепло. Убей меня, Вали. Отомсти за брата.

Говорят, Вали спрятал лук за спину:

— Но ведь ты тоже мой брат!..

— Страшные дела сегодня свершаются, — ответил слепец. — Будь мужчиной, сын Одина, будь воином. Вот сердце, стреляй.

И когда избавительница-стрела вошла ему в грудь, незрячие глаза вдруг зажглись удивительным светом, и Хёд простёр руки словно бы для объятия, крикнув:

— Бальдр!.. Здравствуй, брат!..

...Вали вырос, и часто его на пирах называли героем, бестрепетным воином, родившимся нарочно для мщения. И мало кто понимал, почему бестрепетный воин низко опускал голову и чуть не плакал, слушая похвалы...

Владычица Хель

Между тем Бальдру приготовили погребальный костёр: если уж отпустит его Владычица Смерти, то даст и новое тело, прежнее ему больше не пригодится. Сложили тот скорбный костёр на палубе боевой лодьи Бальдра, что звалась Хрингхорни — «С кольцом на форштевне». Провожать своего любимца вышли все Асы, все светлые и тёмные Альвы, и даже Карлики, утирая с глаз слёзы, выбрались из тьмы подземных пещер, и Солнце не обратило их в камни. И наконец прибрежные камни вздрогнули от великанских шагов — это шли поклониться Бальдру великие племена горных Турсов и Хримтурсов — инеистых исполинов... Впервые не врагами пришли они в Асгард...

Один стоял впереди всех, у самой воды, окружённый эйнхериями, и вороны неподвижно сидели у него на плечах. Он положил на костёр Бальдра прославленное кольцо Драупнир. И что-то сказал на ухо сыну, низко склонившись, — но что именно, никто не слыхал. А рядом, среди притихших валькирий, стояла мудрая Фригг и с нею любимая жена Бальдра, юная Нанна. Вот Нанна вдруг пошатнулась, тихонько вздохнула и поникла на мокрые камни, выскальзывая из объятий Фригг, — без кровинки в лице, с навеки замершим сердцем.

— Они будут вместе, здесь или там, — негромко предрекла вещая Фригг, а Нанну отнесли на лодью Хрингхорни и уложили подле супруга.

Надо было спустить с берега смертный корабль и пустить в море пылающим; Тор налёг плечом на форштевень, украшенный золочёным кольцом, но в глазах Бога Грозы стояли слёзы, и корабль не двинулся с места.

— Я помогу, — сказала тут Хюрроккин, уродливая Великанша, сморщенная, как от огня. Она приехала в Асгард верхом на яростном волке, взнузданном шипящими змеями. Когда она соскочила наземь, Один велел четырём эйнхериям подержать её скакуна, но волк, вздыбив загривок, рычал и вырывался из рук, пока его не свалили. Хюрроккин же подошла к Тору и вместе с ним упёрлась в дубовый форштевень. И на сей раз корабль двинулся с первого же толчка, только искры посыпались из-под катков.

Тогда Бог Грозы встал подле костра и освятил его молотом, возжигая прощальное пламя. Ударила ясная молния, глухо простонал гром — и Хрингхорни, подхваченный штормовым ветром, быстро пошёл в открытое море, словно истаивая в вихре огня...

...А Хермод, сын Одина, девять дней и ночей без отдыха мчался, обняв шею могучего Слейпнира, по Мировому Древу всё вниз и вниз, сквозь миры, пока не достиг наконец Мглистого

Края Нифльхель. Границы миров, как уже говорилось, всегда проходят по рекам; вот и Берег Мёртвых, Настранд, лежал за шумным потоком по имени Гьёлль. Хермод выехал прямо к единственному мосту, выложенному светящимся золотом — точно таким, какое веселило глаз Асов у Эгира на пирах... Пересёк его Хермод и лицом к лицу столкнулся с девой-воительницей, охранявшей тот мост.

— Кто ты, пришедший без зова? — спросила грозная дева. — Пять сотен умерших проехали здесь вчера, и мост меньше гудел под ними, чем под тобою одним. И мало похож ты на мёртвого, если судить по лицу! Зачем едешь в наш мир?

Сын Одина без утайки рассказал ей обо всём. И посторонилась воительница, пропустила его.

Быстрей прежнего понёс Хермода Слейпнир на север и вниз, мимо страшных рек, через которые вечно брели изменники и трусливые истязатели женщин, — среди мчащихся льдин и острых мечей, подхваченных ядовитым потоком... мимо чертога, сплетённого из живых змей, где проклинали судьбу малодушные нарушители клятв... мимо добрых селений, где нашли приют добрые и справедливые Люди, не ставшие в земной жизни героями и умершие дома. Они приветствовали Хермода, желали ему удачи.

И вот показались палаты владычицы Хель, обнесённые высокой оградой. Хермод не стал стучать в запертые ворота — лучший из коней перелетел их с разгону, не прикоснувшись копытом. Бросив поводья, молодой Ас вошёл в дом... и сразу увидел на почётном месте своего брата Бальдра, а рядом с ним Нанну, прозревшего Хёда и саму Хель-Великаншу.

Ни Люди, ни Боги не считают приличным заводить речи о деле, едва ступив на порог. Поэтому остаток дня — ибо Тёмного Мира, как и всех остальных, достигали отсветы Солнца, — они провели за беседой, и только наутро Хермод рассказал хозяйке, что привело его сюда из Асгарда. Да она и сама обо всём уже догадалась.

Хмурой дочери Локи дана была власть во всех девяти мирах; называли её бессердечной и беспощадной, и было за что. Зорко стерегла она тех, кто к ней попадал. Но даже её тронуло великое горе Вселенной. Первый и последний раз шевельнулось в холодной душе какое-то подобие чувства:

— Выкупа мне не нужно, у меня мосты золотом вымощены... Вот что! Если Бальдр в самом деле так всеми любим, пусть каждое существо о нём плачет, а я погляжу. Может, и отпущу их с Нанной обоих. А теперь поезжай, да не медли в дороге.

Бальдр, Нанна и Хёд проводили Хермода со двора.

— Возьми кольцо Драупнир, — сказал Бальдр. — Пусть отец хранит его для меня... или в память обо мне. Смотри, оно побывало в огне и стало волшебным: всякую девятую ночь порождает восемь подобных себе...

Золотое кольцо легло Хермоду на ладонь, и сын Одина вздрогнул: снятое с живой руки, оно было бы тёплым. А тут шёл от него такой мертвенный холод, что сделалось жутко.

— Возьми мой платок, передай матушке Фригг, — попросила Хермода Нанна. — И вот ещё колечко для Фуллы, верной служанки...

Её тонкие пальцы тоже были совсем ледяными, а прекрасные глаза смотрели то ли сквозь Хермода, то ли чуть мимо. Для них, мёртвых, он был такой же зыбкой тенью, как и они для него, живого. И вновь повеяло жутью, и захотелось скорее домой, в Асгард, на залитый солнцем цветущий луг Идавёлль...

А Хёд ничего не сказал и не передал никаких даров, ведь его, кроме Бальдра, никогда никто не любил. Он лишь улыбнулся Хермоду на прощание, и тот понял, что дух его успокоился. Вскочил Хермод на восьминогого Слейпнира и помчался по Мировому Древу наверх, не давая передышки ни себе, ни коню...

Выслушав приговор владычицы Хель, Асы тотчас разослали по свету гонцов с наказом просить всех плакать по Бальдру и тем вернуть его к жизни. И, верно, подобного плача не было во Вселенной со дня её сотворения и уж не будет до самых сумерек мира: Люди и Звери, Великаны и Карлики, Земля и Деревья, металлы и камни — всё проливало слёзы. С тех пор, говорят, у иных вещей и повёлся обычай плакать, попав с мороза в тепло...

Но когда гонцы уже возвращались домой, а суровая Хель, дивясь собственной радости, готовилась возвратить Бальдра живым — из одной глубокой пещеры вместо плача послышался злорадный смешок. Гонцы поспешно вошли в пещеру и увидели омерзительную Великаншу.

— Я зовусь Тёкк-Благодарность, и неспроста, — кривляясь, ответила она на все их уговоры. — Не нужен мне Бальдр ни живым, ни тем более мёртвым, не сыщется у меня для него ни слезинки!

И тогда далеко-далеко внизу, в девятом мире, владычица Хель медленно, медленно покачала седой головой. Не бывать Бальдру с живыми, покуда не пропоют красно-чёрные петухи и рог Гьяллархорн не позовёт Богов и Людей на последнюю великую битву...

Сказывают ещё, будто Тор, вне себя от горя и гнева, с поднятым молотом кинулся искать ту пещеру, в которой гонцы заметили ведьму. Но пещера была, конечно, пуста. Лишь злобный хохот как будто ещё витал в ней, отражаясь от каменных стен...

Наказание Локи

— Этот смех кажется мне похожим на смех коварного Локи! — сказал Тор.

— Ужимки ведьмы были подобны ужимкам коварного Локи, — сообразили гонцы.

— У служанки, что расспрашивала о клятвах, были глаза, схожие с глазами коварного Локи, — запоздало вспомнила Фригг.

А Один молча воссел на престол Хлидскьяльв и принялся обозревать все миры, отыскивая убийцу.

Между тем Локи скрылся в тёмных пещерах близ водопада Франангр. И кто не видал того водопада, тому лучше вовек его не видать. С глухим, страшным рёвом изливается он из каменной чаши и падает в море с чудовищной высоты, дробясь о чёрные камни... Локи всё ещё надеялся уцелеть. По ночам он отсиживался на самом дне подземелий, а днём принимал обличье лосося и плавал в озере, у водопада. Уж туда-то, мнилось ему, ни один мститель не сунется. Даже Тор.

Но Всеотец разглядел его с престола Хлидскьяльв, и Асы без промедления отправились в путь. Так быстро они подоспели, что Локи едва успел облечься серебряной чешуёй и нырнуть.

— Он в озере, — сказал Один. Тотчас принесли сеть, и все Асы взяли её за один конец, а Тор — за другой. Локи проворно поплыл перед сетью, а потом залёг на дне между двумя валунами, чтобы пропустить её над собой. Но верёвки всё-таки дрогнули, зацепив плавник на спине, и поняли Асы: прячется там, в бурной воде, что-то живое. Снова повели сеть, нагрузив её так, чтобы шла по самому дну. И вновь Локи плыл перед сетью, а когда близок стал страшный рёв водопада и течение было готово его подхватить — стремглав перескочил сеть и ушёл в озеро невредимым.

— Встаньте кто-нибудь вместо меня, — сказал тогда Тор. — Я пойду вброд посередине.

— Тебя унесёт, — предостерёг его кто-то. Тор усмехнулся:

— Посмотрим.

Бешеное течение не сумело осилить Бога Грозы. И когда Локи-лосось, не решаясь броситься в водопад, отчаянным прыжком взвился над сетью — Тор успел его ухватить. Забилась сильная рыбина и стала было выскальзывать, но железные пальцы Тора так стиснули хвост, что не только лососи — все рыбы с той поры сделались плоскими и суживаются к хвосту...

Локи поспешно сбросил с себя чешую и горько заплакал, униженно моля о пощаде. Но Боги ничего ему не ответили, лишь Фригг тихо сказала:

— Раньше надо было плакать. Тогда, когда ты смеялся.

И Тор не разжимал стиснувших пальцев, пока Локи вели обратно в пещеру. Асов не тронули даже слёзы несчастной Сигюн, пробовавшей заступиться за мужа. Сигюн привела с собой сыновей, но Нари и Нарви, ненавидевшие друг друга, даже тут не стерпели, затеяли жестокую драку. И тогда кто-то превратил их в волков, а может быть, волчьи шкуры сами прыгнули им на плечи, потому что это постине был день злых чудес. Говорят, сыновья Локи даже не заметили превращения: разорвали друг друга клыками насмерть. Асы взяли волчьи кишки и привязали ими Локи к трём плоским камням, поставленным на ребро посередине пещеры. И путы тотчас обрели крепость железа — не вырвется Локи до самой гибели мира, до Битвы Богов...

А Скади, не забывшая своего обещания поквитаться с ним за сгоревшие перья отца, принесла злую змею и велела ей капать ядом Локи в лицо. Потом Боги ушли, а верная Сигюн побежала за чашей и подставила её под ядовитые капли. Так она и стоит там до сих пор, плача над мужем и сыновьями, не смея прогнать змею и держа чашу в руках — единственное существо во всех девяти мирах, которому дорог мерзостный Локи, которое любит его... Порой чаша переполняется; тогда Сигюн бежит выбросить яд, Локи же воет, как дикий зверь, осыпает Сигюн проклятиями и корчится в путах с такой силой, что содрогаются гранитные горы, а Люди выскакивают из домов, спасаясь от землетрясения...

Предсказание

Сказывают, Боги однажды все вместе отправились в Нижний Мир навестить Бальдра: Один на Слейпнире, Фрейр в колеснице, запряженной вепрем Гуллинбурсти, Хеймдалль на коне Золотая Чёлка, Тор со своими козлами, Фрейя в лёгкой повозке, влекомой пушистыми кошками. Невесёлой, прямо сказать, была их поездка. А когда они возвращались назад, то приметили на краю Мглистых Пределов чей-то могильный курган.

— Могильный курган? Здесь, где умершие живы? — спросила печальная Фригг. — Есть, значит, вторая смерть, уносящая ещё глубже?

— Здесь властвует сон, а не смерть, — ответил ей Один. — Здесь спит пророчица, древняя вёльва. Она великанского рода и долго ходила по свету, а то и летала на своём посохе, как на крылатом коне... Когда же пришло её время — выбрала вечный сон, чтобы никто уже не тревожил её, не испрашивал предсказаний...

Тут он остановил Слейпнира и, соскочив, взошёл на курган. Молча смотрели Асы, как он поднял руку с ярко блеснувшим Драупниром и негромко спел заклинание — волосы зашевелились у всех, кто его слышал... И вот с тяжким вздохом раскрылся каменный холм, и перед Одином поднялась огромная тень, закутанная в бесформенный плащ.

— Кто ты, осмелившийся нарушить мой сон?.. — глухо, как из-под земли, прозвучал её голос. — Много дождей прошло надо мной, много утренних рос, много зимних снегов... Давно я мертва. Кто ты, вновь приказавший мне идти дорогой сквозь время, тяжкой дорогой?

— Я, как и ты, тоже Путник на этой дороге, — ответил Один. — Помнишь ли ты ещё, вёльва, что было в начале времён?

— Помню! — упали слова, тяжёлые, как могильные камни. — Помню Имира, ворочавшегося в бездне Гинунгагап... Но что тебе в моём знании, Отец Богов и Людей? Не по сердцу мне эта речь; отпусти меня!

Но Один не торопился её отпускать:

— Погоди, Вещая! Скажи мне — видишь ли ты, что происходит теперь?

— Вижу! — ответила мёртвая. — Вижу, как Бальдр, окровавленный Бог, падает наземь пронзённым! Вижу пленника, связанного в пещере...

Но что тебе в том? Не по сердцу мне эта речь, отпусти меня!

— Погоди, Вещая, — повторил Один. — Поведай мне, поведай всем нам о великой Битве Богов, о том, что нас ждёт!

На сей раз вёльва долго молчала, но наконец Асы вновь услышали её голос.

— Вы, нарушавшие крепкие клятвы, вы, попиравшие справедливость, платившие чёрным злом за любовь!.. Вам ли дивиться тому, что неправда размножилась и на Небе, и на Земле? Знайте же, близятся времена, когда человек не станет щадить человека, а кровные родичи затеют кровавые распри, вместо того, чтобы стеной вставать друг за друга. Придёт век мечей и секир, век бурь и волков! Придут великие войны, а после — три лютые зимы одна за другою, без лета — Фимбульветр, зима-исполин! Довольно ли тебе этого, Один?

— Продолжай, — приказал Всеотец, не опуская руки. И вновь зазвучала мёртвая речь:

— Наконец пропоют петухи — чёрно-красный здесь, в Мглистых Пределах, алый — у Великанов, и тот, с золотым гребнем, вскормленный в Асгарде! Вижу!.. Трепещет, как тоненький прутик, могучее Древо, зиждущее миры! Гремит рог Гьяллархорн, созывая Асов на тинг! Эйнхерии навсегда покидают Вальхаллу, опоясываются мечами к последнему великому бою, ибо грядёт Рагнарёк — Битва Богов... Довольно ли тебе этого, Один?

— Продолжай, — твёрдо вымолвил Всеотец. И вёльва продолжала:

— Вижу!.. Падает цепь, столько зим державшая Фенрира Волка: веки вечные источала её каждая ложная клятва, каждый удар в спину, каждый неправедный приговор! И вот уже Волк на свободе, от Земли до Неба разинута ненасытная пасть! Йормунганд Змей проснулся в пучине, поворотился и лезет на берег, губя сжигающим ядом всё живое кругом... Гудит Страна Великанов, сползаются чудища, Сурт едет с юга, огненный Великан с горящим мечом Муспелльсхейма! Вот и Локи сбросил оковы, он направляет корабль, везущий свирепых Сынов Огня на погибель Вселенной... Вижу, как Солнце в последний раз вспыхивает на мечах эйнхериев и Богов, а потом чернеет и гаснет, пожранное Волком... Вижу, как с расколотого Неба срываются ясные звёзды... Грядёт Рагнарёк — Битва Богов! Довольно ли тебе этого, Один? Отпусти меня!

Но Всеотец сказал:

— Продолжай.

— Вижу!.. — разнёсся полный ужаса голос провидицы. — Вижу, как Отец Богов и Людей сходится в смертном единоборстве с Фенриром Волком, и долго длится их бой, но не Одину суждена в нём победа, проглочен он Волком... Вот когда пригодится Видару его толстый башмак: юный Ас наступает им Волку на челюсть и рвёт проклятую пасть, отмщая отца. А Тор в поединке со Змеем вбивает его молотом в землю, но и сам отступает, шатаясь, всего на девять шагов и падает мёртвым, сожжённый, отравленный губительным ядом — и Магни подхватывает молнию-Мьйолльнир... А рядом с ним Тюр бьётся насмерть с чудовищным псом по имени Гарм, прежним сторожем Тёмного Мира, и оба поражают друг друга насмерть, как и Локи с Хеймдаллем. А Фрейр, защищая верного Скирнира, теряет свой меч, и Великан Сурт убивает его. Но сам тут же издыхает, успев, правда, затопить бушующим пламенем все девять миров... поднимается море и гасит огонь... Рагнарёк — Битва Богов! Довольно ли тебе этого, Один?

— Продолжай! — был суровый ответ. — Скажи, Вещая, куда удалятся павшие Асы? И что будет, когда пламя Сурта дотлеет?

— Вижу, — промолвила вёльва. — Вижу, Один, неведомое даже тебе: другие Небеса куда выше прежнего Асгарда — Широкосинее и Бесконечное. Там будут новые чертоги, там вы обретёте покой, глядя, как на Идавёлль-поле, снова зазеленевшем, соберутся младшие Боги, не запятнанные попранием клятв... Придут Видар и Вали, Улль, Моди и Магни, поднявший молот отца. Не тронуло их пламя, не поглотила вода. Вернутся Бальдр, Нанна и Хёд... Тогда-то отыщутся наконец в густой, высокой траве расчерченная доска и золотые фигурки, выпавшие из недостойных рук в начале времён... Станут юные Асы беседовать и вспоминать об отцах, о славном минувшем, станут по-новому устраивать все девять миров... А в Мидгарде, в маленькой роще, укроется от пожара чета смертных Людей — женщина по имени Лив, то есть Жизнь, и с нею мужчина Ливтрасир — Сражающийся за жизнь... Их потомки заселят прекрасную зелёную Землю, их согреет новое Солнце — дочь прежнего, сгинувшего в пасти Волка... Довольно ли тебе этого, Один? Изнемогла я, отпусти!..

— Отпускаю, — тихо сказал Всеотец. — Теперь я спокоен. Пускай свершится судьба.

...Асы ехали молча до самой реки Гьёлль. Когда же разлился вокруг весёлый солнечный свет, Тор сказал:

— Что же нам теперь, сидеть сложа руки и ждать, когда она наступит, эта великанская зима Фимбульветр?.. Если я что-нибудь понял, до неё ещё много веков! Уж я как-нибудь позабочусь, чтоб Турсы не лезли прежде времени в Мидгард!

— А мне, — сказал Фрейр, — нужно вырастить ещё не один урожай...

— А мне — затеплить любовь ещё во многих сердцах, — промолвила Фрейя.

ДВЕ ГРОЗЫ

Ивот что ещё рассказывают про Тора... и одни, рассказывая, клянутся, мол, сущая правда, другие отмахиваются — болтовня!

Будто раз случилось ему, в одиночку возвращаясь домой из Иотунхейма, задремать в своей колеснице. И покуда он спал, Таннгниостр и Таннгриснир сбились с дороги. Открыв глаза, Хозяин Громов увидел внизу незнакомое море и тотчас понял — сюда он ещё ни разу не заезжал. Козлы же скакали себе и скакали на юго-восток, и Тор не стал поворачивать. Кто знает, будет ли ещё случай добраться к самому Муспеллю да посмотреть, так ли страшен огненный Сурт, как про него говорят!

Долго ли, коротко ли неслась колесница над морем и над лесами, над озёрами и великими реками... но что это? Откуда-то спереди послышались отзвуки грома! Давно уже Тор не слыхал таких свирепых раскатов, да и откуда бы, если Мьйолльнир дремал в чехле у бедра?.. Прикрикнул Тор на козлов, во весь рост встал в колеснице. И скоро увидел впереди грозовую тучу никак не меньше своей — такую же чёрносинюю, в сполохах трепещущих молний, с такой же белой клубящейся наковальней, уходящей в немыслимую вышину... А в туче — огнебородого воина на могучем, крылатом вороном жеребце, с золотой секирой в руках!

— А ведь не в Муспелльсхейм меня занесло, и не в Страну Великанов, — изумлённо сказал себе Тор. — Это другая Вселенная, другой Бог Грозы, такой же, как я!

И не ошибся.

— Кто ты, едущий с севера? — прогремело навстречу. — Кто звал тебя? С миром или с немирьем идёшь?

— Я зовусь сыном Одина и ужасом Турсов, — полыхнул молнией Хозяин Козлов. — Я зовусь Аса-Тором и Тором-Метателем, Эку-Тором и Хлорриди-Тором! И я прихожу званым и незваным всюду, куда захочу! Сам ты кто таков, чтобы заступать мне дорогу?

— Те, кто мне поклоняется, зовут меня Перуном Сварожичем, — зарокотало в ответ. — Зовут братом Солнца и старшим братом Огня, зовут Победителем Змея! И не пройти тебе дальше, коли не пропущу!

— Ну, это мы посмотрим, — сказал Тор и послал вперёд Таннгниостра с Таннгрисниром, занося безжалостный молот.

...Подобной потехи давненько не видывали Небеса: гроза шла в бой на грозу! Пылали чёрные тучи, обрушиваясь наземь дождём! Оставив своих скакунов, два Бога метали друг в друга такие страшные молнии, что всё живое глохло от грома! Взлетал славный Мьолльнир, ни разу ещё не ведавший промаха, — и со звоном отскакивал от секиры Перуна, от синего стального острия, увенчавшего ясное золото. Взлетала секира — и молот отбрасывал её прочь...

Наконец, притомившись и чувствуя, что силы равны, оба без сговора опустили оружие, и Тор поискал глазами козлов. И замер от удивления: рогатые скакуны подошли к вороному коню и с любопытством обнюхивали его, подняв лукавые мордочки. И вороной не дичился, не метил копытом, не пробовал укусить...

Тогда Боги посмотрели друг другу в глаза, и кто первым расхохотался, они потом так и не вспомнили.

— Лепо ли нам, Одинович, быть неразумнее тварей?.. — наконец молвил Перун. Помолчал и добавил: — А ведь я слыхал о тебе прежде. Там, внизу, — указал он перстом на далёкую Землю, — морями и реками в нашу Вселенную добираются Люди, кладущие тебе требы...

— И я слыхал про тебя, сын Сварога, — сообразил Тор. — От тех, кто возвращался. И ещё от иных, что рисуют Сокола на щитах. А что, скажи, эти переплывшие Океан и молящиеся мне — достойные Люди?

— Мужественные, — ответил Перун. — Иногда они сражаются с моими Людьми, иногда мирятся... — он усмехнулся. — Точно как и мы с тобою, Одинович. Люди всегда идут вслед за Богами, а порою и Боги вслед за Людьми. Те, что кладут тебе требы, редко нарушают данное слово... во всяком случае, не чаще моих.

— У меня брат погиб, — вдруг сказал Тор. — Таких нет больше. Он никого не боялся, хотя и не нападал ни на кого... Говорят, он должен вернуться...

Перун опустил голову, чёрно-серебряные кудри словно померкли.

— А я жену да брата еле избавил. Если бы не кузнец...

Они посмотрели вниз. Туда, где в тёплых потёмках ненастья умывали леса и луга, животворили возделанные поля тугие струи летнего ливня. Такого ливня, какой только и может быть, когда две грозы стоят мирно бок о бок.

— Расскажи про свою Вселенную, Одинович, — попросил Перун. — Тебе, гостю, первая честь. Как у вас там уряжено, какой Правдой живёте?

Тор немедленно вспомнил, как его отец состязался в мудрости с Вафтрудниром, а сам он — с Карликом Альвисом... Но нет, с этим незнакомым Богом всё по-иному, у каждого из них своя мудрость, и глупо надеяться опровергнуть её или превзойти. Своя истина у реки и у моря, у зелёного леса и у каменных скал...

Тор никогда не был речист и не жаловал долгих бесед: то ли дело в бою, когда лицом к лицу — враг, в руках — верный молот и под ногами — летящая колесница! Как поведать чужому всю мудрость Вселенной, всех девяти миров, прильнувших к ясеню Иггдрасилю?.. Взялся он на всякий случай за пряжку Пояса Силы и начал:

— Что было в самом начале времён, не знают ни Люди, ни Боги. Тогда ведь ещё не родился никто, способный запомнить...

Долго говорил Тор. И всё рассказал так или почти так, как уже было написано. Перун слушал не перебивая. Когда же Тор кончил, уморившись сильнее, чем в самом тяжком походе, — он ещё долго молчал и наконец молвил:

— А теперь, если любо, слушай меня.

И повёл свою повесть, как дальше будет написано. А ветерок между тем потихоньку сносил две громадные тучи, и на щедро политую Землю струилось с Небес живое, горячее золото Солнца.

Поединок со Змеем

(Славянские мифы)

У России, как у большого дерева, большая корневая система и большая лиственная крона, соприкасающаяся с кронами других деревьев. Мы не знаем о себе самых простых вещей. И не думаем об этих простых вещах.

Д. С. ЛИХАЧЕВ

В самом начале

самом начале была только Великая Мать, и новорожденный мир лежал на её тёплых коленях, а может быть, у груди. Как звали Великую Мать? Наверное, Жива-Живана, ибо от неё пошла всякая жизнь. Но об этом никто теперь не расскажет. Наверняка её имя было слишком священно, чтобы произносить его вслух. Да и какой новорожденный зовёт мать по имени? Ма, Мама — и всё...

Когда юный мир немного окреп и возмог сам за собой присмотреть, Великая Мать удалилась. Надо думать, её призывали иные миры, тоже ждавшие любви и заботы. По счастью, Боги и первые Люди ещё успели запомнить Великую Мать и её божественный лик: ясное чело, уходившее в надзвёздную вышину, очи, подобные двум ласковым солнцам, брови и волосы, схожие с добрыми летними облаками, льющими живую воду дождя. Она была нигде и везде, её лик был зрим отовсюду, а взор проникал в самые тайные уголки. Недаром и много веков спустя, когда Солнце было завещано совсем другому, юному Богу, его по-прежнему называли Всевидящим Оком. А символом

Солнца сделали крест, обведенный кругом, — ради севера, юга, запада и востока, четырёх сторон белого света, куда Око устремляет свой взгляд.

А ещё Великая Мать посадила Великое Древо, с тем, чтобы оно обвило корнями исподние глубины Земли, а ветвями обняло запредельную высь Неба, связывая их воедино. И когда её воля исполнилась, в мире, похожем на большое яйцо, обособились и проснулись две сути: мужская — в Небе и женская — в Земле. Проснулись и удивлённо раскрыли глаза: тотчас вспыхнули тысячи звёзд и отразились в родниках и лесных озёрах... Земля и Небо ещё не ведали своего назначения, не знали, для чего рождены. Но потом увидали друг друга, одновременно потянулись друг к другу — и всё поняли, и не стали спрашивать ни о чём. Земля величаво вздымалась к Небу горами, стелила роскошную зелень лесов, открывала стыдливые ландыши во влажных ложбинах. Небо кутало Землю тёплой мглой облаков, проливалось тихим дождём, изумляло жгучими молниями. Ибо в те времена грозу не называли грозой, потому что её никто не боялся. Гроза была праздником свадьбы: золотые молнии возжигали новую жизнь, а гром звучал торжественным кличем, призывным кличем любви.

И что за весёлая, шумная, весенняя жизнь тогда хлопотала повсюду под ласковым взглядом Великой Матери Живы! Зимы, мертвящих морозов не было и в помине. Земля расцветала без страха, щедро дарила плоды и, чуть-чуть отдохнув, опять принималась за свой род, а с Мирового Древа, похожего на раскидистый дуб, слетали к ней семена всех деревьев и трав, соскакивали детёныши всех птиц и зверей.

А когда приходил срок какому-нибудь украшению леса, могучему ясеню или сосне — можно ли сказать, что они умирали? Окружённые молодой порослью, выпустившие тысячу побегов, они просто роняли старый, тронутый гнилью ствол, и он ложился в мягкие мхи, снова делался плодоносной землёй, а Жизнь — Жизнь никуда не исчезала...

Вот как Великая Мать урядила эту Вселенную, прежде чем удалиться.

Посередине, поддерживаемая Мировым Древом, раскинулась Земля, и её со всех сторон окружал Океан-море. С исподу легла Ночная Страна; переплыви Океан, как раз там и окажешься. Ночную Страну ещё называли Кромешной — то есть отдельной, опричной, особенной, не такой. А выше Земли начинались девять разных небес: самое ближнее — для туч и ветров, другое — для звёзд и луны, ещё одно — для Солнца. Днём Солнце плывёт над Землёй с востока на запад; потом переправляется через Океан и с запада на восток измеряет нижнее небо, светя в ночной, Исподней Стране. Поэтому и Солнечный Крест рисуют катящимся то в одну сторону, то в другую.

Седьмое же небо сделалось твердью, крепким прозрачным дном для неисчерпаемых хлябей живой небесной воды. Мировое Древо проросло его зелёной макушкой; и там, под раскинутыми ветвями, в хлябях небесных родился остров. Его назвали ирием — несокрушимой обителью Жизни, Света, Тепла. А ещё его называли островом Буяном — за плодоносное буйство Жизни, за то, что там стали жить прародители всякой твари: зверей, птиц, рыб, насекомых и змей. Недаром, знать, говорят познавшие счастье: как на седьмое небо попал!

Сыновья Неба

У Неба с Землёю было три сына, три молодца: Даждьбог, Перун и Огонь.

Сказывают, у Даждьбога была величавая поступь и прямой взгляд, не знающий лжи. И ещё дивные волосы, солнечно-золотые, легко летящие по ветру. А у Перуна — иссиня-чёрные кудри, вечно взъерошенные, непокорные, клубящиеся, как туча. Спокойного величия брата не было даже в подобии — лихая, непогасимая удаль. А Огонь родился огненно-рыжим, вьющиеся пряди торчали, как ни приглаживай. И только глаза у всех троих были одинаковые, синие-синие, как чистое небо в солнечный полдень, как промоина в чёрных грозовых тучах, как синяя, нестерпимая сердцевина костра.

Когда они возмужали, отец с матерью доверили Даждьбогу величайшее из сокровищ: Солнце, сияющий золотой щит. Начал сын Неба возить чудесный щит на лёгкой колеснице, запряжённой четвёркой белоснежных коней, начал озарять красы и дивные дива Земли: поля и холмы, высокие дубравы и смолистые сосновые боры, широкие озёра, вольные реки, звонкие ручейки и весёлые родники-студенцы. Радовалась о сыне Земля, радовалось Солнцу всё дышащее: соловьи пели ему песни, цветы поворачивали головки вослед, а ящерицы и добрые змеи выползали погреться на валуны. Надобно молвить, все змеи в те времена были добрыми и безобидными, как теперешние ужи, и умели просить у Неба дождя, когда его не хватало. Всё тянулось к небесному страннику Даждьбогу, всё под его взглядом цвело и плодоносило: недаром само его имя значило — Дающий Бог, Податель Всего.

Иногда Солнце опускалось вниз, посветить Исподней Стране. Тогда над Землёю смеркалось, и приходила Ночь, налетала, как птица с большими мягкими крыльями, отворяла на небе звёзды — живые глаза душ, ещё не родившихся в земных телах или, наоборот, уже вознёсшихся обратно в ирий.

На берегу Океан-моря, на самом западе, Даждьбога ждала добрая лодья и стаи птиц — лебедей, гусей, уток — готовых впрячься и переправить его вместе с конями в небо Исподней Страны. Там он пробегал свой ночной путь, и лодья, запряжённая птицами, вновь перевозила его через светлый утренний Океан. Вот почему, когда были созданы Люди, у них скоро появились обереги — голова конская, тело утиное. Люди верили, что Бог Солнца всегда выручит их из беды, где бы он ни был.

В те времена Даждьбог кружил в небесах, как ему хотелось, в Нижнюю Страну заглядывал нечасто и ненадолго. Там не росло ничего, там не было красоты. Оттого ночи всегда были тёплыми и короткими, как теперь по весне.

Перуну тоже досталось сокровище по душе и по сердцу — сверкающая золотая секира. Только крепкой руки сына Неба слушался чудесный топор, только ему был он по могуте; недаром трижды по семь лет Земля-мать поила его своим молоком, возрос — сильней не бывает. И когда принимался играть Перун топором, начинал подбрасывать и ловить его для потехи или размахивать над головой, радуясь собственной нерастраченной мощи, — то-то пылали, летя во все стороны, огненные снопы молний, то-то катился меж небесами весёлый, ликующий гром и целовали Землю струи доброго ливня! И всюду, куда били молнии, расцветали невиданные цветы, возгоралась новая жизнь. Секира Перуна была золотой от кончика древка до острия, не для боя — с кем драться, кому угрожать? Кто враг светлым Богам, сынам Неба и Земли?..

Перун ходил тогда в тонкой белой рубахе, скроенной из летнего облака. И крылатые жеребцы, мчавшие его в поднебесье, были белей лебединого пуха, белей морской пены и молока — храбрые кони с глазами, что драгоценные камни, с тёплым дыханием и золотистыми гривами.

И каких только забав не придумывал молодой Бог! Собирал облака в стадо и пас, точно коров, доил наземь дождём. Вот почему передовые тучи грозы посейчас ещё называют быками.

…А то представал пахарем, пряг коней в соху и вспахивал небесную пажить, разбрасывал всхожие семена… Или слал облака в полёт белыми лебедями, сам же примеривал сизые орлиные крылья, пускался вдогон, а верные кони летели вослед, и кто скорей поспевал — неведомо никому.

А порою, задумавшись, тихонько гладил и ласкал мягкое руно облаков и пальцами, способными дробить камни, неуверенно, робко лепил из них девичий стан и лицо. Но скоро смущался, развеивал собственное творение без остатка и снова мчался по небу, хмелея от бешеной скачки, и гром рассыпался из-под копыт жеребцов.

Говорят ещё, в те далёкие времена в чистых северных реках было дна не видать из-за раковин, корявых чашуль. Они не умели ходить и держали свои створки открытыми, надеясь, что в них попадёт какая-нибудь съедобная мелочь. Перуновы молнии пугали смирных жительниц дна, и они при грозе поспешно захлопывались; но нередко бывало, что зарево молнии успевало проникнуть сквозь воду и отразиться в зрачках. Проморгавшись, чашуля обнаруживала в своих створках маленькую жемчужину. Вот почему эти раковины до сего дня так и называют — жемчужницами.

А братец Огонь поспевал, как умел, за старшими: где пожарче пригреет Даждьбогов солнечный луч — Огонь тут как тут, вертится любопытно. Где высечет искру Перунова золотая секира — там тотчас и его рыжая голова, увенчанная прозрачным дымком.

Люди

Молодечество кипело в крови у юных Богов, искало дела по силе. Затевали, случалось, Даждьбог и Перун скачку-забаву на весь день от утреннего Океана до самых закатных пределов. Мчался высоко в небе Солнце-Даждьбог, золотым огнём сиял его щит, вились гривы коней, мелькали спицы колёс. Летел в тучах Перун, когда верхом, когда в колеснице, — задорно гремел катящийся гром, звенели на ветру хвосты скакунов: где пометут ими — тотчас луг расцветёт, где скоком скакнут — озеро, либо колодезь, либо гремячий родник. Когда один, когда другой успевал первым к закату. То величественно-прекрасный Даждьбог в золотом плаще и расшитых одеждах, то Перун с его рыжей вздыбленной бородой, босоногий, с продранными локтями. И не сказано, чтобы хоть раз братья поссорились. А следом прибегал запыхавшийся Огонь.

И вот как-то Даждьбог и Перун уселись на ласковые колени Земли и придумали меряться: кто скорее докинет рыжего братца до того трухлявого влажного пня, Солнце своим палящим лучом или Гроза рдеющей молнией. Позвали Огонь, а он и не откликается. Наконец сыскали мальца. Взял он, оказывается, звонкую радугу — тугой лук брата Перуна, — обвил льняной тетивой деревяшку, вложил острым концом в пустой сучок на другой — и знай себе крутит. И уже кудрявый дымок завивается там, где дерево касается дерева.

— Горячо, — потрогал и удивился Даждьбог.

— Дай-ка мне, — сказал Перун.

В его сильных руках дело быстро пошло. И вот уж Огонь глянул на братьев из щели между поленцами, едва не сжёг тетиву. И тут капля пота упала со лба Перуна прямо на деревяшки, и показалось, будто они сонно шевельнулись в руках...

— Самое первое пламя, — сказал задумчиво Даждьбог, — возгорелось между нашими Матерью и Отцом, когда они полюбили друг друга. Из того пламени мы все родились, оно сияет и в Солнце.

— Из него же все мои молнии, недаром в них жизнь, — ответил Перун.

И тут уж они не стали тягаться, кому первая честь: разом вскинули ясный щит и золотую секиру, в два голоса вымолвили заклятие, и двойное сияние на миг ослепило даже их, Богов. А потом увидели братья, как разогнулись два корявых сучка, становясь двумя стройными нагими телами, зашевелились, раскинули руки, впервые вздохнули, потягиваясь и просыпаясь, медленно раскрыли глаза...

— Мужчина и Женщина, — сказал тихо Огонь. — Какие красивые!

— И как похожи на нас, — добавил Даждьбог. — Это не звери, не птицы, не рыбы... назовём их Людьми.

А Перун притянул к себе меньшого братца, широкой ладонью пригладил огненные вихры:

— Пора и тебе приниматься за дело. Даждьбог — всему миру светлое око. Я лью дожди и затепливаю жизни. А ты стань самым главным для этих двоих. Будь им Огнём Любви, Святым Огнём Очага. Гори между ними, пока стоит этот мир.

На том порешили, и рыжекудрый остался с Мужчиной и Женщиной, изумлённо глядевшими друг на друга... А Перун и Даждьбог снова поспешили на Небо, к своим застоявшимся скакунам: не дело замирать Солнцу, негоже клокотать на одном месте могучей грозе. Но говорят, Перун потом пробовал, не получится ли с чем-нибудь ещё, как с деревяшками. И один раз повезло: попался в руки кусочек кости Земли, желвак бурого кремня. Мигом треснул крепкий камень в пальцах Бога Грозы, вылетела искра, явился быстрый Огонь. От тех половинок кремнёвого желвака тоже повёлся род Людей, и они даже числят себя старше древесных, ведь камни старше деревьев. Два племени частью смешались, слились, как дерево и валун, прижавшиеся друг к другу. Но в иных слишком прочно засело родство с камнями и скалами, и так появились первые Великаны. Вот почему иногда бают, будто в прежние времена Люди были куда больше и сильнее теперешних, а о рослом да крепком поныне скажут: ишь вымахал великан!

А те, чьё племя пошло от дерева, до сих пор возводят себя кто к сосне, кто к дубу, кто к белой берёзе. Бывает, слабых детей несут в лес, расщепляют крепкий ствол и трижды проносят ребёнка в рану насквозь:

— Забери, деревце, немочь, поделись статью и силой!

Потом стягивают расщеп, и выздоровевший всю жизнь заботится об избавителе, советуется с ним, ухаживает, поливает. А старцы на склоне дней, случается, просят светлых Богов превратить их в деревья, и те не отказывают, коль заслужил человек. Оттого слывут иные деревья праведными: подле них оставляют Людей недуги, возвращается душевный покой.

Род и Рожаницы

И вот ещё какое диво посчастливилось увидеть юному миру. Земля и Небо так сильно любили друг друга, что их любовь ожила как отдельное существо — и тоже, подобно им самим некогда, тотчас распалось надвое, на Любовь Женскую и Мужскую, ибо одной недостаточно — любящих всегда двое.

Бог Род, Мужская Любовь, стал даровать приплод и потомство всем дышащим тварям, и Люди скоро выучились его почитать: стали делать изображения и вкладывать в свадебные заздравные чаши, на счастье и многочадие новой семье. Это Род, говорили, выращивает деревья, это он грудами мечет с небес кремнёвые камешки, из которых родятся упорные и сильные Люди. Это он — Свет Небесный, без которого Солнце плыло бы одиноко, как звезда в черноте. И сколько всего нареклось его именем — не перечесть: урожай, народ, родина, роды...

Богиня Лада стала Женской Любовью. По ней прозвались мудрые жёны, умеющие сладить семью, завести в доме лад. Великой Богине была по душе верная супружеская любовь, и мужья с жёнами величали друг друга почти её именем:

— Лада! Ладо моё!..

Помолвку тогда называли — ладами, свадебный сговор — ладинами, девичье гадание о женихе — ладуваньем. И, говорят, Люди слыхом не слыхивали, чтобы кто-то брал в жёны немилую либо насильничал, тащил девку замуж за постылого, за нелюбого, за неровню...

Великая Лада — Дедис-Лада, Дид-Лада, как звал её один народ, возникший из кремня, — нипочём не простила бы подобного святотатства...

Она объезжала засеянные поля в зелёной одежде, благословляя будущий урожай, и шёрстка её коня отливала спелым золотом, как налитой колос. А мужчины и женщины, держась за руки, шли вслед за нею в поля, где можно обняться вдали от чужих глаз. Люди ведали: их любовь даёт добрую силу хлебному полю. А поле отдаривало Людей голубыми цветами и

220

обещало вернуть посеянное сторицей. Говорят, будто жито росло тогда стоколосым — по сотне тугих, тяжёлых колосьев на каждом стебле!

Ладу ещё называли Рожаницей, в честь родящего поля и молодых матерей, которых она незримо обвивала своим поясом, помогая разрешиться от бремени. Собственных сыновей у Лады было двенадцать — по числу месяцев года, по числу великих созвездий, что предрекают судьбу-нарок всему сущему на Земле. Недаром спрашивают доныне:

— Под какой звездой был зачат? А под какой родился?

Звёзды, братья-Месяцы и сама Рожаница Лада дают каждому человеку Долю — или Встречу, как её ещё называют, — маленькое Божество, которое следует за хозяином до могилы, трудится и хлопочет, помогает ему. Доли у всех разные, смотря по тому, какая звезда верховодила на небосклоне. И до сих пор случается — один человек всю жизнь палец о палец не стукнет, гуляет себе, на бел свет зевает, и всё равно: что Людям тын да помеха, ему смех да потеха, вечно у него по два сома в одной верше, по два гриба в ложке. А иной до рассвета уже в трудах и поту, на вешней пахоте шапка с головы свалится — не оторвётся поднять, а всё — корка на корке, ни пышки, ни мякиша. Это оттого, что у одного Доля умница да работница, у другого — лежебока-лентяйка. В сердцах ругнётся бессчастный:

— Знать, сиротской ночью я появился на свет!

Что тут добавить? Нельзя наново родиться, переменить ту льняную нить, пряденую нитку Судьбы, которой повили когда-то пуповину младенца, накрепко привязав его к Доле...

Много тех, кто, отчаявшись, живёт как придётся и больше не пробует что-нибудь изменить. Но ещё больше иных, не скоро сдающихся, кто однажды поймал свою нерадивую Долю за шиворот и запер в погреб, чтобы не мешала. А то, оттрепав за уши, вразумил косорукую тонко прясть и мелко молоть, заставил лежебоку вскакивать до свету и не жалеть плеч!

...А ещё у великой Лады, у Матери Лады, была юная дочь. Звали её просто Доченька — Леля, Лелюшка, Полелюшка. Недаром любимое детище до сих пор не просто растят — лелеют, колыбель зовут люлькой, а само дитя нет-нет да покличут нежно лялечкой. И ласка, и оберег именем прекрасной Богини.

Подросла Леля и стала гулять по лугам, по густым тенистым лесам, и шелковая мурава сама льнула ей под ноги, чтобы распрямиться ещё зеленее и гуще. А минуло время — начала Леля вместе с матерью обходить и объезжать поля, тянуть за зелёные ушки едва проклюнувшиеся всходы, и Люди увидели, что никогда прежде не было на Земле таких урожаев. Стали они славить Лелю наравне с матерью и чтить как Рожаницу, называть Весной-кормилицей. У Лады стали просить разрешения закликать-зазывать в гости Весну, а когда Мать позволяла — готовили Дочери дерновую скамью, проросшую травами, ставили подношения: хлеб, сыр, молоко. Это был девичий праздник, мужчин, любопытных парней близко не подпускали. Жгли в честь Матери с Дочерью огромный костёр, окружённый двенадцатью другими, поменьше, в честь Месяцев, и с пеплом того костра смешивали семена, умывали им лица, давали больным. И никто, говорили, не помнил, чтобы не помогло.

А охотники баяли вот что:

— Зверь, позволивший забрать у себя пушистую шкуру и горячую плоть, тотчас уходит на небо, в светлый ирий, и там рассказывает старшему в своём роду, по чести ли с ним поступили. Не оскорбили ли напрасным мучением, повинились ли перед вылетевшей душой, хорошо ли благодарили. И если всё совершилось по Правде земной — Мать с Дочерью скоро шьют зверю новую шубу, мастерят птице пёстрый наряд, облекают рыбу радужной чешуёй. Позволяют опять родиться в глубокой норе, в тёплом гнезде, на речном дне, под широким солнечным Небом...

Вот почему и самих Рожаниц рисуют порой в виде двух красавиц лосих.

Ярила

Однажды Люди встретили в только что засеянном поле босоногого, очень красивого юношу-Бога верхом на белом коне, украшенном колокольцами, в белом плаще и венке из трав и цветов. В левой руке он держал пучок спелых колосьев, конь же под ним так и играл, а порой поднимал голову и ржал громко, призывно, высматривая молодых кобылиц.

— Ишь ты! — удивились Люди коню и ещё пуще юному седоку. — Куда ступит ногою, там жито копною, куда взглянет, там колос зацветает!

Действительно, именно так всё и было. Потом Люди присмотрелись:

— Э, а что это у тебя в правой руке? Никак череп?.. Вот страх-то!.. Да кто ты таков?..

Юный Бог назвался Ярилой — неудержимой силой взошедших семян и нежных побегов, способных взломать тяжёлые камни, ярой силой живой плоти, вдохновением сбывшейся любви. Это его имя трубят олени в лесу, угрожая соперникам и зовя к себе оленух, это его громко славят лебеди, мчась к родному гнездовью. Яровой, ярый, яркий и яростный — это тоже о нём, возникшем из солнечного жара и земного тепла.

— А для чего ж тебе череп? — спросили любопытные Люди.

— Сами поймёте, — улыбнулся юноша и поскакал себе прочь, а Людям помстилось, будто за время короткого разговора его мальчишеский, ломавшийся голос окреп по-мужски.

Другой раз его встретили несколькими днями попозже. И вновь удивились: ехал на коне уже не безбородый юнец — взрослый парень, сажень в плечах, золотые кудри что хмель. Девчонки тогда оглянулись тайком на ребят, и те вдруг показались им похожими на Ярилу. Такие же статные, такие же ярые на работу, на пляску и на поцелуи. Женихи!

Спустя время Ярила приехал зрелым мужчиной, уже чуть-чуть никнущим, уже с сединою в полбороды... и наконец — дряхлым старинушкой с погасшими глазами и сердцем, с трясущимися руками, не сохранившими даже памяти о былой силе. И конь под ним еле ноги переставлял.

— Похороните меня в Земле, — прошептал старец-Ярила и повалился на руки Людям, рассыпаясь в прах на лету.

Люди выполнили его просьбу. Погребли во влажной земле, напекли румяных блинов, собрались помянуть. Но отчего-то никому не хотелось плакать и горевать на этих похоронах; старики и те знай по-молодому шутили, расправляли согбенные плечи, а молодёжь и вовсе играла, точно на свадьбе. Плясали, подначивали друг дружку, соперничали, кое-где вставали грудь в грудь. И вдруг не то из огня костров, не то из самой Земли послышался знакомый юношеский голос:

— Чему удивляетесь, Люди? Вы хороните в землю зерно, но разве оно умирает? Оно прорастает высоким стеблем и даёт новые семена. Нет смерти, пока рождаются дети, пока не прерывается род! Я снова приду по весне ярить всё живое на свете. Да не погаснет ярое пламя, да не переведётся Жизнь на Земле!

...Всякий год с той поры встречают и провожают Ярилу, и никто не думает плакать, развеивая его тело по полю. Заплакали бы, если бы однажды не довелось его хоронить. И вот ещё что заповедал Людям Ярила. Велел, чтобы в память о нём сеяли жито-хлеб одни только мужчины, не подпуская женщин и близко. Чтобы нагими вступали на тёплую, ждущую пашню, чтобы выносили семя-зерно в особых мешках, скроенных из старых портов. Тогда совершится меж ними и полем священный, таинственный брак, совсем такой, как между Землёю и Небом в самом начале времён. И молнии Перуна скрепили этот завет.

Вот почему хлеб священен, вот почему, спасая его от пожара, Люди по сей день не жалеют собственной жизни, словно защищая дитя.

Всё благое, что ныне делают Люди, уже было впервые сделано кем-нибудь из Богов на рассвете Вселенной. Всё, что сквозь поколения пришло к нам от пращуров, было дано пращурам самими Богами. Этим заветом мир держится, им он крепок, вечен и свят. Вот почему так недоверчивы Люди ко всему вновь обретённому — вплоть до новой формы горшка. Вот почему во все века корят старые молодых:

— Не отеческим законом живёте! Не по-Божески!..

Но и Богам следует помнить: всё, что они совершают, потом повторяется у Людей. Доброе и дурное, правое и неправое.

Однако тогда в мире ещё не было неправды и зла...

Огонь очага

Рыжекудрый Огонь между тем исполнил наказ старших братьев-Богов: стал для Мужчины и Женщины, для всего их рода святым огнём очага. Вокруг него собиралась семья, и он гнал прочь тьму ночи и жадных, хищных зверей. Он варил и пёк пищу, и Люди, садясь к трапезе, не забывали попотчевать свой Огонь. Всякий гость, обогревшийся у очага, причастившийся еды, становился за своего, никто не смел обидеть его, прогнать из-под крова. А когда Люди ссорились, при Огне невозможно было молвить бранного или нескромного слова:

— Сказать бы тебе... да очаг в доме, нельзя!

Люди поняли: этот Огонь не должен угаснуть. Переходя в новый дом, его непременно брали с собой. Так доставался он внукам от дедов и был не простым пламенем, суетящимся в расколотых дровах. Ему показывали новорождённых, чтобы Огонь узнал новую душу и не отказался беречь и холить дитя. Свахи протягивали ладони к Огню, прося его покровительства. Невеста, входя к мужу в дом, первым долгом кланялась очагу и бросала в него три своих волоска. А когда доводилось идти назад с похорон, все старались без промедления заглянуть в хлебную квашню и коснуться рукой очага. Так очищались от прикосновения смерти, не пускали беду через порог.

В начале времён Люди мыслили свои души подобными душам птиц, рыб и зверей. Ощутив, что жизнь на излёте, начинал гадать человек:

— Кем предстоит мне родиться? Оленем, вепрем, малым воробушком, юркой уклейкой?

Тогда умерших хоронили в .земле и клали набок свернувшимся, как дитя в материнской утробе. Верили Люди: Земля всех родила, она подарит новую жизнь. Позже открылись деяния славных Богов, забрезжило таинство Неба. Стали Люди поручать мёртвых Огню, да не простому — добытому, как когда-то огонь человеческой жизни, из двух трущихся деревяшек. Его так и называли — живым. Теперь Люди не удивлялись глазам Неба, горящим огням звёзд. Это были глаза умерших дедов и прадедов, приглядывающих за роднёй.

Беда

Поистине то было счастливое утро Богов и Людей. Ещё не восстало меж ними неодолимых стен, не легло великих обид и неправд, и небеса стояли открытыми, слушая людские молитвы. Стоило женщинам в жаркие дни совершить чародейство — воздеть над головами чары с водой, призывая замешкавшийся дождь, или полить кормилицу-Землю из двойных кубков без донца — тут как тут на резвых конях являлся Перун, пригонял облачные стада, раскатисто хлопал громовым бичом, щедро доил своих коров на поля.

Но вот пришёл срок одному созвездию передавать главенство другому. Ни Боги, ни Люди не знали ещё, как опасно это сумежное, ничейное время, время-безвременье, когда всякое чудо возможно — и доброе, и дурное.

Однажды Солнце-Даждьбог с братом Перуном вместе путешествовали в Исподней Стране, оставив Землю наслаждаться ночным покоем. И вот тут из-за края Вселенной, из немыслимых чужедальних миров явила себя тёмная звезда без лучей, с длинным кровавым хвостом. Ярко вспыхнула — и прянула вниз!

Не иначе, насмерть сразила бы крепко спавшую Землю — муж-Небо поспел на подмогу: заслонил любимую, закрыл собой, принял жестокий удар. Но совсем отвести беду не сумел. Над всей Землёй пронеслось хвостатое чудище, сжигая леса страшным, невиданным доселе пожаром, и наконец грянуло оземь где-то у дальнего края, больно ударило, обожгло, и Мировое Древо со стоном вздрогнуло от корней до макушки, высящейся над светлым ирием...

...Братья-Боги едва не загнали борзых коней, летя на восточный край Океана. Когда же пересекла его лодья, влекомая белыми лебедями, и крылатые жеребцы снова взвились — Даждьбог в ужасе закрыл руками лицо и ещё много дней не смел глянуть вниз светло и ясно, как прежде. Ибо поперёк всей Земли протянулась обезображенная, мёртвая полоса, и там в чёрном дыму метался перепуганный, ничего не понимающий Огонь. А из ран Неба потоками хлестала наземь вода, затопляя низины, губя и смывая всё, что уцелело в пожаре...

Молодые Боги раздумывали недолго: кинулись спасать мать и отца. Спасать свой мир, покуда он снова не стал бесформенным комком, каким был до рождения. Перевязывали раны Неба белыми полосами облаков, влажными пеленами туманов. Успокаивали Огонь. Зажигали радугу над немногими выжившими Людьми, указывали дорогу к спасению...

Братья-Боги совсем не заглядывали в ирий и ведать не ведали, какая тревога поселилась в доме Матери Лады. Когда упала чужая звезда, юная Богиня Весны была внизу, на Земле. И не вернулась домой ни поутру, ни после. Птицы, вестницы Лады, не сумели найти Бога Грозы в густых тучах гари и пыли, носившихся меж Землёю и Небом. Но, видно, так уж была когда-то выпрядена для самого Перуна льняная нитка судьбы. Летя на взмыленных жеребцах над потопом, он разглядел далеко внизу, под собою, среди вздувшихся волн, почти залитый островок. А на островке — девушку в знакомом светло-зелёном наряде и жмущихся подле неё осиротелых лесных малышей: волчат, оленят, малых птенчиков из размётанных гнёзд. Конечно, Богиня бросить их не могла.

Сын Неба направил коней вниз, к самой воде:

— А ну, живей полезайте!

И сам поднял на колесницу заплаканную, перемазанную Богиню Весны. И вот диво: лишь только взмахнули крылами могучие скакуны, Леля вытерла слёзы, отряхнула волосы и рубаху — и вмиг осыпалась грязь и улетела по ветру, а растрёпанная коса легла шелковиночка к шелковиночке. Вот с тех пор и ведётся: весною — ведро воды, ложка грязи. А осенью наоборот: воды — ложка, грязи — ведро…

Улыбнулась Леля — и Даждьбог послал в ответ тонкий солнечный луч, разрубил, как мечом, клубившуюся мглу… и тоже, видно, поверил, что будет всё хорошо.

Бог Грозы привёл колесницу в ирий и с рук на руки передал дочку Матери Ладе. А лесных малышей выпустил в густую траву, на ветви всегда зелёного Древа:

— Играйте-ка здесь… ещё вам не время рождаться.

И наконец братья возмогли перевести дух, вытереть пот, разогнать смрадные тучи. Посмотреть, что же осталось.

Вот тогда и увидели у дальней кромки Земли горы, которых не было раньше, горы, похожие издали на чудовищные облака. Крепко вплавились они в тело Земли, вросли — захоти, не поднимешь, не выбросишь из Вселенной, не ранив опять. Осторожно направили Боги к тем горам своих скакунов… Оказалось, горы были железными. Раскалённые, они успели остыть, и острые вершины дышали нездешним чёрным морозом, сбережённым где-то внутри, на глазах обрастали снегом и льдом. Никогда прежде молодые Боги не видывали подобного… Хорошо ещё, большая часть этих гор провалилась вниз, за край Исподней Страны, от века безжизненной, и лишь один безобразный хребет осквернял собой лик зелёной Земли. Увидели Боги: всё живое пятилось от Железных Гор, всё бежало от мертвящего холода — леса, реки, травы, цветы...

— Неладно это, — нахмурил брови Даждьбог.

Они осторожно объехали Железные Горы и в одной глубокой пропасти обнаружили путь сквозь Землю, до самого Нижнего Мира. Брошенный камень летел бы туда двенадцать дней и ночей, но сверкающие колесницы, конечно, были проворней. Скоро братья оказались в Исподней Стране, впервые миновав западный Океан-море и лодью, запряжённую птицами. И когда Даждьбог поднял огненный щит, озаряя половину Вселенной, — они тотчас увидели два существа, отчаянно заслонявшихся от света, мужчину и женщину, похожих больше на жуткие сны, чем на Людей или на Богов...

Говорят, тогда-то Перуну в самый первый раз захотелось взмахом секиры не возжечь жизнь, а истребить.

— Это вы посмели обидеть Небо и Землю?!.. — прогремел разгневанный Бог Грозы, подлетая на крылатых бурях-конях. Мужчина и женщина повалились перед ним на колени, трусливо прячась друг за друга:

— Пощади! Пожалей!..

И Перун остановил жеребцов, опустил руку с занесённым топором. Он ещё не выучился быть беспощадным и разить, когда встают на колени.

— Вы кто таковы? — спросил он незнакомцев. Женщина указала на мужчину:

— Его прозывают Чернобогом...

Он вправду был весь точно в саже, только усы будто заиндевелые. Он кивнул на подружку:

— А её кличут Мораной.

Перуну показалось в диковинку, чтобы кто-то не мог назвать сам своё имя, но пришлых Богов его недоумение перепугало до дрожи:

— Никогда не говори: я такой-то, если не хочешь беды! Мало ли кто подслушает и сглазит тебя, порчей испортит!

— Порча? — спросил Перун. — Что это такое?..

А про себя почти с жалостью рассудил: должно быть, эти двое спаслись из какого-то очень страшного мира, отвыкшего от доверия и добра. И Даждьбог, милуя странников, усмирил своё пламя, прикрыл огненный светоч краем плаща.

Чернобог и Морана выглядели не только напуганными, но и голодными, и братья поделились с ними едой.

— Нашего отца, — рассказал им Даждьбог, — называют Сварогом, то есть попросту Небом, или по-другому Стрибогом, это значит Отцом-Богом. Оттого Люди своих дядьёв по отцу зовут ещё стрыями. А мать, Землю, рекут Макошью — Матерью судеб, Матерью снятого урожая. От неё всё богатство — и зерно в коше, и серебро в кошеле, и овцы в кошаре...

Пришлые Боги слушали, уплетая разделенное угощение, кивали головами, мотали на ус. Расстались не то чтобы друзьями, но всё-таки поклялись не чинить друг другу беды.

Даждьбог поклялся щитом, а Перун — верной секирой:

— Пускай она выпадет из руки, если я нарушу обет.

Знать бы ещё братьям Сварожичам, что все клятвы Мораны и Чернобога стоили не больше горсточки снега, тающего, если сжать его в кулаке.

И снова минуло время, и оправившаяся Земля не раз ещё принесла урожай, и всё было мирно и тихо. Только Даждьбог рассказывал дивные дива об Кромешной Стране, где позволили поселиться пришлым Богам. Там стоял теперь такой лютый мороз, что случайно влетевшие облака тотчас опадали наземь белыми хлопьями, и даже Океан-море покрылся вдоль берега льдом. Однажды Перун отправился с братом — взглянуть, правду ли говорит. И оказалось, что правду: пришлось Богу Грозы сверху лёгкой белой рубахи вздевать мохнатую серую безрукавку. Здесь не к месту был его гром: безмолвная, мёртвая, белая гладь расстилалась внизу. Даждьбогу тоже всякий раз делалось не по себе, хоть с недавних пор и завёл он обычай заглядывать сюда каждые сутки ради присмотра. Он старался скорей миновать неприютное небо, не выезжал высоко...

— Никогда мне здесь не нравилось, а теперь и подавно, — молвил он брату. — Всё кажется — не к добру!

Но тому легла на ладонь игольчатая снежинка, тоненькое колёсико о шести тающих спицах:

— Смотри! Она похожа на знак, которым призывают меня Люди, — знак Неба и Белого Света, громовое колесо!

И не видели братья пристальных глаз, устремлённых, как копья, им в спину из глубокой пещеры в Железных Горах, не слышали шёпота Чернобога, шёпота ночной ведьмы Мораны:

— Век не видеть бы вашего Белого Света, не слышать вашего смеха! Вот ужо вам, удальцы!..

Кузнец Кий

Бог Грозы стал навещать Богиню Весны, вновь гулявшую по зелёной Земле. Сказывают, сначала он очень смущался своего огромного роста, зычного голоса, гривы иссиня-чёрных волос и рыжей, вечно всклокоченной бороды. Но потом Люди заметили: куда первые жаворонки, вернувшиеся из ирия, туда и тёмная туча, рокочущая громами. Так вместе и странствовали по свету. А когда начинали наливаться плоды и Дочь уступала Матери заботы об урожае, вместе возвращались на небо, и громы Перуна звучали всё неохотнее, постепенно смолкая — до новой весны. Вот почему праздник Перуна стали отмечать в двадцатый день месяца липня, по-теперешнему июля, когда цветут душистые липы и гудение пчёл часто смешивается с раскатами дальнего грома. Пчёлы хорошо знают, пройдёт гроза мимо или прольётся шумным дождём, знают, стоит ли спешить прочь, прятаться в родное дупло.

В те давние времена каждый год из лесу в Перунов день выбегали олени и могучие, длиннорогие туры и сами отдавали себя под жертвенные ножи. Влагу их крови Люди изливали в круглые каменные алтари, утверждённые перед изваяниями Перуна, а мясо варили и ели всем родом на священном пиру. И каждый, зачерпнув в свой черёд из котла, клал ложку наземь чашечкой вверх — затем, чтобы между пирующими незримо угостился и Бог.

Однажды, идя по лесу вместе с Богиней Весны, Бог Грозы нечаянно встретил двоих Людей: парнишку-подросточка и с ним кудрявую девочку в детской рубашонке.

Парень поклонился Перуну низко, почтительно, но безо всякого страха. А девчушка, спрятавшаяся было за его спиной, бочком подошла к Леле и робко протянула ей перепечу, сотворённую в образ птахи из сладкого, на меду, пряного теста. Богиня Весны с улыбкой взяла приношение, и в её руках птаха немедленно ожила, звонким жаворонком взвилась в небеса.

— Как звать тебя? — спросил Перун паренька. Тот отмолвил:

— Отец зовёт Кием — Молоточком.

Он, видно, вправду был рукодел: ещё первый пух не проклюнулся над верхней губой, а на ладонях уже твердели мозоли, и у пояса висел в ножнах хорошо отбитый, острый каменный нож. Ибо в те времена Люди всё делали из кости, камня и дерева: ножи, топоры и даже серпы, вставляя кусочки кремня в изогнутые корневища.

Перун кивнул на девочку:

— Сестрёнка твоя?

Парень залился отчаянной краской:

— Не... мы с ней поженимся... когда она подрастёт!

Бог Грозы повернулся к Леле и увидел на её щеках ответный румянец, ибо Отец Небо с Матерью Ладой уже сговаривались породниться. И он сказал:

— Что подарить тебе на счастье, жених? Чего желаешь, проси.

Кий оказался впрямь не из робких. Он шагнул вперёд и бережно прикоснулся к узорчатому, звонкому золоту чудесной секиры:

— Мне бы, господине, выучиться делать такие.

— Ну, молодец! — расхохотался Перун. — Да ты знаешь ли, какой это труд?

— Знаю, господине Сварожич, — ничуть не смутился Кий. Вытянул нож из хороших кожаных ножен и протянул честно, рукоятью вперёд: — Погляди, я сам его сделал.

Костяная рукоять завершалась искусно сработанной головкой красавицы лосихи. Перун вернул нож и поднял голову к Небу:

— Поможем ему, отец?

И Небо ответило. Прямо из синевы пала слепящая молния, клубок пламени ринулся в подставленную ладонь Бога Грозы. Кудрявая девочка, пискнув, вновь спряталась за безусого жениха. А тот, проморгавшись, увидел в руках Перуна кузнечные клещи. Вишнёвый накал медленно покидал их, сменяясь серым блеском железа. Кий не сразу понял, что это такое, ведь кузнечного дела никогда прежде не было у Людей. Он знал только — сбылось чудо и осияло всю его жизнь, никогда уже она не потечёт, как допрежь.

Клещи остыли, и Перун протянул их парнишке:

— Поднимешь?

Тот закусил губы, натужился и с трудом, но удержал.

Богиня Весны поднесла Кию в ладонях воды, зачерпнутой из гремячего родника:

— Испей.

В воде мелькали, переливались радужные искры. Кий послушно выпил, снова взял клещи и легко взмахнул ими над головой, радуясь и дивясь нахлынувшей силе.

Вот почему и до сего дня по весне, во время первой грозы, многие спешат испить и умыться из родника, а всего лучше с золота или с серебра: тотчас прибывает от этого силы, здоровья и красоты...

Перун выучил Кия искать в земле рудные залежи, плавить красную медь, делать косы, ножи и колокольцы-ботала, чтобы не терялась скотина. А о железных клещах сказал так:

— Это тебе на потом.

Отец Кия сначала был очень недоволен делами сына, построившего на краю селения кузницу и днями напролёт пропадавшего в ней:

— И на что нужна твоя медь, одна зелень с неё! Деды наши палицами и каменьем довольствовались, и нам хватит того. Бросай баловство, пора уже тебе брать мотыгу да в поле идти, хлеб сеять! Ишь вымахал дармоед! Я уж седой — до каких пор кормить-то тебя?

А тут ещё маленькая невеста повадилась лепить из податливой глины разные формочки и лить в них блестящую медь, начала дарить подружкам узорчатые запястья, витые колечки к налобным повязкам, маленькие перстеньки-жуковинья... Сором! Не девичье дело!

Но охотники вскорости поняли, что стрелы с медными и бронзовыми головками настигали зверя куда верней прежних, увенчанных кремнем и костью. Стали они приносить Кию пушистые шкурки, вкусное мясо. А взамен просили не только ножи да наконечники для копий и стрел, но и украшения жёнам и любимым невестам. А женщинам сразу приглянулись тонкие, острые иглы, легко пронзавшие холст и прочную кожу.

Не сеял Кий хлеба, не возделывал репища-огорода, а голоден не ходил. Нёс в дом хлеб, а часто и мясо для щей. Делался понемногу кормильцем семьи не плоше братьев, не плоше самого отца...

А потом было вот что. Как-то по весне шёл молодой кузнец мимо поля, которое Люди мотыжили, рыхлили под хлеб. Глянул Кий, какой пот струился с их лиц, с привычно согнутых спин... А за полем, на вольном лугу, паслись налитые праздной силою кони.

Играли, носились, метали из-под копыт комья земли.

Люди приветствовали Кия, хвалили удобные мотыги, но он будто не слышал. Ему вдруг подумалось: а если того пустопляса-коня да заставить тянуть полем мотыгу? Большую мотыгу, по силушке? Сбоку привесить?.. А ежели приспособить, чтобы не одним плечом, обоими налегал?

Дома Кий вылепил из глины конька и весь вечер так и эдак ладил к нему длинные палочки. Братья стали смеяться: потянул, мол, за девчонкой, игрушками занялся. Но утром над его кузницей заклубился густой дым. Любопытные парни, зашедшие глянуть, в чём дело, приставлены были раскачивать тугие меха. И когда наконец Кий вывел коня и запряг, сзади оказалась не повозка, не волокуша — острый рог, нацеленный в землю, и удобные рукояти для пахаря.

— Какая сохатая! — сказал кто-то, поглядев на окованный блестящей медью рог. Так и повелось с тех пор звать рогатую соху — сохой.

Послушный конь взмахивал хвостом и оглядывался, ожидая хозяйского слова. Старики сперва хмурились: не обидится ли Земля? Но вот отец Кия, помолясь, взялся за рукоятки и повёл самую первую борозду. И вдруг, сам того не заметив, уже сделал столько, над чем ещё вчера трудился бы до заката.

— Диво! — изумлённо ахнули Люди. А кто-то складно примолвил:

— У матушки сошки — золотые рожки!

С тех пор потянулась за Кием слава вещего мастера, любимого Богами умельца и чуть ли не вещуна. Стали поговаривать, будто мог молодой кузнец выковать не только вилы или топор, но даже и слово, даже судьбу, даже старость и хворь на здоровье перековать...

Два волоска

Вот что, к примеру, рассказывали про Кия. Будто однажды заехал к нему удалец по имени Вострогор, попросил наконечников к стрелам и ещё меч. Его род жил на севере, у самых Железных Гор, и там давно уже никому не было доброй судьбы. Слепой отец Вострогора сам благословил младшенького в дорогу, велел искать счастья на стороне. Подобных скитальцев год от году делалось больше. А меч был нужен затем, что Люди сделались разными, не обязательно добрыми, надо же уметь за себя постоять.

Войдя в кузницу Кия, Вострогор, как баяли, тотчас заметил под его молоточком два тонких волоса, серебряный и золотой. А заметив — больше не мог отвести глаз.

— Что такое куёшь? — поздоровавшись, спросил он умельца.

— Судьбу — кому на ком жениться, — отвечал будто бы Кий. Тогда Вострогор не удержал любопытства:

— Чью же ладишь теперь?

— Да вот твою как раз, — с усмешкою отмолвил кузнец. Затрепетало сердце в груди удальца, еле-еле осмелился выспросить о невесте, о своей суженой. И кузнец, глядя в вещее пламя, сказал ему так:

— Вижу твою невесту, живёт она у далёкого моря. С рождения лежит, бедная, в гноище, вся-то кожа в коросте, что в еловой коре...

Застонал Вострогор-удалец, обхватил руками буйную голову, едва на ногах устоял. Не спросил более ни о чём. Насилу дождался, пока сделает ему Кий обещанный меч и наточит как следует. Да с тем и уехал.

Долго ли странствовал, коротко ли... Ни к какому морю, понятно, старался и на сто вёрст не подъезжать, только от судьбы не ускачешь. Вывела его дороженька, тропка лесная, к самому берегу. Увидел он серые волны от окоёма до окоёма и лодку, вытащенную на песок. А под соснами — бревенчатую избушку, сети развешанные. Спрыгнул с коня Вострогор, постучался.

— Входи, добрый молодец, гостем будь, — отозвался милый девичий голос. Растворил удалец скрипучую дверь, стянул шапку с кудрей — кланяться Огню в очаге да добрым хозяевам... сам высматривает — где же девка-красавица, что с ним ласково говорила? — только нету девки-красавицы, лежит на лавке страшное страшило: лица в коростах не видно, всё тело что еловой корой обросло... тут и встали у храброго парня русые волосы дыбом, язык к нёбу присох. А девка и спрашивает:

— Не видал ли ты, молодец, где-нибудь моего суженого Вострогора? Скоро ли ко мне припожалует?

Ни слова не смог вымолвить удалец. Не боялся он ни медведей, ни свирепых волков, стаями рыскавших у Железных Гор, — а тут оплошал, струсил. Закрыл руками лицо, отвернулся...

— Стало быть, ты и есть мой жених? — сказала тихо девица. — Что ж, вижу, в обиду тебе жениться на такой жене, хворой да некрасивой. Не то что в уста целовать, глядеть даже не можешь. Убил бы уж, жених ласковый, затем что не быть нам с тобою поврозь, а и вместе, видно, не быть...

Будто вихрь завертел тогда Вострогора. Сам не ведал в отчаянии, что руки творили. Схватил свой тяжёлый, отточенный меч и ударил с размаха невесту прямо в открытую грудь. И кинулся бежать прочь, словно обронивши рассудок... Опамятовался неведомо где, в чёрном лесу, перемазанный, изодранный в кровь о колючие ветви. Открыл глаза — верный конь рядом стоит, губами мягкими трогает, жалеет хозяина. Сел на него Вострогор, заплакал и поехал куда придётся, проклиная свою непутёвую Долю, пришедшую, знать, к его колыбели всё с тех же сумрачных гор...

Долго ещё странствовал молодой удалец. Ехал по заросшим холмам, где уходившее Солнце щедро золотило лесные макушки, а меж сосен наливалась багряным мёдом брусника. Ехал берегом тихих озёр, где безмятежно дремали белые кувшинки и плакучие ивы спускали зелёные косы к самой воде, к густым, тихо шепчущим тростникам... И думалось Вострогору — век вечный не позабудет он полные муки глаза страшила-невесты, век будет звучать в ушах тихий голос:

— Убил бы уж, жених ласковый...

Клял Вострогор свою трусость и, кажется, сам себя готов был убить, да вот незадача — меча-то с собою не прихватил, там же и бросил.

Но вот минуло время, и прошлое начало заплывать, зарастать, как покинутая могила, травою-быльём. Вышел Вострогор к Людям из лесу, речь человеческую припомнил помалу. А ещё погодя надумал построить дом и жениться. Начал приискивать себе ровнюшку-невесту, непременно разумницу да красавицу.

Что ж, нашли ему добрые Люди душу-девицу. Сказывали, допрежь гнала она всех женихов, а тут засобиралась немедля. И только что увидал её Вострогор — в тот же миг влюбился без памяти, не стал даже выпытывать, умна ли. Честь честью сладили им свадебный пир, трижды обвели вокруг священной ракиты на берегу, вокруг свидетеля-Огня в очаге. Уложили в клети держать опочив... обнял жену Вострогор, да тогда и заметил у ней на белой груди, как раз против сердца, маленький рубчик.

— Али не узнал, суженый? — засмеялась краса ненаглядная. — Больно быстро ты убежал тогда, не дождался, пока опадут коросты, корки еловые... Предал ты меня смерти, а хватило бы поцелуя. Довольно ли теперь хороша?

Тут и понял всё молодец, в самом деле спознал, что своей судьбы не минуешь. Кинулся на колени перед женой, взмолился простить...

Сказывают, до смертного часа помнил он о двух волосках, скованных на наковальне. А девки стали ходить к кузнецу:

— Скуй и мне свадебку, Кий!

Голос Неба

Давно уже Земля оправилась от потопа, давно зажила рана Неба — остался лишь опалённый широкий след, по сию пору ясно видимый в звёздные ночи. Люди ещё называют его Млечным Путём и говорят, что этим путём идут праведные души в ирий. Казалось, всё стало, как прежде. Но из-за Железных Гор налетали холодные ветры, зловещие, настоянные на дурном колдовстве. И вот с чего началось.

Люди, всегда жившие в послушании Роду и Матери Ладе, стыдившиеся матерей, сестёр и невесток, пуще глаза хранившие честь чужих подруг и невест, — иные из этих самых Людей вдруг как позабыли, что есть на свете Любовь, предались мерзкому блуду, стали водить по нескольку жён, посягать на любую девку и женщину, силой брать, какая понравится. Не отставали и жёны: бесстыдно искали объятий красивых мужчин, рожали детей, сами не ведая, от кого. Подрастали нелюбимые дети и становились такими же, как их горе-матери, горе-отцы...

Достигла слава о людском непотребстве слуха Богов.

Вспыльчивый Перун готов был нагромоздить тучи и новым потопом смыть дерзких с лика Земли, оставить разве что Кия и его род. Даждьбог-Солнце не хотел больше светить им, задумал совсем отвратить благое сияющее око прочь...

— Нет, — сказал Отец Небо, Сварог. — Стыд вам, сыновья! Гоже ли из-за горсточки блудодеев губить всех подряд? Надо установить им Закон. Дать Правду, чтобы знали, как жить. Чтобы держала боязнь, коли ума не хватает и совесть уснула. И карать тех, кому закон не закон. Я произнесу его им.

А надобно молвить — допрежь того дня Земля и Небо ни разу не говорили в полный голос с Людьми. Боялись напугать: слишком велики были оба, слишком могучи. Меньше всего хотелось Богам, чтобы кто-то боялся Земли под ногами и Неба над головой... оттого, если бывала нужда, они приходили в человеческом облике, Сварог — мужчиной, Земля-Макошь — женщиной, помощницей в женских работах. И вот теперь Небо впервые провестилось, и его слово слышали все, кто жил тогда на Земле.

— Люди! — пригнул вековые дубы, сорвал крыши с домов огромный голос гневного

Неба. — Вам уставляю закон: единой жене идти за единого мужа, единому мужу водить единую жену! Тот не сын мне, кто осквернит себя блудом. Не светить ему — палить его станет Солнце, не греть — сожигать преступившего станет Огонь!

Люди в ужасе лежали ниц, правые и неправые. Никто не смел поднять головы. Это очень страшно, когда вдруг содрогается, уходит из-под ног надёжнейшее из надёжных — Земля. Страшней всемеро, когда отверзает уста Небо, вековечный молчальник.

— Больше не стану говорить им, как ныне, — отворотясь от не смеющих подняться Людей, уже не для их слуха горько молвил Сварог сыновьям. — Это ещё непотребней распутства. Что же за честь, коль её от бесчестия спасает только боязнь! А и мне наука: вижу теперь, на страхе далеко не уедешь...

Однако воротить сделанное не под силу даже Богам. И вот с тех-то пор пришёл к Людям страх. Страх перед Небом, ужас наказания за грехи. Стали Люди придерживать нескромные речи у очага не из одного уважения к святому Огню, но ещё из боязни: как бы не разгневался да не спалил всей избы, и ползли слухи — дескать, бывало. Начали класть богатые требы, замаливая содеянное... и тотчас всё повторять.

И, питаясь неправдой людской, понемногу крепли в Железных Горах Чернобог и злая Морана.

А Люди, задумавшие беззаконное дело, старались теперь совершить его ночью, когда уходит с неба Даждьбог, исчезает всевидящий огненный глаз. Ибо это ему, Солнцу, поручил Отец Небо приглядывать за Людьми. Но вскорости оказалось, что и у самих Богов кривды не меньше…

Денница и Месяц

Была у троих Сварожичей возлюбленная сестра — Денница, Утренняя Звезда. На исходе ночи, когда кони Солнца брали разбег и взвивались с восточного берега Океана, она всегда горела дольше других звёзд, приветствуя славного брата. Она первая проглядывала меж туч, когда стихала ночная гроза. А пришло время, сыскался деве-звезде справный жених — молодой Месяц.

Стал он гулять об руку с Денницей в утреннем небе, стал поезживать вместе с Даждьбогом на солнечной колеснице, а потом начал один смотреть вниз по ночам, покуда Даждьбог светил Исподней Стране.

— Только к Железным Горам близко не подъезжай, — строго наказал ему брат девы-звезды. — Странные Боги там поселились: со мной ласковы, с тобою — как ещё знать!

Ибо сыновья Неба не раз уже крепко задумывались, не те ли два скрюченные существа, поселившие в Нижнем Мире снег и мороз, оказались причиной злочестия в Людях. А Чернобог и Морана словно учуяли: радушнее некуда принимали троих могучих Сварожичей, когда те их навещали...

Молодой Месяц дал слово Даждьбогу и долго держал его, но один раз всё-таки не совладал с любопытством. Направил белых быков, возивших его колесницу, к Железным Горам. Мог ли он знать, что оттуда за ним давно уже зорко следили жадные очи!

Медленно проплывали внизу отточенные вершины, облитые молочным светом Месяца, языки снежников, бездонные пропасти и ущелья, окутанные непроглядной тьмой. Спустился Месяц пониже, ещё и нагнулся, высматривая: где-то здесь, сказывали ему, был тот знаменитый лаз в Нижний Мир, которым прошли некогда Даждьбог и Перун...

И внезапно из глубочайшей расщелины взвилось какое-то грязное покрывало, опутало склонившийся Месяц, помрачило его серебряную красоту! Забился он в испуге, но не стали слушаться ни руки, ни ноги, хотел звать на выручку — ан и голоса нет. Не простой — колдовской была та грязная пелена, а метнула её злая Морана, давно заприметившая красивого молодца, чужого любимого жениха...

Не дождалась милого Утренняя Звезда, кинулась за помощью к братьям. Переглянулись Сварожичи... и во весь скок пустили коней к Железным Горам. Сразу догадались, что виною всему было запретное любопытство.

Знакомым путём устремились Даждьбог и Перун в бездонную пропасть... а Люди, сидевшие по лесам, только видели, как гневно-алое

Солнце садилось в чёрную, трепещущую молниями тучу, окутавшую ледяные вершины.

Глубоко под землёй нашли братья пещеру, всю выложенную сверкающей медью. Прошли, не оглядываясь. Вступили в другую, серебряную, усеянную дорогими камнями. И здесь никого. А третья пещера горела жарким золотом, и тут остановились Сварожичи. Увидели стол, весь залитый красным мёдом из опрокинутых кубков, заваленный поломанными, надкусанными пирогами, обглоданными косточками. Только-только отбушевал за тем столом разгульный, хмельной пир, разошлись гости, кого и под руки увели. Один Чернобог смотрел на братьев пустыми глазами, утопив в луже браги усы.

— Где Месяц? — грозно спросил хозяин огненного щита.

— Вот... свадебку справили, — икнул тёмный Бог, да и повалился под стол. Стали братья оглядываться и приметили низенькую дверь в уголке. Потянули — но дверь, знать, была заложена изнутри засовом. В четыре могучих руки выломали её Боги... и увидели Месяц, бесстыдно храпящий на ложе, а рядом — нисколько не испуганную Морану.

Умела коварная ведьма прикинуться ненаглядной красою: личико белей молока, губы что маки, волосы — небо ночное, только звёзд не видать. И лишь глаза, как две дыры. Глаза не обманывают, в них смотрит душа.

— Так-то ты любишь невесту, верный жених! — полыхнул Даждьбог небывалым огнём, схватив Месяц за плечи и встряхивая, чтобы проснулся. — Вставай, ответ будешь держать! Как Деннице в очи посмотришь?

— А ну её, гордую, — неверным языком пробормотал Месяц и потянулся обнять снова Морану. — Подумаешь, невеста. Как любил, так и разлюблю, а вас обоих знать вовсе не знаю!

...Вот когда в самый первый раз страшно прозвучал раскат Перунова грома! Взвилась золотая секира — да и рассекла надвое изменника-жениха...

Злая Морана схватилась было за левую половину, где сердце, поволокла, — братья-Боги не дали, отняли. Не сладко пришлось бы и ей, но успели они с Чернобогом обернуться двумя змеями и юркнуть в трещину железного камня — ни солнечному лучу, ни молнии не достать. Положили Сварожичи тело ясного Месяца в колесницу, увезли домой.

Денница едва не упала с неба от горя, увидев, что с ним приключилось. А когда опамятовалась, стала просить у отца живой и мёртвой воды. Все знают: мёртвая вода сращивает разъятые члены, изгоняет порчу и сглаз, убивает злой яд, впитавшийся в плоть. И только потом живой воде достоит смыть мёртвую, вернуть жизнь, приманить душу назад. Вот и Месяц скоро начал потягиваться и тереть глаза, оживая:

— Как же крепко спал я, Денница! Ой, а что мне приснилось — будто я не в небе, будто бреду в снегу по колено, среди каких-то острых камней... Да куда ты?

Утренняя Звезда вдруг горько заплакала и кинулась из дому. Хотел Месяц бежать вслед за невестой, но Сварог, Отец-Бог, его удержал:

— Ещё бы долго ты спал, молодец, если бы не её любовь к тебе, недостойному. Припомни-ка, что было с тобою, с кем весёлые пиры пировал! Ты умер, а не заснул, потому что мои сыновья тебя наказали. И умер во зле, и твоя душа отправилась уже зимовать в Исподней Стране, не умея взлететь. Так и с другими будет отныне, кто платит злом за добро!

…Одни говорят, Денница и Месяц до сих пор всё в ссоре, но другим кажется, что они помирились — и то, бывают же они вместе на небосклоне. Правда, Месяц так и не смог отмыть с лица пятен, причинённых грязным покрывалом Мораны и её поцелуями. Он теперь далеко не столь яркий и ясный, как прежде, и вид у него, если хорошо приглядеться, испуганный и печальный. Но главное — с тех самых пор начал он, раскроенный секирой Перуна, уменьшаться на небосводе и совсем пропадать, потом снова расти. Так отозвалась ему давняя измена, давний сором. Люди верят, что истончившийся, старый Месяц надеется умереть и снова родиться — чистым, как прежде, обрести полноту лика и не терять её больше. Но не может. Вот почему про начавший убывать Месяц так и говорят — перекрой. Вот почему новорожденное дитя непременно показывают растущему Месяцу, чтобы справно росло, и новый дом начинают строить при молодом Месяце, а не при ветхом, когда видно, что его надежда опять не сбылась. А вот лес для постройки рубить лучше всего в новолуние, чтобы не велась гниль, чтобы не ел его червь.

…Злая Морана и беззаконный Чернобог ещё немало времени хоронились во мраке сырых пещер, не смея высунуться на свет, сбросить змеиные чешуи. Поняли, что светлые Боги умеют быть грозными, умеют наказывать.

А Перуну, уже созывавшему гостей на желанный свадебный пир с молодой Богиней Весны, пришлось надолго всё отложить. Ведь он залил кровью священную золотую секиру, осквернил, оскорбил её видом Землю и Небо. Оставил Перун замаранную колесницу, выпряг крылатых коней, пешком пришёл в кузницу Кия, давнего друга. И целый год махал молотом, не разговаривая почти ни с кем, не вкушая общей еды. Вот так пришлось ему очищать себя от скверны убийства, хоть Месяц и возвратился к живым. Смерть получает власть над проливиими кровь, хотя бы даже свою. Подле них истончается грань между мирами умерших и живых, клубится невидимый водоворот — затянет, если не оберечься! Вот почему боязливые дети со всех ног разбегаются от поранившегося в игре и только твердят — мы не видели, не знаем, мы тут ни при чём. И воины, вернувшиеся из похода, подолгу не смеют сесть в доме за стол, обнять жён, пойти в святилище молиться Богам. Убивший — нечист. Он висит между мирами, и нужно много омовений в бане и долгий пост, прежде чем живые возмогут опять считать его своим.

Обида ручья

Мимо дома кузнеца Кия бежал говорливый ручей. Он тёк из болота, с ягодных мхов, нёс тёмную торфяную воду, за что и прозван был Чёрным. Таких ручьёв и речушек много на свете, столько же, сколько болот, а пожалуй и больше. Ручей падал в реку, а река — в широкое море: там, при устье, построили город, стали ходить заморские корабли, повёлся прибыльный торг. Отец Кия нередко ездил туда, продавал сделанное мастером-сыном и всегда возвращался довольный. Под старость он многие заботы переложил на плечи выросших сыновей и даже начал похаживать к ручью, посиживать с удочкой, прикрыв от горячего Солнца седую голову шапкой, сплетённой из еловых тоненьких корешков.

Самому Кию некогда было надолго бросать наковальню, но и от его кузни вела тропинка к ручью. Приходил набрать в деревянные ведёрки воды, ополоснуть копоть с лица, отмыть сажу и пот. И никогда не забывал поблагодарить добрый ручей, низко поклониться ему. Весной, когда ручей выплёскивался из берегов, Кий дарил ему свежего масла полакомиться, а осенью, когда Земля, принеся плоды, отдыхала, умытая дождями, — жертвовал гуся. И никогда не упоминал вблизи воды зайца, чего, как известно, не любит ни один Водяной, ибо прыткий заяц подобен Огню.

И вот однажды отец Кия сидел на зелёном травяном берегу, вполглаза приглядывал за удочкой и размышлял, куда бы это могла подеваться вся рыбы в ручье. И наконец припомнил запруду, недавно построенную в низовьях. Единственный проход оставили в той запруде, и там бывало не видно воды за рыбой, спешившей на нерест. А уж тут как тут поджидали её сети, верши, остроги...

— Не оскудеет небось! — ответили удивлённому старику беспечные Люди, выстроившие запруду. — Вон сколько рыбы в реке!

Теперь отец Кия досадливо косился на пустую плетёнку, приготовленную для улова:

— Видать, оскудела! А если самую реку кто-нибудь перегородит?..

И только сказал — отколь ни возьмись подошёл к нему малый мальчонка:

— Здрав будь, дедушка.

И замолк, словно бы хотел о чём попросить.

— И ты гой еси, внучек, — честь честью ответил старик. А про себя посетовал, что не вынул ни рыбки, порадовать мальца. Потом пригляделся... рубашонка-то на нём буро-чёрная, как есть в торфяной воде вымоченная, а с левой-то стороны водица кап да кап наземь! Пригляделся ещё — в волосах зелёные водоросли впутались, на плечо стрекозка присела, а между пальцев босых ног — перепоночки!..

Оробел отец Кия, понял, не простой мальчонка пожаловал, и кто здесь кому за внучка сойдёт — это как посмотреть. Ещё дед старика у ручья свадьбу играл, и дедов дед... А мальчонка уж за руку тянет:

— Пойдём, покажу, где рыба стоит.

И точно — привёл к заводи, к белым звёздам кувшинок в чёрной воде, сам рядом сел, ноги в воду спустил, а траву кругом словно кто тотчас из ведёрка облил. Закинул удочку старец и мигом натаскал полную плетёнку рыбы — запыхался с крючка отцеплять.

— Как же отдарить тебя? — спросил он мальчонку. Тот глянул голубыми глазами:

— А вот как, дедушка. Поедешь в город на торг, увидишь там матёрого мужа в синих портах и синей рубахе, в синей шапке высокой. Да ты его сразу узнаешь, то дядька мой. Ты так передай ему, дедушка: Чёрный, мол, Ручей славному Морскому Хозяину челом бьёт, низко кланяется и просит сказать, запрудили его запрудой, сил нет!.. Закол от берега до берега учинили!.. Рыбу начисто вывели, и не то что кишок назад в воду не кинут — вся на берегу протухает, от жадности ловят, что и не съесть!..

Шмыгнул носом и показал порванное плечо:

— Я там щукой плавал, у запруды-то, рыбу спасти хотел, так они острогой меня! Передай, дедушка, Морскому Хозяину, как, мол, прикажет, так оно и будет!..

С тем прыгнул в заводь, и встречь поднялся огромный усатый сом — вскочил на него верхом и вмиг умчался мальчонка. А отец Кия поехал на торг и всё выполнил, как обещал.

— Острогой, значит? — свёл брови дородный, одетый в синее человек. — Что ж, снеси, дед, Чёрному Ручью поклон от Морского Хозяина да скажи, пускай слёзы-то вытрет. Не было доселе никакой запруды — да и не будет!

256

Ушёл, и за ним протянулась цепочка мокрых следов.

Знай погонял старик запряжённую в тележку кобылу. Вернулся домой и немедля вышел на берег:

— Поклон тебе от Морского Хозяина, кормилец Чёрный Ручей! Велит не горевать: не было, мол, прежде запруды — да и не будет!

В этот раз не показался ему мальчонка. Лишь выметнулась из воды большущая щука, плеснула громко хвостом.

А ночью расходилось великое море, ринулось на берег, вздыбилось косматыми волнами! Далеко вокруг разнёсся тяжёлый грохот прибоя — проснулся отец Кия и рассудил было: гроза! Потом вышел во двор, увидел ясные звёзды, начал смекать.

Пошла зыбь по реке до самых верховьев, где припадал к ней Чёрный Ручей. Выбежали хозяева запруды, напуганные небывалым рёвом воды... и только успели увидеть, как поднялись гневные волны и живо снесли закол, разметали жерди, вывернули неподъёмные брёвна. Затихли и отступили, сердито ворча.

Сказывают, у тех Людей хватило умишка: уразумели правый гнев Морского Хозяина, повинились перед Чёрным Ручьём и не калечили его больше, не жадничали, довольны были тем, что сети да удочки приносили. И рыбьи внутренности всегда возвращали воде, чтобы не скудела река. Говорят ещё — многим всё же пошла наука не впрок, повадились пакостить от Моря вдали да бахвалиться: здесь, мол, никакому Хозяину, хоть и дядьке всех Водяных, нас не достать. Оно, может, и так, но на второй, на третий ли год изумляются загребущие пришельцы: а рыба-то где? Куда вся подевалась? Где же им знать, что их Водяной нажаловался-таки Морскому Хозяину, и тот не пустил рыбу наверх, отправил в другую реку на нерест. Вот и сидят голодные Люди, плюют в реку со злости и сочиняют всякие небылицы: в кости, мол, Водяной проиграл рыбу соседу... и ведь ни за что не сознаются — сами, мол, во всём виноваты!

Речное дитя

А вот что однажды было со старой матерью Кия.

Шла она из лесу домой с полной корзинкою ягод, присела передохнуть возле быстрой порожистой речки, возле гудящего падуна. В том падуне скоро год назад утонула красавица девка: поскользнулась на камешке — и не видели больше, даже рукой не взмахнула, не отыскали потом. И вот, едва припомнила — будто из земли вырос добрый молодец, собою статный, пригожий, только вода с него льётся и подпоясан не ремешком, водорослями какими-то. Не успела мать Кия перепугаться, как добрый молодец бухнулся перед ней на колени:

— Выручи, матушка! Жена моя молодая рожать собралась...

— Да где ж она? — всполошилась добрая женщина. Быстро повёл её молодец — сама не заметила, как ступила в омут за падуном, ушла с головой. Но не задохнулась, не захлебнулась в воде, дышала, как на берегу, столько по сторонам вместо ёлок и сосен встала колеблемая водяная трава, а рядом закружились рыбёшки.

Вот спустились они на самое дно...

— Пришли! — сказал Водяной. Распахнул дверь. И кого же разглядела на лавке Киева мать? Да ту самую девку-красавицу, что утонула по осени в яром потоке. Крепко, знать, полюбил её Водяной, раз похитил, увёл к себе под воду. А в должный срок и дитя запросилось на свет...

Старая женщина скоро успокоила молодую, стала сказывать, какое там без неё житьё-бытьё наверху. Велела Водяному взять жену под руки и водить посолонь, потом поворачивать с боку на бок на лавке. Наконец приняла мальчишку, приложила к материнской груди, перетянула пупок крепкой зелёной травинкой, обрезала раковиной — будет, как и отец, хозяином над потоком. Приговорила:

— Расти умницей!

Вынес ей обрадованный Водяной дорогие каменья и самородное золото, намытое его рекой за века с начала Вселенной. Раскатил жемчуга, выросшие от Перуновых молний между корявых створок жемчужниц. От всего отказалась мать кузнеца: не ради, мол, серебра бегом бежала на помощь. Лишь попросила:

— Пускал бы ты, батюшка, нас на ту сторону невозбранно. Больно уж ягода хороша на том берегу, да страшненько по камешкам прыгать.

— Чтобы мне высохнуть, — поклялся Водяной. Честь честью вывел на волю добрую женщину, положил ей в корзинку славную кумжу, поклонился земным поклоном... и ушёл — только по воде пузыри.

Резвый сынишка его потом как-то забрался в сеть рыбакам. Те не поняли сперва ничего, снесли в избу, переодели в сухое. Но мальчишка томился и плакал у очага, а когда выпустили — со всех ног побежал обратно к реке, забрался в воду, повеселел, начал играть. Тогда Люди смекнули — попалось им детище Водяного. Вернули отцу сынка. И с тех пор у лесной реки всё было тихо и мирно, никто не жаловался ни на засуху, ни на безрыбье.

Омутник

А самому Кию пришлось как-то раз ополаскивать руки у омута неподалёку, и к нему незаметно приблизился седенький старец.

— Эх, и я был таким, — вздохнул он завистливо, глядя на сильные руки юного кузнеца, на его широкие плечи. — Теперь ведь не то, теперь всякий может обидеть...

— Экое безлепие, старика обижать! — нахмурился Кий. — У нас здесь и не слыхивали про такое! Да ты кто будешь, дедушка? Не видал я тебя раньше, нездешний, знать?

— Оттого не видал, что мне нужды не было казаться, — отвечал дед. — Я-то тебя вот таким ещё помню. Я Омутник здешний, хозяин этого омута... был хозяин, а теперь сам не ведаю, куда с горя податься...

— Кто обидел тебя? — спросил кузнец. Дед ответил:

— Да свой же брат, Омутник. Жил он у Железных Гор, пришлось, говорит, оттоль убираться, напросился в гости ко мне. А только он и сам, видать, дурного набрался: надумал совсем меня выселить... Поможешь мне, Кий-Молоточек? Али плохо я тебя всегда умывал?..

— Как не помочь, дедушка Омутник, — пообещал Кий. — Что делать, скажи!

— А вот что, — приободрился старик. — Приходи сюда ночью да молоток с собой не забудь. Увидишь, как побегут по омуту две волны одна за другой. Это я гостюшку погоню. Ты уж бей по первой волне, он как раз в ней и будет, а я во второй, не зашиби смотри!

— Дедушка, — сказал Кий. — У меня ведь помощник есть — сам Перун свет Сварожич! Слышишь, в кузнице ковадлом постукивает? Хочешь, с собой его позову, он твоему обидчику и без драки путь-то покажет...

— Что ты! Что ты!.. — замахал руками старик и с молодой прытью нырнул, потом наново высунулся: — Он — огненный Бог, страшусь я его! Один приходи, коли уж взялся помочь.

На том порешили. Ночью засел Кий с молоточком на берегу. Стал глядеть, как плывёт над омутом Месяц, плывёт высоко, куда выше прежнего, стыдится грязных пятен на серебристом лице, да и побаивается... совсем было засыпать начал кузнец, когда вдруг забурлило в омуте, закипело — и точно, побежали к берегу две волны, одна за другой, прямо на Кия. Обождал Кий, нацелился — да как хватил молотом по первой волне!

Что тут стало! Взвыл кто-то дурным голосом так, что долго ещё гудело по лесу. И вроде бы выскочил из воды препротивный, обрюзглый голый старик, в тине весь, с длинной растрёпанной бородой и рачьими глазами... убежал куда-то, шлёпая перепончатыми лапами, а впрочем, в потёмках-то много ли разглядишь.

Вышел старый Омутник на берег, начал благодарить Кия:

— А пуще всего за то спасибо тебе, кузнец, что помощничка сюда не привёл...

Прямо по имени так ведь и не назвал — боялся.

Банник

А всё-таки и Перуну в то лето, что он работал у Кия и не появлялся на небе, досталось раз явить свою силу.

Был у Кия сосед — брат троюродный, и у соседа баня. А в бане, как всегда водится, — банный дух, Банник. И за что-то невзлюбил этот Банник соседову молодую жену. Уж она и веничек ему оставляла, и воду, и добрый пар — всё равно: едва она за мытьё, непременно плеснёт на ногу кипятком, либо горячий камень расколет, так в неё и метнёт. А один раз вовсе чуть не сгубил: ухватил — сила-то немеряная, даром что ростом не вышел, — да и начал затаскивать меж стеною и каменной печкой, жечь почём зря, кожу сдирать. Хорошо, на крики жены вовремя подоспел муж-крепыш, отстоял, вынес еле живую, насилу водой отпоил.

Зашёл как-то этот сосед в кузницу Кия полюбоваться работой да починить ножницы овечьи. И обмолвился в разговоре, какие недобрые дела у них повелись. И обереги, мол, не оберегают. А хлеба краюшку злому Баннику положили — и ту не принял, всю перемял, истоптал... Этого уж Перун, качавший молча меха, стерпеть не сумел.

— Хлеб истоптал? — спросил негромко, но по стенам зазвенели молоточки, свёрла, подпилки. Отошёл от мехов, и сосед вытаращил глаза: меха продолжали качаться, ибо внуки Неба-Стрибога, быстрые Ветры, во всём слушались Бога Грозы и помогали ему. Откуда же мог знать Киев родич, какой такой черноволосый молодой исполин ходил в работниках у кузнеца. Все его, молчаливого, называли Тархом Тараховичем или просто Балдой, то есть Большим Молотом, а дальше не любопытничали.

— Эта служба как раз для меня, — молвил Перун. И помстилось соседу, что волосы его заклубились грозовой тучей, а в глазах заплясали синие молнии, и глухо пророкотало где-то вдали. Испугался землепашец, не хуже ли ещё

Банника окажет себя этот Балда... но делать нечего, заварил кашу, расхлёбывай.

В тот же вечер, не мешкая долго, истопили баню. Жена соседа показалась с мужем в предбаннике, потом тихо вышла, а Перун шагнул внутрь. И сосед, желая позлить Банника, ещё крикнул следом, как сговорились:

— Шевелись там, жена!

Уж очень Банник не любит, когда кого-то торопят. Тотчас плеснул он в вошедшего целый ковш варёной воды, ждал крику, но где там! Может ли кипяток повредить Богу Грозы, родному брату Солнца, родному брату Огня! Он из горна поковки голой рукой под молот бросал и держал крепче клещей. Не успел опомниться Банник, как ухватило его что-то — а что, не понять, лишь два глаза во тьме и в глазах свирепое пламя! Как начало макать голого в крутой кипяток, да и мыть им, что ветошкой, полки, стены и пол! Как начало прямо над каменкой воду из бороды выжимать!..

Сосед с женою в предбаннике напугались, выскочили наружу: решили — сейчас баня развалится, раскатится по брёвнышку. Но нет.

— Будешь кипятком шпариться? — спросил Перун Банника, когда тот и вопить уже перестал, всхлипывал только. — Будешь камни кидать? За горячую печку будешь утаскивать?

— Не буду!.. — заверещал Банник, засучил кривыми короткими ножками. — Ой, не буду, только помилуй!

— А хлеб пинать?

— Не буду, бородою клянусь, пусть с неё вся плесень отмоется!

Выпустил Перун Банника и молча ушёл, так и не показавшись. Да тот и не больно смотрел, был рад-радёшенек, что уцелел. Долго потом сидел тише воды, ниже травы, скуля, зализывал ссадины и всё думал, кто же это с ним справился? Да ещё и клятвой связал?.. Ничего не придумал — навыкнув шпарить исподтишка кипятком, ума палату не наживёшь. А потом как-то в сумерках увидал хозяйскую серую кошку, приметил, как сверкнули её глаза при выплывшем Месяце... и без памяти юркнул обратно за дверь, еле-еле дух перевёл.

И вот, когда заглянула туда осмелевшая молодая хозяйка, пузатый голенький старичок высунул из-под полка конец бороды, позеленевшей от плесени:

— Скажи, хозяюшка, а что ваша кошка? Жива ли?..

— Жива, — не растерялась смышлёная женщина. — Как не жива! Вчера только ещё семерых таких принесла.

— Ой, горе! — не в шутку напуганный, разохался Банник. — Ты уж сюда, сделай милость, не допускай её!

На том поладили. С тех пор жёны ходят в баню рожать, и, говорят, Банник им помогает. И все Люди, напарившись, благодарят его и не забывают оставить душистый веничек, лоханку чистой воды. И никогда не моются больше трёх пар подряд — Банник этого не любит по-прежнему:

— Не в свой пар не ходи!

Огненный палец и ледяной гвоздь

Целый год Перун провёл на Земле, в закопчённой кузнице Кия. Но наконец зафыркали у ворот крылатые скакуны, впряжённые в чудесную колесницу, настало время прощаться.

— Ты меня научил всему, господине, — молвил Кий. — Вот, прими в подарок на память...

— Что это? — удивился Перун.

— Это огненный палец, — ответил кузнец. — В нём частица сути Огня. Всё, чего он коснётся, должно немедля ожить, если только оно не всегда было мёртвым. Испробуй!

— Не откажусь, — сказал Бог Грозы. Вытянул из поленницы дубовый обрубок, примерился и чиркнул огненным пальцем. Метнулось, на миг ослепило белое пламя... и вот диво: давно высохшее полено в руке Перуна тотчас стало расти, выпускать зелёные ветви, потянулось к земной влаге толстенькими корешками.

— Хороша ли работа? — улыбнулся кузнец. Перун засмеялся впервые за целый год:

— Совсем кудесником стал!

Кий разгрёб землю, делая ямку, и сын Неба бережно опустил в неё деревце:

— Пусть растёт.

Дубок принялся и за одно лето вымахал в могучее, стройное дерево. Его так и прозвали — Перуновым дубом, стали чтить, оставлять на ветвях когда пёстрые лоскутки, когда обыденные — вытканные за день — полотенца, прося о чём-нибудь Бога Грозы. Обнесли оградкой. Кончилось тем, что Кий надумал перенести кузню подальше. Начал облюбовывать место, и тогда вновь явился к нему Перун:

— Покажу, где ставить... Пора уже тебе железо ковать.

Он научил Кия искать по болотам руду — первородную кровь Земли-матери. Научил плавить ноздреватые крицы железа и крепко бить их молотом на наковальне, очищая огнём. Выучил, наконец, готовить упругую сталь и сочетать её с вязким, мягким железом, чтобы не гнулись, не тупились и не ломались лемехи и клинки... Многими невиданными прежде искусствами овладел кузнец. И всё это, конечно, под воркотню старцев, давно успевших забыть появление медных ножей на смену палицам и каменьям и собственное тогдашнее недовольство:

— Знай всё новенькое придумываешь! Не отеческим законом живёшь...

Но Кий знай упрямо ковал, и вот диво — железные ножницы и серпы на торгу расходились куда проворнее медных. И стихло малопомалу ворчание стариков.

Однажды в тёмное новолуние Кий припозднился с работой и ковал заполночь, когда снаружи долетел женский голос:

— Кузнец, отвори! — и опять, сквозь звон молота: — Кузнец, отвори!

— Входи, кто там, — отмолвил занятый умелец. Он и в мысли не держал замыкать, запирать запорами дверь: от кого бы? В других краях, ближе к недобрым Горам, появлялись вроде нечистые на руку Люди, но здесь...

— Кузнец, отвори!.. — долетело в третий раз, и Кий, вытерев руки, открыл дверь. Незнакомая женщина ступила через порог, и вместе с нею ворвался такой ледяной холод, что даже пламя, плясавшее весело в горне, как будто испуганно съёжилось. Но почти сразу Огонь выпрямился и взревел, и теперь уже женщина отшатнулась прочь, закрываясь рукой...

Кий усадил нежданную гостью и заметил, что она была на диво хороша: волосы — вороново крыло, сама — вбеле румяна, вот только глаз Кий никак не мог рассмотреть, всё потупливалась. Но зато ресницы... Вздохнул Кий, вспомнил молоденькую невесту, вовсе невзрачную рядом с этакой раскрасавицей... устыдился и покраснел. А та уже вынула из корзинки мёртвую птаху — комочек серого пуха, тонкие торчащие лапки:

— Разное о тебе бают, кузнец. Вот первая служба: сделаешь ли, чтобы мой соловушка снова запел?

— Попробую... — нахмурился Кий. Сжёг в горне окоченевшее тельце, а невесомую толику пепла бросил в кипящее молоко и прошептал над ним, как научил Перун. И тотчас взвился из молока оживший соловушка — но к хозяйке почему-то не полетел: в ужасе заметался по кузне, потом выпорхнул в приоткрытую дверь. Женщина прянула было поймать, но под взглядом кузнеца промахнулась, Кию же вдруг причудилось, будто зловеще вытянулись её пальцы и скрючились, точно хищные когти... Но только на миг. И вот всё миновало, и прежняя раскрасавица извлекла из корзинки жестоко задушенного кем-то котёнка:

— Сослужи и вторую службу, кузнец.

И всё повторилось, и серый котёнок тоже в руки к ней не пошёл — запищал и всеми коготками вцепился в Киев кожаный передник, не оторвать.

— А вот и третья служба, — молвила женщина. И подняла наконец глаза, и глаза были, что две дыры — ни света, ни дна: — Сделай мне ледяной гвоздь — что ни кольнёт, всё чтобы непробудным сном тотчас засыпало! А тебя так награжу, как тебе и во сне ни разу не снилось...

Подошла раскрасавица и уж руки протянула — обнять оторопевшего Кия, наметилась устами в уста. Но кузнец опомнился:

— Какой гвоздь? Кого уколоть?..

— Реку, чтоб не шумела, — отмолвила, ступая следом, злая Морана. — Птицу, чтобы поутру не пела. Тучу грозную, чтобы дождь не лила. А тебе, Кию, старейшиной быть над всеми Людьми! Мужи, с кем ныне не ладишь, по шею в топком болоте руду станут копать! А жёны, самые гордые, самые красивые, только слово скажи...

Но Кий уже дотянулся до наковальни и схватил большой молот-балду, сделанный когда-то нарочно для Перуна, одному ему по могуте:

— Пропади, негодная! Сгинь!..

И молот, помнивший десницу Бога Грозы, послушался молодого кузнеца, взвился в его руках высоко и брызнул золотыми искрами громовой секиры:

— Я служу Солнцу, Молнии и Огню, а не смерти и холоду! Пропади!..

Миг — и вместо красавицы оказало себя перед Кием когтистое чудище. Ещё миг — и грянул молот в пустое место, где оно только что стояло. Молот ушёл глубоко в землю и там крепко застрял, а от сбежавшей Мораны сохранилась в кузне корзинка. Кий осторожно взял её клещами и бросил в огонь, и добрая лоза, из которой она была согнута, благодарно распрямлялась, сгорая. Когда же рассыпались угли, стал виден не то камень, не то неведомый самородок. Свирепое пламя горна так и не смогло его раскалить. Кий отнёс самородок подальше и закопал под валуном, не забыв промолвить заклятие — из тех, что всегда произносят над кладами: чтобы лежал смирно и глубоко и никому не давался, только зарывшему...

Утром, умываясь в ручье, Кий заметил у себя на висках седину. А потом осмотрел дверь и понял, почему злая Морана не смела войти, пока он сам её не впустил. Мешала ей железная полоса, скрепившая доски, мешали железные петли, железный засов, не заложенный, но касавшийся ушка на ободверине. С радостным удивлением догадался Кий, что нечисть боялась железа. Недаром Чернобог и Морана оказались словно заперты Железными Горами в Исподней Стране, изникали через единственный лаз...

С тех пор и до сего дня Люди стараются взять в руку железо, если опасаются порчи и надеются отогнать невидимого врага. Так и говорят:

— Подержись за железо, чтобы не сглазить!

И до сего дня у злых сил первый враг — умелый кузнец. Самая лютая нежить вовек не сумеет одолеть его или заморочить. А всё потому, что Кий, самый первый кузнец, когда-то выдержал испытание, отказался мастерить оружие Злу.

Собака и хлеб

— Дура! — сказал Чернобог, когда еле спасшаяся Морана вернулась в Кромешный Мир, в подземные ледяные чертоги. — Неужели ты вправду помыслила, что побратавшийся с Огнём станет тебе помогать?

— Не произноси этого слова! — затряслась Морана. — От него стены обтаивают!..

Сделали они наковальню из гладкого куска льда, раздули морозное пламя метели, попробовали ковать...

— Кому там они поклоняются, эти Люди, — качая меха, шипела Морана. — Какой-то Великой Матери Живе! Грязной Земле!.. Я им покажу, кто достоин поклонения, великих жертв! Я сделаю их мир похожим на наш — снежинка к снежинке... В нём будет порядок, а меня назовут Матерью!

— А небо станет чёрным, — поддакивал Чернобог. — Таким, какое оно здесь, когда у них день!

Злые, стылые ветры неслись из мехов, рассеивали непотребство по всему белому свету...

Между тем в Вёрхнем Мире как раз совершался праздник Перуна, и все добрые Люди угощались жертвенным мясом близ святилищ Бога Грозы, на весёлом пиру, угощали славного сына Неба, незримо пировавшего среди них. Все — кроме нескольких беззаконных. Не почтили они Сварожича, вышли работать. Зарокотал было над ними тяжким громом гневный Перун... но отступился, ради праздника не стал никого пугать. А может, припомнил, как когда-то дал волю гневу и год ходил по Земле...

И всё бы ничего, но одна бесстыдная баба-гулёха взяла с собой в поле дитя, рождённое невесть от кого. Оставленное под кустом, дитя вскорости обмарало пелёнки и мало не надорвалось криком, пока горе-мать подошла наконец. Но лучше бы и не подходила: распеленала ведь — и со злости вытерла обмаранное дитя житными колосьями!

Этого уже не вынес Перун, целое лето бережно растивший хлеба. Такой грозой грянул над виноватой головушкой, что перепуганной бабе помстилось — падают, рассыпались все девять небес. Чуть, говорят, не окаменела на месте. Но главный страх был ещё впереди: увидели Люди, как неожиданный вихрь начал втягивать осквернённое жито, уносить его вверх, вверх, прямо в чёрную тучу... Кинулись хватать руками колосья, накрывать шапками — те не давались, обиженные.

И, верно, вовек бы не вспоминать нечестивым святого хлебного запаха — но тут со всех четырёх резвых лап подоспела к полю Собака.

— Перун! Перун! — пролаяла она звонко. — Я это поле от косуль стерегла, оленей в лес прогоняла! Оставь мне на еду, сколько в зубах унесу!

Услышал разгневанный Бог мольбу голодной Собаки, не знавшей от хозяев награды, кроме пинков, — и тряхнул вороными клубящимися кудрями, позволил забрать, что поместится в пасти. Убежала Собака с пучком спелых колосьев, и Люди — делать-то нечего — пришли к ней по весне, начали просить в долг зерна для посева. Клялись кормить Собаку и весь её род, обещали и внукам то заповедать. Добрая Собака не стала поминать зла и не пожадничала, и поле было засеяно, но Люди долго вздыхали — не тот, что когда-то, стал урожай. Не росло больше по сотне колосьев на каждом стебле, только по одному. А и плакаться не на кого, сами виновны.

Вот почему все отворачиваются от того, кто выгонит из дому Собаку. Вот почему изображения Собак сделались оберегами, обороной посевов. Так прославили Люди храброго зверя, посредника меж ними и разгневанным Богом. Говорят ещё, одному псу даны были крылья, чтобы проворней сновал между Землёю и Небом. Этого пса Люди прозывают Семарглом. Сказывают — если весной пробежит он по хлебному полю, можно смело ждать урожая. Оттого Семаргла зовут ещё Переплутом — покровителем корешков, переплетённых в Земле. Ведь если бы не Собака...

Змей Волос

Так устроено Зло, что само по себе оно ничего не может родить. Доброе дерево, умерев, вновь становится плодородной Землёй, дающей питание семенам; сама его Смерть становится Жизнью. А Зло никогда и не ведало настоящей живой жизни, оно от века мертво. И, бесплодное, способно только калечить и убивать, но не творить. Вот и стремится оно обратить себе на службу всё, что только ни зацепит его когтистая лапа. Разум так разум, силу так силу. Кого обещанием, кого уговором, кого принуждением. И почти всегда — выдавая себя за Добро. Своей совести нет, так чужую салом залить…

Долго не удавалось Моране и Чернобогу выковать ледяной гвоздь. Такой, чтобы всё непробудным сном усыплял, птицу и зверя, человека и звонкий ручей, даже небесную тучу. Не слушался лёд: он ведь тоже был когда-то живой, журчащей водой и злой воли слушаться не хотел.

— Нужен нам могучий помощник, — сказал наконец Чернобог. — Думай, разумница!

И Морана начала думать, а потом снова дождалась кромешного новолуния и пробралась на спящую Землю, украла змеиное яйцо из гнезда.

Уже было сказано, что Змеи в те времена не жалили ядовито, не губили неосторожных Людей, были добрыми и безобидными, как теперешние ужи. Перун жаловал Змей, всегда посылал по их просьбе дождь наземь. А Люди жили со Змеями в мире, селили их у себя в доме, поили парным молочком. И когда для моления Ладе-Рожанице делали из глины с хлебными зёрнами образки беременных жён — самое святое и уязвимое, чрево и грудь, обвивали изображениями добрых Змей, Хранительниц-Змей. Вот как было.

Долго горевала ограбленная Змея, лишившаяся детища... Но если бы знала, что из него выйдет, — живая навеки в Землю зарылась бы. Потому что Морана обвила яйцо длинным волосом, вынутым из растрёпанной косы беспутной, загулявшейся бабы, той самой, что дитя колосьями обтирала. И долго творила мерзкие заклинания, чтобы прижился волос, чтобы впитал, высосал живую суть из яйца. И это сбылось. Когда скорлупа опустела, вместо бабьего волоса родился небывалый змеёныш — слепой, тощий и слабый, но с пастью шире некуда, прожорливый и жадный. Стали звать его Волосом, а ещё Сосуном — Смоком, Цмоком. И каких только яиц не перетаскала ему обрадованная Морана: змеиных, ящеричьих, птичьих. Оттого, когда Волос подрос, оказалось у него змеиное тулово, одетое разом в мех и пёструю чешую, короткие когтистые лапы, голова ящерицы и перепончатые крылья. И разума — никакого. Кто поведёт, за тем и пойдёт. И на зло, и на добро.

А Морана всё приживляла к изначальному волосу новые, звериные и человечьи. Все, какие могла подобрать. Потерянные медведем и волком у водопоя, неосторожно состриженные и выметенные из избы... Лишь много позже поняли горько наученные Люди, как опасно бросать ногти и волосы, поняли, что подобный сор нельзя беспечно мести вон на потребу злым колдунам — надо тщательно собирать его полынными вениками и сжигать в чистом огне... Что поделаешь: никто не научил их, пока было время. Ведь Боги сами были тогда доверчивыми и молодыми и не ведали всех путей и хитростей Зла.

Змей же вырос, как на дрожжах. Повадился выбираться за Железные Горы, в широкий солнечный мир. Летал меж облаков, ходил в облике человека, бегал зверем прыскучим, носился по лугам вихорем, столбом крутящейся пыли. Превращался во всё, что угодно, лишь стоило пожелать. Было в нём без числа сутей — порою сам забывал, что родился всё-таки Змеем. Памяти ему, как и разума, досталось едва-едва. Зато силушки — невпроворот.

Пришлось с ним помучиться самой Моране, вскормившей его ради злого служения. Как-то приказала она подросшему Волосу:

— Слетай на вершину неприступной горы, принеси иголку синего льда, самого холодного, какой сумеешь найти.

Ибо открылось злодейке: лишь из этого льда можно выковать усыпляющий гвоздь. Но Волос заупрямился:

— Не хочу!

Поймал клубок ниток, покатил по полу, затеял игру. Озлилась Морана — да как огрела его поперёк спины прялкой, на которой ночами пряла Людям несчастья:

— Кому сказано!

Заплакал обиженный Змей, пополз вон из пещер, на ходу утирая огромными лапами слёзы. Взмахнул жёсткими крыльями, взмыл в небо повыше горных вершин... но увидал колесницу Даждьбога, сияющее Солнце — и мигом забыл все наказы хозяйки. Подлетел поближе, залюбовался:

— Какое блестящее! Подари, а?

Величавый сын Неба улыбнулся юному чудищу, заглянул в радужные, лишённые смысла глаза. И ласково молвил:

— Как же я подарю тебе Солнце? Оно не моё, не твоё, оно каждому поровну светит.

Ничего не понял Змей Волос и начал выпрашивать:

— Да я не насовсем — поиграю и принесу...

— Нет, — покачал золотой головой могучий Сварожич. — Ищи другие игрушки.

Тогда Змей распахнул пасть, показывая тьмутьмущую кривых, острых зубов:

— А я тебя укушу!

Понял Даждьбог — надо Змея уму-разуму научить. И повернул огненный щит прямо на Волоса:

— Кусай!

Вскрикнул Волос, будто кто хлестнул его по глазам, кувырком отлетел прочь, прикрылся лапами и вновь заскулил:

— Клубок покатать не дали, побили... и ты тоже дерёшься...

— Я бы не дрался, когда бы ты не кусался, — усовестил его сын Неба. И смягчился, не привыкнув долго сердиться: — Да ты, вижу, не знаешь совсем ничего. Давай лучше дружить, я тебе обо всём сказывать стану.

Змей обрадовался:

— Давай!

Целый день они вместе летели высоко в небесах, от восхода к закату, и Податель Благ рассказывал Волосу о зелёной Земле, о лесах, лугах и полноводных реках, о рыбах морских и гадах болотных, о птицах, зверях и Людях. Рассказывал о светлых Богах и о малой силе, живущей повсюду: о Домовых, Водяных, Леших, Болотниках, Банниках, Омутниках, Русалках, Полуднице...

Что запомнил из этого Змей с бестолковыми радужными глазами, что не запомнил — нам знать неоткуда. Говорят, однако, что вечером, у берега западного Океана, он разогнал уток и лебедей и сам впрягся в лодью, играючи перевёз в Нижний Мир коней с колесницей. Распрощался и полетел домой.

Морана встретила его помелом:

— Почему лёд не принёс, скользкое твоё брюхо?

— Какой лёд? — искренне изумилось чудище. Злая Морана принялась охаживать его по бокам:

— Будешь помнить, беспамятный! Будешь помнить, что тебе говорят!

Съёжился Змей в тёмном углу, в третий раз залился слезами:

— Улечу от тебя на небо, к Даждьбогу! Он добрый!..

Вот когда страшно сделалось лютой ведьме Моране. Поняла, что не превозмогло её мёртвое зло добрых живых начал, из которых создан был Змей. Ведь и та гулящая баба не такова родилась. А ну вправду переметнётся к Сварожичам...

Вмиг сменила Морана гнев на милость, приголубила Волоса, налила ведерную чашу тёплого молока, сбила яичницу из сорока яиц, заправила салом. Вылакал Змей молоко, досуха облизал сковородку... забыл все обиды, разлёгся вверх животом, глаза блаженно прикрыл. А злая Морана его зубастую голову на колени к себе уложила, принялась под подбородком чесать:

— Ты меня слушайся. Я тебя научу, как у Даждьбога игрушку блестящую отобрать.

Змей обрадовался:

— Правда научишь? — но тут же сунул в перемазанный молоком рот палец со страшным отточенным когтем, наморщил узенький лоб, тщетно силясь что-то припомнить: — А он говорил... ни твоё, ни моё... Всем поровну светит...

— Всем поровну? — усмехнулась Морана. — Ему, жадному, просто делиться не хочется. А ты, глупый, и слушаешь.

— Я думал, он красивый и добрый, — огорчился легковерный Змей. — Он мне рассказывал...

— Теперь я буду рассказывать, — перебила Морана. — Говорил ли он тебе о золоте и серебре, о дорогих блестящих каменьях? Это занятнее, чем про луга и леса. А про девок красных хочешь послушать?

— Хочу! — закричал Змей на всю пещеру. — Хочу!..

Леший

Беспутная баба, чей волос украла злая Морана, так и не сведала о пропаже. Гулёхе не было дела даже до собственного дитяти — всё бы пиры, всё бы наряды, всё бы дорогие бусы на грудь. Так и подросла её девочка, никогда не сидевшая на отцовских коленях, подросла неухоженная и нелюбимая. Только слышала от матери — отойди да отстань. И вот как-то раз наряжалась та для заезжего друга, для гостя богатого. А девочка, на беду, всё вертелась подле неё, тянулась к самоцветным перстням, к заморскому ожерелью... и нечаянно уронила на пол шкатулку. Мать ей в сердцах — подзатыльник:

— Да что за наказание! Хоть бы Леший тебя увёл в неворотимую сторону!..

И только сказала, как будто холодный вихрь прошёл по избе. Сама собой распахнулась дверь, и девочка, вскочив, побежала:

— Дедушка, погоди! Дедушка, я с тобой, погоди!..

Известно же, материнское слово — нет его крепче, как приговорит мать, всё сбудется. Благословит — так уж благословит, проклянет — так уж проклянет. Даже Боги, бывает, перед её властью склоняются. И вот не подумавши брякнула горе-мать тяжёлое слово, да не в час и попала. Опамятовалась, кинулась следом:

— Стой, дитятко! Стой!

Куда там. Бежала девочка, словно кто её нёс, лишь пятки резво мелькали:

— Дедушка, погоди...

Кто-то был вблизи на коне, хлестнул, поскакал. Но и конному не далась. Скрылась детская рубашонка у края опушки, затих в лесу голосок... поминай как звали! Пала наземь глупая баба, завыла, стала волосы рвать. Да поздно.

Тут припомнили мужчины-охотники, как ходили в тот лес за зверем и птицей и как порой не могли отыскать тропинку назад, плутали кругами и выходили к одной и той же поляне... Как отзывалось эхо лесное знакомым вроде бы голосом, и человек бежал, спотыкаясь, между обросшими мохом стволами, не ведая, что уходит всё дальше, а под ногами злорадно чавкала болотная жижа, и чей-то насмешливый хохот слышался то близко, то далеко... И наконец смекал заблудившийся, что это обошёл его Леший. Обошёл, положил невидимую черту — не переступить её, не выйти из круга. Хорошо тому, кто сумеет отделаться, кто знает, что надобно вывернуть наизнанку одежду, переменить сапоги — правый на левую ногу, левый на правую. Сгрызть зубок чесноку или хоть помянуть его, а самое верное — выругаться покрепче.

Бранного слова Леший не переносит, затыкает уши, уходит... Пропадёт морок — и окажется, что охотник метался чуть не в виду жилья, в трёх соснах, в рощице ближней!..

Стали вспоминать девки и бабы: ходили ведь за грибами, за ягодами, и бывало — встречали в лесу кого-нибудь из добрых знакомых, вроде соседского дядьки, затевали беседу, уговаривались идти вместе домой. И вот идут, идут, вдруг спохватятся — ни тропы, ни соседского дядьки, болото кругом непролазное или крутой овраг впереди, и уже Солнце садится...

Жутко!

Но если по совести, бывало так большей частью с теми, кто плохо чтил Правду лесную. Не оставлял в бору первую добытую дичь Лешему в жертву. Не приносил в лес посоленного блина в благодарность за ягоды и грибы...

Совсем другое дело — те, кто, лесом живя, умел с ним поладить. Вот хотя бы Киев отец. Как-то, едучи с торга домой, услыхал в чаще стон. Что делать? Призадумаешься! Ведь учён был, как все, в детстве родителями: не ровен час доведётся услышать в лесу детский плач или жалобный человеческий крик — беги прочь без оглядки. Это Леший заманивает, притворяется. Решишься помочь, сам пропадёшь. Вот и выбирай. И страшно, и совесть, того гляди, без зубов загрызёт. Всё же слез с телеги старик, привязал послушную лошадь и побрёл туда, откуда слышался стон. А надобно молвить, как раз накануне гудела в лесу свирепая буря, роняла вековые деревья, и Люди судили: не иначе, Лешие ссорятся. Старец и вправду вскорости вышел к великому буревалу. Лежали гордые сосны, вырванные с корнями, лежали стройные ели, не успевшие сбросить красные шишки... Едва-едва перелез через них отец кузнеца. Прислушался — стон вроде ближе. Стал смотреть и увидел в кустах доброго молодца, крепко связанного по рукам и ногам. Распутал его старик, принялся трепать по щекам, обливать ключевой холодной водицей, а сам думает: как же до телеги-то донесу?..

Наконец молодец зашевелился, раскрыл глаза — зелёные-презелёные, ярко горящие в лесных потёмках! Тут и пригляделся старик: всем парень хорош, только почему-то у него левая пола запахнута за правую, не наоборот, как носят обычно, и обувь перепутана, и пояса нет... Решил было старый — от Лешего уходил человек. Но пригляделся ещё — батюшки! — волосы-то у парня пониже плеч и зеленоватые, что боровой мох, а на лице — ни бровей, ни ресниц, лишь бородка, и ухо вроде только одно — левое...

Совсем струсил старик, понял: не человека избавил, самого Лешего выручил из беды. Что делать?.. А Леший встал, отряхнул порты и поклонился до самой земли:

— Спасибо, старинушка! Из чужих лесов находники-Лешие меня одолели, побили втроём, связали да бросили. От самых Железных Гор, слышно, явились. Хотели, чтоб я, связанный, угодил под грозу, сделался навек росомахой... Чего желаешь — проси!

283

— Да я ведь... — оробел Киев отец, — я же не за награду... я так просто...

А сам боком, боком — к телеге. Не заметил, как и валежины перемахнул. Леший захохотал вслед, засвистел весело:

— Добро, старинушка! Будет твоя скотина сама ходить в мой лес пастись, сама возвращаться, ни один зверь не обидит!

Тогда, говорят, оглянулся старик и увидел, как вышел из чащи великий медведь. Молодой Леший вскочил на мохнатую бурую спину, поехал, что на коне...

И действительно, с того самого дня весь род старика не знал больше заботы с коровами, норовящими разбрестись в березняке, уйти в непролазную глушь волкам на потребу. Никто не пугал дочек с малыми внучками, собравшихся по грибы, вышедших лакомиться смородиной и румяной брусникой. Никто не морочил охотников, не отводил им глаза. Наоборот: ягодные поляны так и распахивались перед добытчицами, зверь будто сам шёл навстречу честной стреле и скоро снова рождался, отпущенный из ирия... Но и Люди не забывали про хлеб-соль для Лешего, не забывали поблагодарить Диво Лесное, поднести блина-пирожка. Не ругались под деревьями и всегда тушили костры: Лешему не по нраву горячие головешки, может обидеться...

А пришлые Лешие, что связали зеленоокого молодца, поселились в другом лесу, опричь Киева рода. Выиграли, говорят, у прежнего хозяина в свайку. Вот из них-то один девочку и увёл.

Кузнец и лесной страх

Плакала, плакала горе-мать, сама сгубившая дочку... к кому идти за подмогой? Добрые Люди опять надоумили: к кузнецу Кию. У него, дескать, работник служил, Банника драчливого не побоялся. А коли работник таков, каков сам-то хозяин? Неужели Лешего не осилит?

И баба-гулёна взялась, хоть поздно, за ум. Решилась дочку вернуть. Помолилась Солнцу небесному, увязала в беленький узелок перстни-жуковинья и самоцветные бусы — и к Кию со всех ног:

— Возьми, кузнец, серебро, возьми золото, возьми дорогие каменья, только пособи дитя домой воротить! Твой батюшка Лешего знает...

— Это в другом лесу Леший, — покачал головой Кий. — Ладно, попробую тебе помочь, не знаю только, получится ли. Ты камни-то спрячь...

Стал он снаряжаться. Взял рогатину на крепком ясеневом древке, с серебряной насечкой у жала, взял охотничий нож — вместе с Перуном они его выковали, когда расставались. И ещё оберег — громовое колесо о шести спицах-лучах, сработанное из светлого серебра. Кий надел его на плетёный шнурок и спрятал за пазуху. Велел женщине сказывать, по которой тропе убежала пропавшая девочка... горе-мать залилась слезами, но сумела объяснить внятно. Выслушал её Кий и отправился в лес. По дороге сорвал гроздь спелой калины, понёс с собою.

Улыбнулся любопытному горностаюшке, прыгнувшему на тропу.

Долго ли шёл, коротко ли... Вела его тропа верховым бором-беломошником, каменными холмами, откуда было далеко видно кругом: густые кудри вершин и стволы в жарких медных кольчугах, тихие лесные озёра и радуги, дрожащие над перекатами. Красные гранитные скалы и само далёкое море в зелёном кружеве островов, безмятежное к исходу тёплого дня...

Потом отступили холмы, и места сразу сделались глуше: зачавкало под ногами, встали по сторонам безмолвные чёрные ели. По макушкам ещё скользили солнечные лучи, но впереди, над тропой, начал собираться вечерний туман. Невольно подумалось Кию — сюда, на самое лесное дно, Даждьбог-Солнышко если когда и заглядывал, то разве что в полдень. Вспомнил Кий светлого Сварожича, Подателя Благ... и вовремя спохватился: тропа-то где? Оказалось, уже соступил, уже начал кто-то с толку сбивать. Еле-еле вернулся Кий на тропу, и, что таить, сделалось ему жутковато. Ну да не с полдороги же поворачивать.

— А невесёлые тут места, — сказал он громко вслух. — Небось, прежний Леший не так и досадовал, что проиграл!

Метнулась из чащи сова, чуть не задела крылом...

Как раз к темноте вышел Кий на поляну, где разделялась тропа: направо пойдёшь — в топь попадёшь, налево пойдёшь — из болота не выберешься. Здесь Кий остановился. Набрал сухого валежника, высек Огонь, давай костёр возгнетать. Устроился же он на самой росстани — там, где расходились две тропки. А просить позволения у Лесного Хозина и не подумал. Рассудил так: осердится — верней припожалует. Повечерял салом да хлебом, пожевал на заедку кислый леваш из сушёной тёртой черники — и лёг, завернувшись в тёплый меховой плащ, но глаз не сомкнул. Стал Лешего ждать.

Всем ведомо, как гневается Леший, когда в его владениях укладываются спать на тропе. А уж на росстани, да не спросясь!.. Вот приблизилась чёрная полночь, безвременье, когда сменяются сутки, и вдруг безо всякого ветра зарокотали, жутким стоном застонали лесные вершины... лихой мороз пробежал у кузнеца по спине, только он и виду не подал. Лежал себе, где лежал, не шелохнулся. Понял: Лесной Хозяин недалеко, пугать начинает, сейчас придёт с места сгонять.

...Потом померещилось, будто кто зашагал тяжёлым великанским шагом по лесу, ближе и ближе, кто-то выше самых высоких деревьев, с шумом и треском, ни дать ни взять вековые стволы переламывая, как сухие лучинки! Бежать впору без оглядки — но и в этот раз молодой кузнец не двинулся с места, только на другой бок повернулся. И не дошёл до него великан, утих шум и треск — но тотчас долетел бешеный топот разлетевшейся тройки, неистовый перезвон колокольцев: откуда бы взяться коням на узенькой тропке, в непроглядной лесной темноте?.. А всё одно — мчится, храпит, вот сейчас копытами в землю вобьёт...

Тут уж Кий схватился одной рукой за железный наконечник копья, а другой нашарил за пазухой оберег — громовое колесо, стиснул вспотевшей ладонью. Да кто бы не напугался!.. Всё ближе топот, всё ближе взбесившиеся колокольцы... и вдруг минуло — только холодный ветер прошелестел над поляной, взъерошил кузнецу русые кудри. Далеко был в ту пору Перун, а всё ж помогло серебряное колесо, дало силу выстоять против третьего страха. Стал Кий дальше ждать, терпеливо приманивать Лешего, точно зверя к ловушке. И приманил. Скоро услыхал в лесной тишине, как подкрался к нему кто-то сзади и — раз! — пнул в спину ногой, да тут же и отскочил. И ворчливо сказал человеческим голосом из кустов:

— Ты что не спросясь на моей дороге разлёгся? Уйди!

Не поднялся Кий, лишь отмахнулся, точно от комара. Снова подкрался Леший и пнул его:

— Уйди с тропки, невежа, тебе говорю! Не то разума лишу, совсем погублю!

Но Кий знал — Леший может разум отнять только у того, кто как следует испугается. И ведь дождался, чтобы Леший в третий раз к нему подошёл и показался в отблеске углей. И тут-то вскинулся молодой кузнец, обхватил его поперёк, подмял под себя:

— Ты, шишка еловая, у матери девчонку увёл?

Забился, затрепыхался Леший в его крепких руках, хотел вырваться, хотел страшным голосом закричать, но и того не возмог — сел Кий на него верхом, показал серебряный оберег, пригрозил веткой красной калины:

— Где девчонка? Веди, а то знаешь что над тобой учиню!

Понял Леший — устами этого пропахшего дымной кузницей паренька вещал ему сам Бог Грозы, властный выпустить Огонь в его лес, а самого облечь звериной шкурой да так и оставить. И присмирел Хозяин Лесной, съёжился, горько заплакал:

— Да не со зла ведь... один я, избёнку и то некому подмести... а мать, слышу, отказывается, решил — не нужна...

— Ладно, веди, — нахмурился Кий. — Отдашь без проказ, может, помилую.

Он уже разглядел, что в этом заболоченном, заморённом лесу-ернишнике и сам Леший был никудышный: седой, сгорбленный, в одной рубахе оборванной, в поршнях дырявых.

— Это ты, что ли, — спросил Кий, — у Железных Гор доселе жил?

— Жил, батюшка, — закивал Леший. — Так разве там жизнь? Вовсе дерева расти перестали, один мох... А что за лес был! Сосны до неба, куда здешним! Голубика была — во, с кулак! А малина! А земляника!..

— А что же вы, пришлые, — молвил Кий, — борового-то Лешего обидели? Скрутили да бросили. Не по Правде живёте!

— Обидели, кормилец, обидели, — покаялся Леший. — Это мы с дружком, тоже беглым, хмельного мёду опились... да как уж тут не напиться?

Поневоле жаль его сделалось Кию. И в который раз подумал кузнец: а ведь грянет несчастье с этих Железных Гор, несчастье, какого старейшие старики не знавали. Теперь уже, сказывали, прилетал невиданный Змей — там корову порвёт, там за девкой погонится, там ручей или реку заляжет, ни пройти без выкупа, ни проехать... Быть беде, что и Леший разбойный братом покажется!

Так думал Кий, а руки с оберега между тем не снимал. И покорно привёл его старик-лесовик в самую крепь, в заросшее глухое урочище. Дунул, свистнул, топнул ногой — и обнаружилась покосившаяся избушка, приподнятая на угловых пнях, точно на птичьих ногах.

— Поправить бы избу, развалится, — посоветовал Кий. Леший только носом зашмыгал:

— Кто же мне её поправит? И кого ради трудиться-то? Вот внучку вроде завёл, и ту отбираешь...

Вошли они в избу. Поглядел Кий — так и есть, сидит девочка, шьёт что-то старательно, а вместо светца с лучинами яркая гнилушка мерцает. Увидела девочка Лешего, обрадовалась:

— Здравствуй, дедушка! А я твою свиту зашила! — и на Кия: — А ты кто? Фу, от тебя дымом пахнет...

Понял кузнец — уже облесела девочка, ещё чуть, совсем лисункой станет, маленьким лешачонком. Он сказал ей:

— Пойдём-ка домой! Тебя мать ищет, зовёт!

— Не пойду, — отмолвила девочка и губы надула: — Мне у дедушки хорошо, он меня белым хлебушком кормит, сладкими пряниками... вот!

Протянула ручонку, а вместо хлеба и пряников мох да сухой берёзовый гриб... Тут Леший вступился:

— Видишь, сама не хочет. Пускай у меня останется!

И уж протянул корявую лапу — по головке погладить. Только молодой кузнец чуть раньше успел: выхватил за плетёный шнурок серебряное колесо, громовый оберег. И как подменили девчонку! Завизжала, за Кия спряталась:

— Дяденька!.. Пойдём к маме скорее! Домой!..

Хотя по летам какой он ей дяденька — так, братец старший, едва бородку завёл.

— Не серчай, дед, — сказал Кий. — Люди к Людям, а Лешие к Лешим, негоже иначе.

Взял девочку на руки, завернул в тёплый плащ, выглянул в двери: утро уж близко. А старый Леший сел на подгнившую лавку и горько загоревал:

— Опять я один...

На рубахе его были заплаты, положенные детской рукой, старательной, но неумелой.

— Ты вот что, дед... — молвил Кий поразмыслив. — Боровой Леший отцу сказывал... В березняках за рекой лешачиха, слышь, овдовела, лешачата малые осиротели...

— Правда?.. — вскинулся Леший. — А где, скажи, те березняки за рекой?..

На том распростились. А чтобы Кий не плутал с девочкой на руках, Леший скатал из мха и травы зелёный клубочек, пошептал над ним, кинул под ноги кузнецу. Запрыгал клубочек и побежал прямохожим путём через лесные чащобы, вывёл Кия к знакомым местам, на край опушки, тут и рассыпался. Вот выплыл в небо светлый Даждьбог, и разом запели в деревне все петухи, а встречь кузнецу побежала заплаканная женщина:

— Дитятко!..

Подумалось Кию — вправду что ли схватилась баба за ум. Он так и не взял драгоценного узелка:

— Прибереги, дочке сгодится, как подрастёт.

Скотий Бог и волхвы

Змей Волос меж тем в самом деле летал по белому свету, пробовал силу. А силушка, честно молвить, была, что и не всяким словом опишешь. Как-то раз беспечные Люди не погасили костра; взвился рыжекудрый Огонь, погнал прочь зверей, стал самих охотников настигать. Совсем отчаялись Люди, но заметили пролетавшего Змея и дружно взмолились:

— Избавь! Помоги!..

— А что вы мне за это подарите? — наученный жадной Мораной, спросил немедленно Змей.

— Всё отдадим, чем богаты! — закричали охотники. У них уже волосы скручивались от близкого жара.

Тут Змей Волос и показал, за что звали его Сосуном-Цмоком. Как смерч, подлетел к ближнему озеру и мигом высосал чуть не до дна. Запрыгали рыбы, выскочил Водяной, долго махал вослед кулаками... а Змей взлетел над пожаром, выплеснул воду, погасил жгучее пламя. И спасённые охотники не поскупились: устроили пир, накормили Змея досыта, напоили допьяна. Стали славить его, другим рассказывать, кто сам не видал.

Случился меж гостей человек, у которого в саду сохли яблони, давно не поенные дождём. Никак не мог нерадивый хозяин дозваться Перуна, не то грешен был, обидел чем-то Небо и Землю, не то просто лениво молился светлым Богам. Поклонился он Змею, попросил помочь. Тому что! Шедро облил сад, и воспрянули, зазеленели деревья, налились яблоки на ветвях — румяные, сладкие.

И ещё были дела. У кого-то съел проголодавшийся Волос половину овец, а когда пастух его пристыдил — благословил оставшуюся половину: выдернул у себя из шкуры шерстинку, бросил на стадо. С тех пор начали овцы толстеть, обрастать роскошным руном и славно плодиться — все только завидовали и диву давались. Сказывают, тогда-то Волоса в самый первый раз назвали Скотьим Богом и урядили святилище. Только не на горе поднебесной, где от века клали требы Перуну, а в сырой низине, где изобилуют змеи. Поставили идола, одновременно похожего на бородатого мужа, на медведя и на козла — ибо много сутей было у Волоса, во всё умел превращаться. Нашлись и умудрённые Люди, лучше других научившиеся разговаривать со Змеем и вызывать его на подмогу, обливая идола водой. Эти Люди ставили избы при святилищах, собирали дары, устраивали в честь Скотьего Бога жертвенные пиры в благодарность за урожай и приплод. За то стали прозывать их жрецами. А ходили они, подражая своему Богу, в звериных личинах и меховых одеяниях шерстью наружу, и по тем одеяниям, мохнатым, волосатым-волохатым, нарекли их ещё волхвами. Потом уже волхвами назвались все: и те, что творили требы Перуну, и те, что кланялись Солнцу, и те, что беседовали с Огнём.

Что поделаешь! Лики старших Богов — Неба с Землёю, Отца Сварога с Матерью Макошью — лишь для немногих Людей были, как прежде, отчётливы. Большинство им уж и не молилось, запамятовало, как ещё раньше запамятовали Живу-Живану, Великую Мать. Начали рождаться новые Боги, и часто, как в каждой речке свой Водяной, — свои у всякого племени, у всякого рода...

А только Земля всё равно на всех одна, как её ни дели. И Солнце, и Небо над головой...

И такие нашлись меж Людьми, что вовсе забыли пашню и ремесло, забыли, как добывается хлеб. Стали те Люди приманивать Скотьего Бога яичницей и молоком, до которых он был великий охотник, и лакомка Змей летал к ним ночами, скрываясь от Солнца, да и от Месяца: побаивался. Таскал новым друзьям из подземных пещер несчитаные богатства. Оттого у этих

Людей на руках не водилось мозолей, зато избы от достатка только что не ломились. Говорят, он и до сих пор к иным прилетает. Огненным клубом падает в темноте средь двора, оборачивается человеком... Сказывают, дружат с ним всё больше купцы, торговые гости. Возят с собой деревянные изваяния и, прежде чем затевать торг, молятся и потчуют Волоса. Оттого пошла поговорка — без Бога ни до порога, а с ним хоть и за море. Ещё сказывают, прибыльно дружить со Змеем, но и опасно: норовист Волос и дружбы не помнит, чуть-чуть не угодишь — и избу спалит, и товар...

Но всё это было потом. А тогда Люди просто заметили, что шерстинки, потерянные зверями, начали сами собой обретать злую, бессмысленную жизнь и сновать в воде, норовя укусить, всосаться под кожу. Их так и рекли: живойволос, и плодились они в стоячей жиже низин, поблизости от святилищ Скотьего Бога. Теперь таких нет, а имя перешло на безобидного червячка. Но Люди, которым он попадается, нередко казнят его по ложной памяти, безо всякой вины.

Самый сильный

Чернобог и злая Морана множество раз посылали питомца за синим льдом для колдовского гвоздя. И всё без толку. Змей Волос улетал плавать по морю, пугать Леших и Водяных, тешиться у хлебосольных Людей. А коли где-нибудь видел красную девку — вовсе беда. Оборачивался молодцем-раскрасавцем, речи ласковые заводил, начинал подарки дарить. И сколь многие заглядывались в его радужные глаза, оставляли былых женихов, радовались объятиям Змея! И ходили в золоте-серебре, в драгоценных нарядах... пока не прискучивали.

Говорят, от них-то пошло новое колено Людей, изрядно похожих на Волоса. Они не злобны по сути, но предпочитают, чтобы за них думал и выбирал кто-то другой. А ведь злой воле легче лёгкого утвердиться там, где нет своей собственной. Вот почему до сего дня гораздо больше творящих зло по глупости или по трусости, чем настоящих злодеев.

Однажды Морана смекнула, что Волос так и не вспомнит её поручения, и молвила:

— Ну, довольно! Подставляй-ка спину, бездельник! Поднимешь меня на гору, сама пойду лёд добывать...

— А ну его, этот лёд, — заартачился было Скотий Бог. — Не полечу, неохота.

— Ты мне перечить собрался? — взъярилась Морана. — Подставляй, сказываю, хребет! А не то в козявку ничтожную превращу!

Змей Моране боялся, знал — не хвасталась, могла и превратить. Дал себя оседлать, взмахнул крыльями, полетел. Покорно занёс мерзкую ведьму, как было приказано, на макушку самой высокой горы. Уселся ждать на скале... и надо же, тотчас разглядел далеко-далеко босоногую молодую девчонку, шедшую с корзиночкой через лес. И мигом утратил свой невеликий разум Скотий Бог, Волос-богатый. Распластал перепончатые широкие крылья — и слыхом не слыхал, как кричала вслед, звала его злая Морана.

Девчонка же была не кто иная — Киева молоденькая невеста. Спешила к любимому в кузницу, несла добротную снедь: мягкий хлеб, узелок свежего творога. Вдруг прошумело что-то над лесом, и отколь ни возьмись вышел встречь из кустов разодетый красавец:

— Пойдём со мной, девица! Назовёшься моей, а уж я тебя награжу...

Скольким девкам подобной речи было довольно! Но невеста кузнеца только попятилась:

— Безлепое слово молвишь, удалец незнакомый... Есть у меня любимый жених, его и целовать стану, он меня и женой назовёт...

Не привык Змей к твёрдости девичьей, не понял отказа.

— А мы жениху не скажем, — заулыбался в сотню зубов. — Я тебе дорогие подарки стану носить...

Но девчонка разговоров разговаривать больше не стала: подхватила подол да как порскнула с тропы в непролазную чащу, через валежины, по кустам!

— Постой, красавица, — протянул руки Волос, погнался. Но тут уже встал за Киеву невесту Леший, сбежались проворные лешачата, которым она немало оставляла на пеньках пряников и сластей. И вцепились в Змея колючие ветви кустов, вздыбили корни поваленные деревья, опутал ноги жилистый вереск. Еле-еле продрался он на опушку и увидал: далеко убежала гордая девка, вот-вот укроется в кузне с краю болота, где проточился Чёрный Ручей.

Рассерженный Змей ударился оземь, вновь обернулся дивом летучим, ринулся вслед. И, пожалуй, успел бы схватить — но на крик невесты, на шум разбойничьих крыл выбежал из кузни жених. Саженного росту, да с молотом и клещами в руках. Девчонка за него спряталась, что за надёжную стену. И почему-то Змея робость взяла при виде молота и клещей.

Втянул он хищные когти, отвернул опричь, сел на лугу. Подошёл, переваливаясь на коротких лапах:

— Ты кто таков, чтобы дорогу мне заступать?..

— Я жених ей, — ответил кузнец. — Кием меня прозывают. А ты, Скотий Бог, почто беззаконничаешь?

Никто ещё не осмеливался так Змею дерзить. Совсем растерялось чудовище, заморгало бестолковыми радужными глазами:

— А я что хочу, то творю, потому что я сильный! Вот посмотри!.. — Поднял серый камень, стиснул чешуйчатой лапой, только крошки посыпались: — Вот и весь мой закон!

— Эка невидаль, — усмехнулся кузнец. — Подумаешь, расколол! Ты так камень сожми, чтобы вода потекла.

Перенял у невесты корзиночку, вынул ком творога — сыворотка закапала наземь. Струсил, попятился Змей... но тут же снова приободрился:

— Зато я могу всё озеро выпить! Меня Цмоком зовут, по-вашему Сосуном. У тебя так не получится.

Пожал Кий плечами. Вынес лопату, поплевал на ладони и молча принялся копать канаву в земле. Любопытный Змей скоро не выдержал:

— Что ты там такое копаешь?

Кий ответил:

— Хочу Океан-море выпить, да лень наклоняться. Вот окопаю и подниму...

Больше прежнего задумался Волос, заскрёб когтями затылок:

— А можешь ты камень кверху кинуть, как я? Я, бывало, кидал, полдня не ворочались...

И тут не дрогнул кузнец. Взял остывшую крицу железа, выплавленную вчера, стал подкидывать на ладони и смотреть внимательно вверх. Посмотрел вверх и Волос, но ничего особенного не заметил, кроме грозовой тучи, медленно вздымавшейся из-за небоската. И осерчал:

— Куда ты уставился? Кидай, коли умеешь, а то я тебя съем!

— Погоди, дай тучи дождаться, — молвил кузнец. — То Перун едет, мой побратим. Он у меня в кузнице молотом бил, ему железо сгодится...

И, словно в ответ, вдалеке зарокотал гром, метнулась быстрая молния...

— Какая блестящая!.. — ахнул в восторге Змей. Никогда ещё он не видел грозы. Подпрыгнул, расправил крылья и полетел прямо в тучу — ловить блестящие молнии. Забыл уже и про кузнеца, и про невесту.

Сказывают, Перун его не погнал, и Волос до вечера забавлялся, летал взапуски с его колесницей, купался в струях дождя. Золотую секиру, впрочем, сын Неба ему так и не подарил, сколько Змей ни выпрашивал. Как прежде Даждьбог, Перун повёл непонятные речи, мол, ни твоё, ни моё... одним словом, пожадничал. А поздно ночью, когда голодный и уморившийся Змей отправился вечерять и спать в родные пещеры, на него с неприступной горной вершины не своим голосом закричала злая Морана, которую он ещё до рассвета занёс туда, да и позабыл. Говорят, мало не погибла колдунья от золотых солнечных лучей, от дальних отблесков молний.

Похороны отца

Устал отец Кия ходить по Земле, прилёг умирать. Ещё попросил сыновей вывести его в чистое поле, с трудом поклонился на все четыре стороны:

— Мать сырая Земля, прости и прими! И ты, батюшка белый свет, широкое Небо, прости, коли обидел...

И лежал на лавке у очага спокойный, лёгкий и светлый, как многие старики, прожившие по Правде. Не обижал ведь ни человека, ни зверя, не оскорблял великих и малых Богов. Сыновья — двое старших, женатых, и молодой Кий — позаботились о родителе: умыли родниковой водой, разобрали над смертным ложем дерновую крышу избы, чтобы свободно вылетела душа, не мучила тело. А потом сквозь дыру протащили наружу мохнатого чёрного пса. Ибо чёрный друг-пёс незримо встречает праведные души, сопровождает и охраняет по дороге в ирий. Людям, привычным к охоте и лесу, мыслимо ли в подобный путь без собаки!

И вот изронил душу отец, и задумался старший из братьев, как лучше уважить его, как погрести. Думал, думал, наконец решил доверить его тело Земле, всеобщей Праматери:

— Она родила, ей и честь.

Но пришла туманная ночь, и отец явился сыну во сне:

— Не клади меня, дитятко, в сырую могилу, не присыпай жёлтым песком: защекочут меня там черви, изъедят ползучие гады...

Закручинился старший, пошёл к среднему:

— Не хочет отец наш лежать под спудом земным. Думай ты, брат, как нам поступить.

Крепко взялся за ум второй сын и к вечеру молвил:

— Схороним батюшку в лесу, в дупле великого дерева! Мы все от деревьев — пусть к пращурам припадёт.

Но слетела тёмная ночь, и всё повторилось. Явился сыну отец печальнее прежнего:

— Не клади меня, дитятко, в лесное дупло. Не смогу я там спать, закусают пчёлы и комары, зверь косточки потревожит...

Пришлось думать младшему брату, кузнецу Кию. А у кузнеца известно что на уме: молот, да наковальня, да жарко пышущий горн.

— Сложим батюшке, — приговорил Кий, — честный погребальный костёр. Пусть возносится с дымом прямо в ирий, на остров Буян!

Пала ночь, и отец пришёл к Кию светлым и радостным:

— Спасибо, сынок, вот уважил так уж уважил! Стану спать крепко и безмятежно, точно дитя в колыбели!

Рассказал Кий братьям свой сон, и братья вздохнули легко, наконец-то проведав волю отца. Взялись втроём за работу и скоро сладили умершему последний земной дом-домовину: дощатую лёгонькую избушку, приподнятую на столбиках, чтобы лучше горела. Уложили тело отца, оставили милодары — горшочки со сладкой кашей на ягодах и меду, вышитые одежды, крепкие башмаки. Положили лук, колчан и копьё: пусть вволю бродит-гуляет батюшка в небесных лесах, пусть увидят Дочь с Матерью, славные Рожаницы — охотник пожаловал. Пусть приветят его, позволят выстроить избу рядом с прадедовскими, под кроной вечного Древа...

А чтобы не задержалась Смерть в доме, ударили топором по лавке, на которой умер отец. Топор свят, он подобен секире Перуна, возжигающей новую жизнь. Не зря лезвия топоров украшают символами Грома и Солнца, не зря носят крохотные топорики-обереги. Смерть и всякая скверна пугается топора, если достойная рука поднимает его и чертит Солнечный Крест. Осенить этим знаком больного, и выздоровеет...

...Вот обложили домовину горючим сухим хворостом и ещё устроили краду — увитую соломой изгородь кругом костра. Жарко вспыхнет солома и не позволит увидеть смертным глазам, как раскроются двери в иной мир, как шагнёт в него покинувшая тело душа...

Старая мать и жёны-красавицы между тем приготовили поминальную кашу, напекли румяных блинов, созвали родню. И вот Огонь, рыжекудрый Сварожич, легко охватил сухие поленья. Когда же всё прогорело, Люди залили угли брагой и квасом, стали носить землю и камни, пока не получился курган. Потом затеяли тризну — игры и состязания. И наконец начали пир, весёлый и шумный, с задорными прибаутками и смешными рассказами о молодости умершего.

Ибо мёртвых тяготят горе и слёзы живых, мёртвые любят, чтобы над могилами веселились, пили и ели. На поминальных пирах всегда кладут ложки вверх чашечками, чтобы души прапрадедов, незримо собравшиеся за стол, отведали вкусную снедь. Вот откуда поныне обычай ставить возле могил еду, хмельное питьё. А прибаутки и смех — это ли не победа над болью и страхом, это ли не жизнь, не продолжение жизни? А не затем ли жили пращуры и что-то доброе делали на зелёной Земле, чтобы продолжиться, как зёрнышко в пашне, стеблями и колосьями, ветвями и могучими стволами нового поколения? Умершим скучно без живых, живым пусто и сиротливо без мёртвых. Не помнящему дедов-прадедов некого кликнуть в тяжкий миг на подмогу, он одинок. Зато к памятливому тотчас слетят, ободрят, утешат, посоветуют, предрекут судьбу. Ушедших прародителей рекут ещё Чурами или Щурами, и вот почему дети до сего дня восклицают в игре:

— Чур меня!

И сами не ведают часто, что это значит:

— Оборони меня, предок!

От нечисти, крадущейся в безлунной ночи, от злого врага, от худых помыслов и проклятий, от сглаза и порчи, от лихой лихорадки, трясовицы и огневицы — оборони!

И, говорят, не бывало, чтобы прадед не поспешил на помощь потомку, свято сохранившему память.

...Но есть между мёртвыми и позабытые, чью могилу забросили, заровняли по злой воле, да просто по глупости. Есть и такие, кому жестокие Люди совсем не дали погребения: бросили тело и безразлично ушли. А скольких погубили, замучили, скольких довели до того, что те сами оборвали свою жизнь! И если поруганный был при жизни не из кротких, склонных прощать — он может вернуться для укоризны, а то и для отмщения. Вот почему опасаются Люди выходцев из могил, вот почему не всякий отважится пойти ночью на кладбище. А ну как скользнёт между холмиками бесплотная тень, дохнёт ледяным холодом, незряче вглядываясь в лицо:

— Не ты ли злодей?..

Гроза и Весна

Стал уже порастать травою-быльём отцовский курган, когда над Перуновым дубом прошумели могучие орлиные крылья, раздался клёкот:

— Собирайся, кузнец, в гости на небесную свадьбу!

Ибо прислал Перун к Матери Ладе доброго свата, славного Даждьбога-Солнце. Ударил его по плечу кикой — замужним женским убором, — чтобы верней сладилось дело:

— Езжай, брат!

Даждьбог не заставил себя дважды просить. Приоделся в расшитые бисером золотые одежды и выехал на солнечной колеснице, молясь Небу:

— Подари удачу, отец!

Привязал коней у ворот и пошёл пешком через двор, как достоит вежливому гостю. Ступил правой ногой на порог и тихонько приговорил:

— Ты стань, моя нога, твёрдо и крепко, ты будь, моё слово, твёрдо и метко! Будь острее ножа булатного, липче клею и серы, твёрже земных камней: что задумал, да сбудется!

Мать с Дочерью и Отец Род обрадовались гостю, повели за стол угощать, но он не пошёл. Встал под матицей — старшей балкой в избе, связующей не только стены, самые судьбы живущих. Глянул на неё и мысленно обратился, призывая в союзники. В матице великая сила: незваный, непрошенный гость не смеет её миновать, стоит смирно у двери и ждёт хозяйского слова. Лишь свой, родной, идёт в красный угол без приглашения. Где же, как не прямо под матицей, встать свату, который надеется чужих сделать родными?

Поклонился Даждьбог хозяевам и протянул руки к Огню, и рыжекудрый младшенький братец приветливо выглянул из каменной печи:

— С чем пожаловал, князь Огненный Щит?

Молодой сват огляделся и сел на лавку, шедшую вдоль половиц. Тут уже хозяева окончательно поняли, в чём дело, но не подали виду, завели разговоры. И наконец он сказал:

— Я к вам не пиры пировать и не столы столовать, я к вам с добрым делом со сватаньем! Есть у вас, как я слышал, славное серебряное колечко, так вот у меня для него золотая сваечка припасена...

Ахнула Леля, прижала ладони к процветшим, как маки, нежным щекам, кинулась вон. И ведь ждала, что зашлёт свата Перун, а всё равно сердце девичье часто забилось, сладко и жутко. Не чуя ног пробежала по зелёным лугам, к самому Мировому Древу. И вдруг подхватили её знакомые, надёжные руки, и любимый голос промолвил:

— Куда бежишь, желань моя? Ко мне или от меня?

...Сказывают, Богиня Весны прижалась к Богу Грозы и ничего разумного не ответила. А что тут отвечать?

Через луг к ним уже шли Мать Лада и Отец Род, Отец Небо и Мать Земля, Макошь. Молодой сват подвёл двоих отцов друг к другу и велел взяться за руки, благословляя будущее родство. Мать Лада сама передала дочь Перуну:

— Вот твоя суженая… Люби её и жалуй, как мы любили и жаловали!

А Отец Род добавил:

— Выбрала молодца, так уж не пеняй на мать и отца.

Бог Грозы вытащил из-за пазухи большой красный платок-фату, передал Роду, пора, мол, невесту завешивать-закрывать. Тут Леля снова кинулась убегать, на сей раз больше для вида… куда там! Шумной стайкой слетелись подружки, крылатые чудесницы-Вилы, хозяйки колодезей и светлых озёр. Затопотали проворными козьими копытцами, растущими на ногах у всех Вил, изловили невесту, повели назад, обступив плотным кольцом. Богиня Весны тщетно силилась разомкнуть их кружок, скидывала фату, которую бросали ей на плечи. Дочь-девушку причисляют к роду отца, замужняя входит в род мужа. Так пусть не прогневаются достославные деды, пусть видят горе невесты, пусть ведают — не сама с радостью отрекается, силой уводят!

Вот почему до сего дня считают достойным, чтобы невеста печалилась, даже когда идёт по любви. А свёкор со свекровушкой непременно желают, чтобы молодая невестка звала их матерью и отцом…

…Но вот и привели Лелю назад, и Род сам связал два конца фаты у неё под подбородком, а два других перекинул через голову вперёд, пряча лицо. Завесил-закрыл любимую доченьку в добрый час перед полуднем, когда Солнышку время вплывать в самую высь — на долгий и счастливый век, на совет да любовь!

Нарушенный запрет

Пока собирали гостей и готовили свадебный пир, Леля почти не выходила из дому: молча сидела с подружками, слушала жалобные, протяжные песни — слёзы капали, напитывали печальный красный платок.

Белый и красный цвета — цвета скорби. Сорок дней висит белая тряпица на стене дома, в котором кто-нибудь умер, а в свадебном поезде издалека видно белое или красное платье невесты: для прежнего рода она всё равно что умерла, для нового — ещё не успела родиться. Оттого нельзя видеть просватанную, нельзя слышать, нельзя есть вместе с ней, даже за руку брать — особенно жениху. Иначе тут как тут накличешь беду и ей, и себе.

Это хорошо знали гости, съехавшиеся в ирий. И Хозяин Морской, прибывший верхом на рыбе-ките, и Лешие на медведях, и Водяные на усатых сомах, и кузнец Кий, встретивший здесь отца. И Чернобог со злобной Мораной, жители Кромешного Мира...

Один Змей, сколько ни объясняли ему, всё не мог взять в толк, чего ради прячут невесту. Знай твердил:

— Вот бы глянуть! Красивая, говорят!..

Чернобог ему и присоветовал:

— А ты глянь. Платочек-то сдёрни с неё — и гляди, сколько душе угодно.

Скотьему Богу повторять не потребовалось. Обернулся удалым добрым молодцем, подстерёг, чтобы Вилы-подружки вывели Лелю в сад ножки размять... Вмиг подскочил, растолкал завизжавших девушек — да и сорвал с головы невесты платок!

Опешив от ужаса и неожиданности, смотрела Богиня Весны в его глупые радужные глаза... Опомнившись, отвернулась, закрыла лицо вышитым рукавом. Поздно! Волос ни о чём больше не помнил, кроме её желанной красы:

— Моей назовись! На что тебе Перун? Давай со мной убежим...

Откуда мог знать небогатый разумом Волос, как жертвуют жизнью ради верной любви, как от счастья отказываются ради любимого? Он к другому привык: вся любовь, если кто большой, красивый да ярый. От рождения видел рядом Морану распутную да беззаконного Чернобога... А своего ума не было.

Он давно позабыл, как опрометью бежала от него, раскрасавца, подружка чумазого кузнеца. Ждал — Богиня Весны засмеётся в ответ, а то и поцелует в уста. Уже вытянул Змей мокрые губы, но ласки не дождался — повернулась Леля, со всех ног бросилась наутёк, а когда прыткий Змей схватил за руку, закричала что было моченьки:

— Мама!..

На этот зов, говорят, весь народ оборачивается, а родная мать и подавно. Хлестнуло Волосу гневным светом в глаза, и великая Лада заслонила дочь от насильника. Тут Скотий Бог впервые увидел, что Богиня Лета может быть не только ласкова, но и очень грозна:

— Оставь невесту, бесстыдный!

И смутно забрезжило Волосу: есть Силы, перед которыми его бессмысленная могута — ничто, ветерок, шуршащий в траве. А вершина Мирового Древа уже застонала под яростными порывами бури: это Перун примчался на помощь. Лишь чуть отстал он от Лады, известно же, если дитя позовёт, никому прежде матери не подоспеть. Понял Змей, что сейчас будет наказан, хотел бежать... Бог Грозы ухватил его за шиворот и сплеча метнул вон из ирия, сквозь все небеса и камень Земли, до самой Исподней Страны! Полетел Скотий Бог кувырком, с перепугу забыв возвратить себе облик крылатого Змея... так и канул в морские тёмные воды, скрылся из глаз, только брызги рассеялись.

— И пускай, — сотворила заклятие гневная Лада, — провалится с тобою и тот, кто тебя, глупый Змеище, надоумил!

И тотчас твердь ирия, небесного Буян-острова, разверзлась под ногами у злой Мораны и Чернобога, полетели они следом за Волосом. И, честно молвить, легче вздохнули все светлые Боги и праведные Люди, приглашённые на пир. Не очень-то гоже гнать со свадьбы гостей — но тот, кто сплетает кругом себя грязные паутины, кто способен протянуть жадную лапу к невесте, разве гость?

Больше ничего не омрачило свадьбу Бога Грозы со светлой Богиней Весны. Ни одна тень не легла ни на свадебный поезд, ни на священный пир, где в заздравных чашах гостей пенился красный мёд, сдобренный чесноком, и лишь новобрачные не притрагивались ни к еде, ни тем более к хмельному питью. И вот расчесали невесте волосы надвое и заплели по-замужнему: в две косы, да притом укладывая золотые пряди из-под низу, не сверху. Покрыли узорчатой кикой... А потом отвели молодых держать опочив в нарочно выстроенной клети, постелили собольи одеяла на тридевяти житных снопах, оставили горшочек каши и печёную курицу, пододвинули к изголовью кадки с зерном, воткнули по всем углам калёные стрелы, повесили на те стрелы румяные калачи... так и до сих пор, подражая Богам, делают разумные Люди, когда женят детей. Говорят, шелковистый мех одеял, крупитчатая каша, курица, стрелы и святой хлеб — это новой семье на многочадие и достаток...

Но всё же у Матери Лады никак не выходила из памяти сдёрнутая с невесты фата. Мать Лада сама воткнула в притолоку железные иголки, сама опоясала дочь первой нитью, что та когда-то спряла ещё непослушной рукою. И по просьбе Богини кузнец Кий ночь напролёт ходил вокруг свадебного чертога, держа добрый стальной меч — крепкий оберег против нечисти, подкрадывающейся в ночи. Ибо легче лёгкого испортить, сглазить семью, не успевшую ещё толком сложиться. Кий держал стражу честно, а у коновязи ржали могучие белые жеребцы жениха, и им лукаво отвечали кобылицы, выпряженные из колесницы невесты. Кроме меча, Кий носил свой добрый молот, с которым не пожелал расставаться даже в гостях, и если по совести, на этот молот у него было больше надежды.

Утром, когда новобрачные Боги рука в руке вышли из клети, им под ноги метнули и вдребезги расколотили горшок, пожелав:

— Сколько кусочков, столько бы и сыночков!

А смирные донные ракушки-чашули, жители чистых северных рек, поднесли Перуну целые россыпи скатных жемчужин, родившихся от его молний и выросших между корявыми створками. Искусницы Вилы расшили тем жемчугом двурогую кику юной жены, унизали гривы и хвосты колесничных коней. Говорят, немножко даже осталось...

Змеиный зуб

Поистине, Земля ещё не знавала таких отчаянных гроз, такого роскошного цветения, ещё не сулила своим детям таких обильных плодов. Радовались светлые Боги, веселились добрые Люди, и лишь в бездонных пещерах тлели удушливой злобой, предвкушали недоброе торжество Морана и Чернобог:

— Смейтесь, смейтесь! Скоро заплачете!

Они наконец-то сковали свой ледяной гвоздь, мертвящее остриё. Кривохожими путями пробирается кривда — мудрено ли, что гвоздь вышел загнутым, словно черёмуховая дуга? Да ещё и прозрачным, почти невидимым вышло оружие, созданное из ложных клятв и обманов, — не вдруг и заметишь, с какой стороны его занесли, не вдруг увернёшься. И разило оно подобно отточенной клевете: пронижет тело и душу, и не сразу почувствуешь...

Чернобог и Морана вживили мёртвый зуб Змею в челюсть. Сказывают, он с готовностью подставил им пасть: даже самые беспамятные надёжно помнят несбывшиеся прихоти и обиды. Крепко врезалось Волосу, как отвергла его невеста Перуна, как сам Перун вышвырнул его из ирия, — до сих пор чесался намятый загривок! Надумал Скотий Бог жестоко отмстить, пустить новый клык в дело. Как подменили его, неразумного, но незлого, — вот что причиняет сила, доставшаяся не по уму!

Перелетел он Железные Горы и не укусил — всего лишь дохнул на стройную молодую берёзу. И сам изумился: ветер дыхания, коснувшийся ледяного зуба, превратился в жгучее морозное пламя. Вмиг пожелтели и скорчились густые листья берёзы, дохнул ещё раз — и облетели. Осталось деревце нагое и мёртвое, как от века и не зеленело. Захохотал Змей:

— Вот теперь пусть хоть слово скажут мне поперёк!

И помчался дальше по свету, и всюду, где пролетал, оставалась мёртвая полоса.

А Леля, радостная Богиня Весны, уже пообещала Перуну желанного сына. Её часто теперь называли по имени мужа — Перыней. Гуляла она по тёплой Земле, по людским садам-огородам. Встретит пахаря — и пахарь спокоен за урожай. Коснётся молодой яблони, впервые завязавшей плоды, — и та век будет родить яблок без счёта. Вот почему и по сей день зазывают в сады юных женщин, носящих во чреве дитя. Поднесёшь беременной яблочко — отдастся сторицей!

Не знала тревоги Леля-Перыня, не предвидела лютого горя, как вдруг камнем обвалился из-под облака Змей. На сей раз он разговоров долгих разговаривать не стал. Когтистой лапой зажал рот, чтобы голоса подать не успела, — и уволок! Пернатой стрелой пролетел к Железным Горам, перемахнул заснеженные перевалы, юркнул в лаз. Выпустил наконец из когтей Богиню Весны, и та поникла на пол пещеры, на обледенелые камни. Скотий Бог принял человеческий облик, склонился над пленницей:

— Теперь полюбишь меня! Здесь тебе никто не поможет.

Но Леля тихо ответила:

— Не берут любви силой, не вымучивают угрозами. Жалко мне тебя, неразумного: никогда ты не поймёшь, что это такое. Да ведь и сам расправы не минуешь...

— Вот испугала! — засмеялся Змей и принялся хвастаться: — Да кто со мной может сравниться? У меня мёртвый клык в челюсти, кого укушу, того заморожу! Гляди лучше, какой я богатый!

За руку потащил чуть живую Богиню Весны из двери в дверь, из пещеры в пещеру. Стал показывать ей зелёные смарагды, огненные рубины:

— Всё тебе подарю! У твоего Перуна в помине нету такого богатства, одна золотая секира, и ту скоро отниму. Да на самого меня посмотри — ну чем не хорош?

Но Леля отворачивалась и от Волоса-раскрасавца, и от бесценных камней:

— Травы зеленее смарагдов, земляника милее рубинов. А сам ты мне и вовсе не нужен...

Что делать? Замкнул её Змей в самой дальней пещере, запер на семьдесят семь крюков, побежал к Моране за советом. Недолго думала ведьма, научила его заговору — привороту-присушке неодолимой, потребовала:

— А ну, повтори!

Чего в охотку не сделаешь! С одного раза вошли в память Волоса трудные колдовские слова. Бегом прибежал назад к пленнице, выпалил:

— Выпускаю я силу могучую на Лелю-красавицу! Сажаю силу могучую во все суставы и полусуставы, в жилы и жилочки, в её ясные очи, в белую грудь, в ретивое сердце, в руки и ноги! Будь ты, сила могучая, в Леле-красавице неисходно; жги ты, сила могучая, её кровь горючую, её сердце кипучее на любовь ко мне, Змею Волосу, молодцу полюбовному! А была бы она, Леля-красавица, во всём мне, полюбовному молодцу, всю жизнь покорна-послушна! А не могла бы она ни заговором, ни приговором отговориться, не мог бы отговорить её своим словом ни стар, ни млад человек! А кто из моря всю воду выпьет, из поля всю траву выщиплет, и тому бы мой крепкий заговор не превозмочь, силушку могучую не увлечь. Ну что, любишь меня?

И ведь ждал Скотий Бог — вот сейчас упадёт ему Леля прямо на грудь, припадёт устами к устам. Ан ошибся. Не шелохнулась Богиня Весны, даже не подняла глаз. Словно и не коснулся её крепкий заговор, неодолимое волшебство. Не умели смекнуть Морана и Волос: могуч заговор против ветреной девки, что гуляет об руку нынче с одним, завтра с другим, никак не выберет молодца... Не ведавшему любви откуда же знать — никаким колдовством не смутить верного сердца и чести не преклонить!

Поспешил Волос снова к наставнице, и та дала новый совет:

— А ты прими облик мужа её. Обмани.

Попробовал Змей — и до того вышел похож, что попятились, испугавшись, сами Чернобог и Морана: Перуновы чёрные кудри, Перунова огненная, клубящаяся борода! Даже Леля мало не обманулась, вскочила с радостным криком... но вовремя приметила глупые радужные глаза и отворотилась:

— Поди прочь, не нужен ты мне...

Тогда Змей затопал лапами так, что со свода пещеры посыпались разноцветные камни:

— Сейчас мёртвым зубом кольну! Сделаю ледышкой навеки!

Еле-еле Морана его за хвост оттащила:

— Погоди, пускай сына родит, мы его к рукам приберём.

Так и сделали. Минул срок, разродилась Богиня Весны в неволе, в тёмных пещерах. Не было рядом ласковой Матери Лады, не было любимого мужа. Никто не помог, не утешил, не приободрил. Слезами умыла юная мать малыша, собственным золотым волоском повила пуповину. Не досталось обрезать её на топорище отцовской секиры, чтобы во всём стал подобен Богу Грозы... Едва успела Леля приложить сына к груди и неверной рукой сотворить над ним оберег — громовое колесо, — как ворвалась Морана, расслышавшая сквозь толщу двери ненавистный клич жизни — первый младенческий крик:

— Змей, бездельник, беги скорее, где ты пропал!

Мигом появился Змей. И Леля отчаянно обхватила сына, закрыла собой:

— Не отдам!..

Но глубоко уколол её змеиный зуб, ледяной гвоздь, и Морана выхватила мальчишку из материнских замерших рук. Дитя надрывалось криком, колотило её крохотными кулачками и тянулось к прозрачной холодной глыбе, где в глубине, как живая, видна была Богиня Весны.

— Ничего! — прошипела Морана. — Скоро забудешь!

А далеко-далеко от Железных Гор, в широком солнечном мире, стали никнуть и закрываться цветы, начала увядать шёлковая молодая трава.

Заход Солнца

Не дозвавшись любимой, встревоженный Бог Грозы разослал по белому свету быстрые ветры, снарядил в дорогу стаи зорких разведчиков-птиц. Сам же поспешил к Солнцу:

— Выручи, брат! Не пришла домой Леля, попала, верно, в беду. Твоё око всевидящее, помоги отыскать!

— Погоди, — сдвинул брови Даждьбог. — Неужели нету её ни в ирии, ни на Земле?

— Нету! — горестно ответил Перун. — Мать Земля говорит, подняло мою Лелю словно бы вихрем... а в Небе я и сам вижу, что нет!

Сговорились братья: Даждьбог поглядит в Исподней Стране, а Перун полетит к Морскому Хозяину — вдруг в гости зазвал.

И вот вечером, направляясь к закатному Океану, Даждьбог посмотрел на вершины Железных Гор и вдруг вспомнил виденное недавно: Змея Волоса, мчавшегося стремительно, как от погони. Бог Солнца тогда проводил его издали взглядом — летит себе, и пускай, — теперь же забеспокоился: а спроста ли летел?.. И повернул коней к бездонной пещере, к логову чужих тёмных Богов, туда, откуда выносили когда-то Месяц, раскроенный пополам.

Чернобог и Морана встретили гостя ласковей не придумать:

— Редко жалуешь нас, Податель Благ, Даждьбог свет Сварожич! Совсем дорожку забыл!

— А что Волоса давно не видать? — спросил их сын Неба. — Здоров ли?

— Ох, не здоров, — пригорюнилась коварная ведьма. — В лёжку лежит, вот-вот совсем душу изронит... Может быть, навестишь его, князь Огненный Щит? Ты ведь куда ни оборотишься, всё оживает...

...Если бы Добро не было бесхитростным и доверчивым, если бы оно всюду подозрительно высматривало обман — оно уже не было бы Добром. Вошёл светлый Сварожич в сумрачные пещеры, под низкие своды, не помня прежних обид, поспешил за Мораной к ложу больного Волоса... А хитро подученный Волос прокрался тёмными переходами — и сзади прыгнул на лучезарного гостя, как лютый зверь из засады! Ударил в спину мёртвым клыком!..

Вздрогнул, зашатался Бог Солнца... но всё-таки обернулся к вероломному Змею и успел посмотреть ему прямо в глаза:

— Будет проклят твой род...

Но ударил Волос ещё раз и ещё, и оставили Сварожича силы, рухнул он на каменный пол, и долго метался меж стенами, затихая, звон золотого щита.

Чернобог и Морана снесли сына Неба в тот же дальний покой, где лежала в прозрачной глыбе замученная Богиня Весны. И оставили подле неё, в таком же хрустальном гробу. Только у Лели на нежном лице застыло страдание, а Даждьбог смотрел изо льда сурово и гневно, и уста как будто ещё силились досказать проклятие до конца...

Вот когда исполнилась давнишняя Змеева прихоть. Больше никто не мешал ему взять блестящий солнечный щит и играть, пока не прискучит. Но без хозяйской руки золотая святыня начала быстро тускнеть, покрываться тёмными пятнами. И скоро прокудливый Волос забросил её в тот угол пещер, где стояла колесница Даждьбога и жалобно ржали золотогривые кони. Змей ощерил на них ледяной зуб и дохнул — остались они стоять покрытые инеем вместо попон, неподвижные, неживые. Не восходить больше Солнцу, не радовать Землю и Небо горячим светлым лучом...

Последняя гроза

Скоро понял Перун, что лишился не только жены, но и любимого брата. Не появилось ясное Солнце ни на другой день, ни на третий. Стоял над Землёй мрак чернее и гуще, чем прежде бывало в самую непогожую ночь. В обычной ночи отблески света всё-таки долетают из Кромешного Мира, отражаются от небесных высот. А теперь не было не то что отблесков — сам светоч угас. Только звёзды смотрели с осиротевших небес, да гремучие молнии вспарывали темноту от небоската до небоската — и гасли, ибо у молний жизнь коротка.

Как же пригодился тогда Перуну молодой Месяц, несчастливый жених сестрицы-звезды! И то сказать, когда запрягал он белых быков и выплывал в вышину — казалось, наступил день.

— Я видел! — крикнул Месяц Богу Грозы. — Я видел, как Солнце ушло за Железные Горы и больше не восходило!

...Говорят, Перун тогда поднял свою золотую секиру и молвил ей так:

— Не для сражений ты была выкована... Думал я, будешь ты век возжигать весёлую жизнь. Не подведёшь меня, коли придётся сразиться?

И, говорят, секира тихо зазвенела в ответ.

— Я с тобой, — тотчас запросился Огонь, самый младший Сварожич. Но старший брат воспретил:

— Останешься у Людей. Будешь греть и светить, пока не возвратится Даждьбог. Ты же, Месяц, замкни своё небо... да не погубят ирия, если вдруг что!

Нехотя послушался его Огонь, послушался Месяц. А Перун, разгоняя коней, полетел к Железным Горам.

Вот первые молнии ударили в ржаво-серые скалы, и скалы начали рушиться. Верно, совсем разметал бы их могучий Перун, добрался бы до потаённой норы и вызволил упокоенных, вмурованных в лёд — но из глубоких расселин рванулся навстречу такой страшный ледяной вихрь, что грозовая туча съёжилась и рассыпалась белым снегом вместо дождя. Мелкой блестящей пылью развеяло чудесную колесницу — не соберёшь, не починишь... Это Чернобог и Морана раскачали мехи метели, оборонились морозом. А следом, ощерив предательский клык, на битву вылетел Змей.

Первыми кинулись на него верные Перуновы кони, но Волос только дохнул — и три скакуна превратились в крутящиеся стайки снежинок, а четвёртый закувыркался с перебитым крылом, пропал неведомо где. Хотел Бог Грозы метнуть молнию в Змея, ан не сумел: омертвела от холода золотая секира, остыли жаркие искры...

И вот грудь на грудь сошлись в поединке Змей и Перун. Впился Волос кривыми когтями в соперника, начал язвить его ледяным зубом, думая вмиг заморозить. Но не тут-то было. Тысячу ран принял славный Сварожич, а не разомкнул стиснувших рук, не выронил топора. Совсем худо пришлось бы Змею, если бы не новая чешуя, о которую смялось, иззубрилось золотое лезвие, расшаталось на рукояти. Так вместе они и рухнули вниз, на острые камни. Ещё чуть-чуть, и победил бы Перун. Сломал бы Змею хребет. Но уже подоспели Морана и Чернобог, ударили ледяными рогатинами, опутали сына Неба семьюдесятью семью цепями, выломали из руки золотую секиру... Только она не далась: собрала последние крохи огня, вспыхнула, улетела.

— И змеиный зуб его едва берёт, — наклонилась над непокорённым Богом Грозы проклятая ведьма. — Как же поступить с ним, чтобы не вырвался?

— Отнимем у него глаза и сердце, — посоветовал Чернобог. — Уж тогда-то он ничего не сможет поделать. А скорее всего что и не захочет.

— И огненный палец, чтобы не оправился, — простонал Змей, едва живой после битвы.

— И палец, — согласилась Морана. — Бока твои залечить.

Так они и сделали. Положили в ларец зоркие синие глаза сына Земли, его бесстрашное сердце. Забрали огненный палец, подаренный кузнецом. А самого отвели в глубокие пропасти, приковали в тёмной пещере и все выходы намертво завалили. Хорошо хоть, было это за Железными Горами, не видела Мать Земля, как мучили сына. Не то бы, наверное, тут же от горя и умерла.

Кромешная осень

Тогда окончательно утвердилась во всём мире тьма, а после и холод. Вместо Солнца теперь светил негреющий Месяц, и голодные волки приветствовали его воем, сбиваясь в хищные стаи. Вместо прежних тёплых ветров засновали в полях и лугах холодные вихри... Счастье, что у Людей остался Огонь! Пропали бы без него.

Лесное зверьё обрастало пышными шубами, пряталось по берлогам, норам и дуплам. Лешие бесновались в отчаянии, не понимая, что происходит. Крушили сухие деревья, плакали на разные голоса. Потом и их начал одолевать сон. Собрали своих лисунок, созвали маленьких лешачат — и залегли то ли спать, то ли умирать. Никто более не морочил забредшего в лес, не уводил в сторону от тропы — и будто не хватало чего-то...

Стали собираться гуси и журавли, пёстрые утки и ещё множество других птиц. Вожаки выстраивали их длинными клиньями и уводили в небесную высь, — видели Люди, как печальный Ярила замыкал за ними серебряными ключами золотые врата. Смолкли соловьиные трели, пропали куда-то звонкие жаворонки. Лишь белые совы неслышно носились над пустошами, ловили зайцев и неосторожных мышей.

Не играла рыба на плёсах, не мчалась упрямо на нерест, одолевая пороги. Ушла в глубокие ямы, в морские тёмные бездны и затаилась там. А с нею и Водяные. И начал затягивать, пеленать озёра и реки сначала тонкий, хрупкий ледок, потом всё толще и толще...

А тучи, бродившие без призора хозяйского, проливались бесконечным недоуменным дождём, и он шёл и шёл, пока холод не превратил его в снег. Снег кутал Землю скорбными белыми покрывалами, заносил широкие речные русла и узенькие лесные тропинки. Порою из вихрей метели слышался хохот:

— Забудете скоро Ладу, не придёт она больше! Меня, Морану, зимы и Смерти владычицу, начнёте Матерью звать!

Кузнец Кий однажды плюнул в сердцах:

— Какая ты Мать! Ты — недобрая мачеха!

Хотела Морана без промедления наказать его за дерзкие речи, за то, что когда-то давно не выковал ей ледяного гвоздя. Обрушилась так, что растрескались от мороза добротные брёвна стены... Но изнутри в ободверину был крепко всажен топор, да со знаками Грома и Солнца, выбитыми у острия. И померещилось злобной колдунье, будто скользнули по лезвию знакомые золотые искры. Откуда знать, может, это Огонь очага отразился в блестящем железе, — но Моране хватило, чтобы убежать без оглядки.

Попробовала она подучить Змея, натравить его на кузнеца, но Волос упрямо замотал головой:

— Ну его! Он из камня воду выдавливает, выше облака ходячего железо кидает. Не полечу!

Так и не полетел, и Морана сорвала злобу на пленнике. Схватила его маленького сынишку, подтащила к заваленной двери и ущипнула, чтобы погромче заплакал:

— Твоя жёнка сама к Змею ушла, тебя позабыла! Думаешь, зря твои кони на всём скаку распряглись? Леля со Змеем давно сговорилась, ещё до свадьбы твоей! И этот сын — от него!

Перун ей ничего не ответил, лишь вздрогнул, заслышав младенческий плач, — цепи звякнули, облетел иней со стен. Он не мог видеть, как вырывалось дитя и хваталось за каменные валуны, сокрывшие дверь. Знать, Богиня Весны всё-таки успела шепнуть сыну, кто его настоящий отец.

Смекнула коварная ведьма — мальчонка непременно раскроет обман, как только научится говорить. Больше она его с собой не брала. Одна приходила рассказывать погребённому в стылой норе, как веселится со Змеем забывчивая изменница, как тешит Скотьего Бога. И потирала ладони, чувствуя бессилие узника, его молчаливую муку.

Дань

Змей в самом деле нередко ходил посмотреть на упокоенную во льду Богиню Весны. А потом являлся в пещеру, где колдовала Морана, и принимался канючить:

— Ну сделай, чтобы она ожила! И чтобы меня полюбила! Ну что тебе стоит?

Но Владычица Смерти совсем не хотела снова тепла и цветущей зелени на Земле. И не могла сказать Волосу — мол, уже пробовала преклонить верное сердце, да не сумела. И не было ей дано оживлять мёртвое, умела лишь убивать. Долго отмахивалась Морана:

— Вот ведь приворожило тебя! Сколько девок на свете, хоть каждую обнимай!

Но Волос не унимался, и, верно, туго пришлось бы ей с упрямцем, но посоветовал Чернобог:

— А ты сотвори ему в образ точно такую, да и оженим. Небось, сразу повеселеет.

Обрадовалась Морана и приступила к делу не медля. Вынула у Змея шерстинку, выдернула чешуйку — Волос всё вытерпел, даже не взвизгнул.

— А теперь раздобудь живое яйцо!

Сломя голову кинулся Скотий Бог промышлять и принёс крапчатое, кукушачье, чуть не на снег брошенное беззаботной кукушкой в чьё-то пустое гнездо. И скоро в колдовском подземелье запищала новорожденная Змеиха. Волос всё прибегал на неё посмотреть, хорошо ли растёт, скоро ли заневестится.

Что ж, Змеиха Волосыня удалась как раз под стать жениху. Злая Морана выучила её превращаться в озеро и колодезь, даже в шатёр с пуховой постелью внутри. Потом показала ей запертую в ледяном гробу Богиню Весны:

— Хочешь угодить суженому — сделайся, как она.

Но юная Змеиха уже увидала Даждьбога:

— Какой красивый! Весь золотой, прямо светится...

Морана оттащила её прочь с подзатыльником:

— Ишь, загляделась! Ладно, будешь знать, что случается с теми, кто мне не покорствует!

Присмиревшая Волосыня послушно отвернулась от прозрачной могилы и прекрасного ликом Сварожича, принялась твердить заклинание.

Скотий Бог через голову перевернулся от радости, когда Морана вывела к нему невесту, точь-в-точь похожую на Богиню Весны. Лишь глаза были, как у самого Змея, радужные и пустые. Приглядевшись, Волос смутно почувствовал разницу, но в чём дело, так и не понял. А вскоре вовсе забыл.

Стали они вместе вылетать на добычу, кружить над заваленными снегом лесами. А минуло время, родились у них дети, маленькие Змеёныши. Впрочем, Волосыня о них не очень заботилась. Наверное, оттого, что родилась из кукушачьего яйца.

— Повелеть надо Людям, чтобы приводили да оставляли в твоих святилищах девок, — рассудил Чернобог. — Будет кому сопли твоим сынкам утирать!

И повели Люди одну за другой плачущих девок в дань лютому Змею... Иначе грозился немилостивый разметать очаги, выкорчевать леса. Сказывают, иные девки тотчас умирали от ужаса, едва попав ему в когти. Иных он, ярый, сам до дому не доволок. Но и тех, которых донёс, собрался целый полон. Хватило мамок-нянек малым Змеёнышам, хватило чернавок Волосыне в прислужницы. Было, было отчего потом жаловаться Людям — стал народ, мол, не так, как прежде, пригож. То ли злая Морана своим колдовством подталкивала жребий, то ли само получалось, а только попадали к Змею в пещеру все самые милые, да притом работницы, рукодельницы, тонкопряхи, стряпухи... И вот прибежала в кузницу Кия горемычная женщина, та самая, чью дочку он когда-то вывел из лесу: её девчоночка выросла умницей и красавицей, уже сваты заглядывали во двор.

— Ой, головушка моя многобедная!.. — упала Кию в ноги сокрушённая мать. — С дитятком единственным попрощаться велят...

— Погоди, не реви, — отмолвил молодой кузнец. — Попробую твоему горю помочь. А не сумею, тогда будешь дочку оплакивать. Да и меня заодно.

Кий не искал одолеть хищного Змея силой: какое там, если уж двое старших Сварожичей за Железными Горами пропали. Нет, если и оставалась надежда, так разве что на смекалку. Было дело, однажды она его выручила. Поможет ли вдругорядь?

На всякий случай кузнец отправился в дом невесты и поклонился её отцу с матерью низким земным поклоном:

— Иду сироту от Змея оборонять... не поминайте лихом, если вдруг что. А жив возвращусь — поведу вашу доченьку кругом печного Огня... коли отдадите.

Вон как оно вышло! С младенческих лет называли их женихом и невестой, ещё с Киевым батюшкой уговаривались сродниться — а в самом деле помолвить детей пришлось только теперь, на краю жестокой погибели, под накрепко замкнувшимся Небом...

Сказывают, красавица-дочка расцеловала пропахшего копотью кузнеца, потом вынесла печальную, белую с красным фату — подарок к будущей свадьбе от самой Богини Весны, — и низко склонилась перед отцом:

— Покрой, батюшка! Я ведь за другого своей волей не выйду...

И закрыли невесту. Если не Кию — никому больше не зреть её девичьей красоты. Еле ушёл оттуда кузнец... Но всё же ушёл и отправился на лыжах прямо в низину, к Волосову святилищу. Таких святилищ теперь много было повсюду. Давно уже не стало любимых прежних Богов, но ведь жертвовать и молиться можно и без любви — достанет боязни. Быстро бежал Кий, а сам думал дорогой, как бы чудище вернее отвадить.

Разнаряженная, точно на выданье, девчонка уже опухла от слёз — глаз не видно. Первым долгом Кий отогнал от неё мать:

— Да погоди ж ты реветь! Уморишь дочку до времени! Иди-ка лучше домой да затевай пироги, вернёмся голодные, есть станем просить!

Хотя вполне могли те пироги пригодиться и для поминок. Ушла бедная женщина, так и не сведавшая, что из её волоска зародился когда-то Змей-погубитель. А кузнец заставил девушку вытереть слёзы, умыть лицо снегом. Дал в руки ножик и чурочку, велел строгать помаленьку. Да вразумил:

— Как налетит Змей, держись погрознее. Гляди на него, как будто примериваешься. И поддакивай знай, о чём ни спрошу!

...Вот испуганно схоронился серебряный Месяц, не желая зреть непотребства, и издалёка послышался тяжёлый свист перепончатых крыл: это Скотий Бог летел за добычей. Снова затрясло несчастную девку, ножик вывалился из руки. Но кузнец успел ей шепнуть:

— Сказано, грознее гляди!

Змей опустился наземь, взвихрив снежную тучу. Завертел головой, высматривая красавицу. Кий окликнул его:

— По здорову ли, Горыныч? Ну как, выучился выжимать из камня водицу?

Горыныч — так называли Волоса по Железным Горам и ещё оттого, что падал он из-за туч, похожих на горы.

— И ты гой еси, кузнец, — отмолвил он удивлённо. — Нет, не выучился ещё...

— Ну, это беда поправимая, — сказал ему Кий и кивнул на сидевшую девушку: — Я тут сестру к тебе снарядил, она посильней меня будет. Она тебе живо всю премудрость покажет. И тебе, и жене твоей Волосыне, и малым Змеёнышам...

Сирота наконец осилила страх, подняла голову и посмотрела на Змея — как на проказливого кота, подобравшегося к сметане. Опешило чудище: никогда прежде на него так не смотрели! Только и нашёлся Волос спросить:

— А что это она там такое строгает?

Кий ответил:

— Примеривается, хочет вас всех свежевать, да боится шкуры испортить...

Не в шутку перепуганный Змей начал пятиться, заморгал... А смышлёная девушка огледела кольчужную чешую, огледела когтистые лапы — и поддакнула, как сговорились:

— Пожалуй что на подмётки сгодится...

Тут уж у Змея от страха в животе заурчало. Ударил могучими крыльями, взвился и дал дёру, как будто гнались за ним. Такой поднял ветер, что Кия и девушку сбило с ног, замело снегом, едва откопались. Хорошо, Скотий Бог того не видал.

— Эх, жаль, больно быстро удрал, — сокрушался кузнец, пока шли назад. — Не выспросил я у него, что они над Сварожичами учинили, живы ли славные!

Злая Морана долго Волоса укоряла:

— Девки побоялся, негодный! Ты вспомника, с кем силами мерялся! А ледяной зуб на что? Или со страху всё позабыл?

— Да-а! — обижался Змей. — Одного я в спину ударил, с другим и втроём едва совладали, до сих пор хребтина болит! Ты от кузнеца сама бегала, а сестра-то ещё посильнее его, он сам мне сказал...

Говорят, с той поры он летал за данью всё неохотнее, потом совсем перестал. Очень боялся опять наскочить на столь же грозную девку, — не одна она на свете такая! Не соберёшь ведь ни косточек, ни чешуи!

Зато меж Людьми завелись дерзкие и смешливые, начали ходить от деревни к деревне, распевать задорные песни про смелого кузнеца и глупого Змея, на все лады издеваться над Кромешным Миром, над мраком и Смертью. Скоморохи — вот как прозывали этих Людей, и у Чернобога с Мораной не стало худших врагов, разве что кузнецы, подобные Кию.

А маленький сын Перуна и Лели подрастал среди Змеевичей. Играл с ними, потом почтительно и внимательно слушал, чему учила Морана. Он был очень неразговорчив и не расспрашивал о матери, не рвался больше к отцу. Злая волшебница долго пыталась прочесть его мысли, выведать, что сохранилось в его памяти, что поистёрлось. Но так и не сумела. Ведь он был внуком Земли и Неба, внуком Любви и сыном Богов. Стали Морана и Чернобог призадумываться, не вырос бы этот мальчонка им на погибель, — а и вырастет ведь, если недоглядеть... Долго советовались и наконец порешили:

— Оженим их с младшенькой Змеевной, когда подрастут!

Сын Перуна выслушал с низким поклоном и опять ничего не сказал. Вот и поди разбери, что там у него на уме. А ходили за ним всё няньки-чернавушки, те самые, избравшиеся Змею в дань ради своих племён. Только они, хоть и редко, слыхали, как смеётся сын Грозы и Весны. Зато часто случалось им прятаться за его неширокой спиной то от ярого Змея, то от гневливой Змеихи Волосыни. Почему-то те не могли вытерпеть его взгляда: пошипят, пошипят, да и отползут...

Моровая Дева

Тем временем на Людей навалились новые горести. На засыпанной снегом Земле стояли такие безжалостные холода, что птицы, не спрятавшиеся в ирий, мёртвыми падали с деревьев в лесу. Дикое зверьё приходило к домам, просилось погреться. Сказывают, кузнец Кий первым додумался задобрить неумолимый мороз угощением, откупиться едой. Велел юной жене наварить горшочек ячменной кутьи — сладкой каши на меду, с сушёными ягодами — и выставил его за порог со словами:

— Мороз, мороз! Иди кутью есть! Не морозь ни меня, ни моих коров, овечек да свинок...

И вскоре было замечено — тех, кто не скупился на угощение, мороз обходил. Зато Железные Горы, доселе чуть видимые под Месяцем вдалеке, стали как будто приближаться, расти. И догадались Люди: это слой за слоем, пласт за пластом прибывал на них лёд. Совсем гибель, если и дальше вширь расползётся, до края Землю заляжет...

Только злая Морана и этакой казнью была ещё недовольна. Уж очень ей не терпелось совсем извести на Земле живое дыхание: мыслимо ли дождаться, пока достигнет краёв Земли, доползёт к Океан-морю медленный лёд! Сварила она вонючее варево, бросила в него крысиный помёт, плюнула, произнесла заклинание — сгустился серый пар над грязным котлом, ступила на пол пещеры Моровая Дева в белых смертных одеждах, тощая и голодная, с длинными распущенными волосами. А в правой руке у неё был скорбный платок, каким покрывают невест: чермный, цвета спёкшейся крови.

— Ходи меж Людьми, — приказала ей мерзкая ведьма. — Повевай, помавай своим платом на север, на юг, на запад и на восток! И чтобы некому было хоронить умерших там, где ты пройдёшь!

Стремительной тенью изникла из-за Железных Гор посланница Смерти... Начала незримо похаживать, опустошая селения. Не щадила ни дряхлого старца, ни новорожденного в колыбели. Лишь собакам, кошкам и петухам дано было видеть жуткую гостью. Петухи поднимали отчаянный переполох, кошки прятались по углам, а собаки с яростным лаем бросались на что-то невидимое. И порой Люди успевали сообразить, что к чему. Тогда бабы и девки нагими шли на мороз, впрягались в соху и заступали Смерти дорогу: опахивали своё место, очерчивали в снегу борозду — замкнутый круг. Переступить эту черту Моровая Дева не смела и удалялась разгневанная, мстила кому придётся: обрывала пышные хвосты петухам, лишала голоса псов...

Кое-где от отчаяния начали приносить жертвы Моране. Чертили на испоганенной Земле её образ, устраивали плетень, наполняли его подношениями. Бывало, убивали там и Людей...

Но даже и Смерти знакома усталость. Надоело Моровой Деве мерить своими ногами широкую и враждебную Землю, надумала она взобраться на плечи человеку. И надо же было случиться, чтобы попался ей навстречу брат Кия, возвращавшийся с городского торга домой.

— Слышал ли ты о напасти, от которой все умирают? — приняв зримый облик, спросила его Моровая Дева. — Вот это я и есть. Будешь теперь носить меня на себе, да смотри, не вздумай миновать хоть чью-нибудь избу!

А будешь верно служить, так и быть, тебя пощажу.

Попадись ей сам Кий, верно, кто-то из них не сошёл бы с того несчастного места. Брат кузнеца оказался духом похлипче: покорно подставил ей спину, и Моровая Дева обвила костлявыми пальцами его шею, так что охватил всё тело мороз... И побрёл горемыка прежней дорогой, боясь оглянуться через плечо. Легче лёгкого пуха была его ноша, но если по совести — с песнями вскинул бы брат кузнеца на плечи стопудовый мешок и до дому нёс не споткнувшись!

Шли они мимо двора, где праздновали рождение первенца: раздавался смех, долетал вкусный запах еды. Но Моровая Дева взмахнула чермным платком, и немедля всё изменилось — послышался плач, вскоре замолк, а потом и дымок над крышей пропал... Мало ноги не отнялись у Киева брата, но делать нечего — шёл.

Дальше, дальше вела их искрившаяся в лунном свете дорога, и вот наконец впереди зазвучала знакомая размеренная песня молота и наковальни, повеял дымок родного огня. Там ожидали путника братья и старая мать, молодая жена и малые дети. Как он явится к ним со своей чудовищной спутницей, как выдаст ей на расправу самых любимых?..

Невзвидел тут свету брат кузнеца! Страшным словом проклял своё слабодушие, да и себя самого! Что было мочи стиснул крепкими пальцами мёртвые костлявые руки на своей шее — и с криком бросился с дороги прочь, на речной лёд, туда, где дышала, курилась морозным паром чёрная полынья...

Кий узнал голос брата и выбежал на подмогу, но поздно. Успел увидеть только круги, расходившиеся в полынье — глубока и быстра была в том месте река... И вот что ещё увидел кузнец: серую тень, изникшую из воды. Она показалась ему похожей на тощую высокую женщину с длинными неприбранными волосами. Эта женщина как будто с испугом оглянулась на полынью, поглотившую смелого человека... потом взвилась высоко в непроглядное небо — и стрелой полетела к Железным Горам!

Тогда Кий понял, что произошло. Опустился на колени в снег и заплакал...

Гибель дома

Так и не удалось Владычице Смерти второй раз послать Моровую Деву на промысел. А жалко: ведь трёх шагов не дошла нерадивая до ненавистного кузнецова гнезда. Правду молвить, нутром чувствовала Морана — пока стучит его молот, стучит сердце рода людского. И, значит, нечему радоваться, хотя бы Весна и Солнце непробудно спали во льду, а Бог Грозы принимал нелёгкие муки, лишённый сердца и глаз, закованный в семьдесят семь холодных цепей, и внука Неба готовили Змеевне в женихи...

— Сама пойду! — сказала Морана. — Избуду, истреблю кузнеца!

И спустя недолгое время всё ближе и ближе к Киеву дому стало случаться новое страшное диво. Ночами — а ночью теперь почиталось время, когда заходил Месяц, — под двери изб просовывалась рука и начинала махать всё тем же смертным платком, и поутру в том доме уже некому было встать, подоить мычащих коров.

Кий без устали ковал железные обереги-засовы, раздавал уцелевшим соседям. Свою семью и прибившихся сирот закрывал на ночь в кузне, памятуя, что туда вход нежити и нечисти был крепко заказан. А сам, попрощавшись на всякий случай с юной женой, брал верный молот и усаживался в засаду в опустевшей избе, у незапертой двери. Сидел тише мыши, только щипал себя безо всякой жалости, чтобы не заснуть.

И вот однажды дождался. Услышал, как заскрипел снег, а потом жалобно охнули стены. Заскреблись под дверью острые когти... и наконец показалась из неприметной щели жуткая скрюченная рука, держащая угол платка!

В тот же миг Кий с лязгом вдвинул тяжёлый железный засов, намертво её прищемив. Схватил молот и принялся крушить со всей силой и яростью:

— Это тебе за брата! А это за Даждьбога Сварожича, за трижды светлое Солнце! А это за моего побратима, Бога Грозы!

Впрочем, сказывают, он собственного голоса почти не слыхал, такой вой подняла за дверью Морана. С дубинами, с факелами начали сбегаться соседи: какая беда случилась у кузнеца, не надобно ли помочь? Те, что подоспели проворней других, успели заметить отвратительную тень, корчившуюся на снегу у крыльца. Железный засов держал Владычицу Смерти, как в мышеловке, может, тут в самом деле настал бы ей справедливый конец... но при виде близящихся огней злая ведьма собрала последние силы, с крысиным визгом рванулась — и упала крепкая дверь, раскатились бревенчатые стены, обрушилась старая крыша Киева дома. Не помня себя взвилась злая Морана в кромешные небеса, и визгливый вой её стих за Железными Горами, в глубине тёмных пещер. Но Людям было не до неё: кинулись спасать кузнеца. Елееле вытащили его из-под загоревшихся брёвен, вкупе с молотом, зажатым в ладони. Отнесли в ближайшую избу, и молоденькая кузнечиха приникла ухом к груди: жив ли?..

Соседи потом говорили, будто Огонь дал им невозбранно вытащить Кия и только тогда уже разошёлся вовсю. Никто и не думал тушить этот пожар, как не тушат пожара, причинённого молнией. Пусть рыжекудрый Сварожич на свой лад вычистит место, где побывала Морана, мало ли, какая скверна там зацепилась!

Новый дом

Долго пришлось матери и жене выхаживать Кия. И надобно думать, вовсе загнали бы его в могилу проклятия разъярённой Мораны, — но догадались разумные женщины сотворить над ним лезвием топора священный

Солнечный Крест. И отступила погибель, начали раны заживать накрепко, хотя Солнцу и Грому давненько никто не молился и не приносил жертв. Оправился Кий и решил:

— Довольно тяготить добрых соседей, надо новый дом затевать.

Дождался, чтобы взошёл молодой Месяц, и благословясь запряг в сани белого жеребца.

Как выбрать для нового дома счастливое и спокойное место, чтобы пореже заглядывали хворобы, чтобы плодились птица и скот, чтобы росли здоровые дети? Если бы довелось строиться летом, Кий выпустил бы со двора молодую корову и проследил бы, где ляжет. Но коровы давно уже не выходили из хлева, перебиваясь с прутьев на веники, с соломы на сено. Что же сделать, чтобы не оказаться на перекрёстке заброшенных старых дорог или в месте, где когда-то стояла баня, или на спорном участке — не оберёшься в доме споров и ссор! Или, совсем страшно подумать, там, где до крови поранился человек, где волк и медведь разорвали оленя, где опрокинулся воз, сломались оглобли — ведь ясно, что в добром месте подобного не произойдёт!

Опять-таки летом можно было бы связать плот из брёвен, приготовленных для постройки, оттолкнуть от речного берега прочь. Велика священная сила воды, не зря при воде клянутся в верной любви и испытывают, творя суд, кто прав, кто не прав. Куда вынесет плот, где раздвинет он прибрежные камыши — там, значит, и есть благое местечко, там любо Богам, там любо будет и Людям.

340

Но озёра и реки крепко заснули, придавленные зелёными толщами льда, заваленные сугробами. Вот и надумал Кий доверить дело коню. Решил вырубить строевую лесину, привязать к саням и дать жеребцу полную волю. Где остановится и не захочет дальше идти, там дому и быть.

Наточил Кий верный топорик и взял коня под уздцы.

— Три дерева не понравятся — лучше нынче совсем не руби, — напутствовала старая мать.

— Да уж с сухого дерева не начну, — поправил рукавицы кузнец. Действительно, в мёртвом, высохшем дереве не осталось жизненных сил, так что дом получится недолговечным, а домочадцы неминуемо станут болеть, изводиться сухотками. Не будет добра и от скрипучего дерева, в котором плачет душа замученного человека. Уморит хозяев бревно с пасынком — сучком, идущим из глубины, бревно, изуродованное наростом, бревно от дерева, повисшего на чужих ветвях или упавшего вершиной на север — к недобрым Железным Горам. Не минуешь беды, если срубишь злонравное, буйное дерево-стоерос, выросшее у скрещения троп, или, наоборот, почитаемое, или просто посаженное человеком...

Добрый конь не подвёл кузнеца: миновали опушку, и он свернул с тропки на снежную целину и потёрся мордой о ствол высокой, ладной сосны. Кий снял с головы шапку и поклонился в самую землю:

— Не сердись, деревце! Не по прихоти тебя подрубаю, нужда жестокая повелела. Вот, прими угощение да позволь взять твой ствол для нового дома. Я твоих детей, зелёную поросль, не мял, не топтал, послужи и ты моим: защити от вьюги и холода, когда народятся...

Сказав, положил в сторонке на снег ломоть свежего хлеба, густо намазанного маслом. Выбежала древесная душа из ствола, уселась полакомиться. А Кий вынул топорик и уронил сосну, уложил честно наземь. Взвалил на сани. Отдал коню другую половину молёного хлеба, потрепал по сильной шее, двинулся дальше.

Белый жеребец привёл Кия на высокий берег реки, на привольный бугор в виду других жилых дворов — хорошее место! Остановился, начал оглядываться на хозяина. Подоспевшие родичи помогли кузнецу утвердить привезённую лесину стоймя, отмечая середину будущего дома. Потом Кий вынул из-за пазухи четыре камушка, взятые с четырёх разных полей, вытащил сбережённый у тела мешочек с рожью, драгоценным зерном. Наметил, где будут углы новой избы, и в каждом насыпал по целой горсти зерна. Разделил ещё не настеленный пол Солнечным Крестом начетверо. Положил посреди каждой четверти по камню — и место для дома превратилось в священный знак засеянного поля, знак-оберег, которым и до сих пор украшают одежды. Обнажил голову Кий, положил шапку под привезённой из леса сосной и долго молился:

— Уряжаю я этот дом вокруг дерева, как Земля наша уряжена вокруг Великого Древа! Как в мире крепки четыре стороны, святая Земля и высокое Небо, пусть крепки будут в доме четыре стены с углами, тесовый пол и тёплая крыша! Пропади пропадом всякая смерть, нечисть и нежить! Прибывай, добрый достаток, множься, род, плодись, скотинка-кормилица!

Он снова пришёл на то место через три дня — стало быть, когда молодой Месяц в третий раз поднялся. Разгрёб выпавший снег, волнуясь, начал смотреть, вправду ли облюбовано доброе место. И что же? Камни, принесённые с полей, остались непотревоженными, и голодные полевые мыши не добрались до высыпанного зерна. Мало того, под четырьмя намеченными углами оказались четыре выпуклых валуна, и как раз такие, как надо. Стройся, Кий, на славу и на добро, детям на радость, внукам-правнукам на сбережение!

Помогать кузнецу собрались все родичи, пришли и сторонние Люди, все те, кому верно служили сошедшие с его наковальни ножи, копья, крючки. Строить дом, как заповедано, затеяли со святого угла — того, где Кий позже поставит деревянные изваяния Богов и хранителей-предков, чтимых в его роду. Когда начали скреплять два первых бревна, под углом закопали череп коня, тот, что долго висел на заборе прежнего дома, отгонял скотьи немочи прочь. Если бы новое село затевали, всю лошадь или быка пожертвовали бы Богам. А так — черепу та же цена, что целому зверю. Ещё бросили в яму клок шерсти, немного серебра и зерна. Пусть новый дом будет так же угоден светлым Богам и Огню, как угодны им добрые кони и сияющее серебро. Песть шерсть поможет избе сделаться уютной и тёплой, а зерно в закромах не ведает переводу...

И когда слаживали, сплачивали первый венец, было замечено, что щепки из-под топоров отлетали внутрь дома, а не наружу. Значит, всё сбудется у погорельца, о чём загадал.

Когда возвели последний, черепной венец и приготовились врубать в него священную матицу, надумал Кий погадать, спросить новый дом, что ждало в нём его семью, кому следовало тесать колыбель — сынку или дочке. Ибо молодая кузнечиха уже подпоясывалась потихоньку поясом мужа, чтобы никакое зло не сумело коснуться, испортить будущее дитя.

И вот к матице, закутанной в платки и цветные ленты, лыковой верёвкой привязали хлеб, завёрнутый в мохнатую шубу. Подняли матицу, и Кий, взобравшись наверх по углу, обошёл сруб посолонь, посыпая его хмелем и зёрнами, засевая свой мир. Ступил на матицу и осторожно перерубил лыко. Упала вниз шуба, стали разворачивать её и смотреть, как лёг вещий хлеб. Верхняя, блестящая корочка ковриги была наверху. К сыну!

Потом покрыли избу, увенчали тёплой земляной крышей, уложили последнюю слегу — охлупень с головою коня, вырезанной в комлевом, переднем конце, с мочальным хвостом по-

344

зади. Стал новый Киев дом совсем похож на коня, чей череп упокоился под красным углом: четыре угла — чем не четыре ноги, да с каменными копытцами!

Внутри избы сложили печь-каменку с маленьким устьем — только всунуть полено, с отверстиями в своде — ставить на Огонь сковороды и горшки. Сделали и хлебную печь в отдельной выгородке плетня, укрыли навесом.

— Часто ли доведётся топить её? — поднял голову кузнец к тёмному небу, где среди звёзд проплывал серебряный Месяц. — Совсем жита мало осталось, уж и не печём ничего, разве короваи жертвенные, молёные...

Месяц ничего ему не ответил. Он ходил теперь высоко, куда выше прежнего, чтобы вдругорядь не достала какая-нибудь грязная пелена. И небосвод, по которому ступали его медлительные быки, оставался запертым накрепко.

А Людям под небесами жилось всё туже и туже. Более не решались резать кормилиц-коров для требы Богам, пекли из последней, сбережённой муки хлебы-коровушки, увенчанные гнутыми рожками, — короваи...

Совсем готов стоял новый дом Кия, хоть переезжай в него. Лишь в одном месте у края крыши оставили торчать из-под дернины белую берёсту. Это ради того, что всему конченному, достигшему совершенства только и остаётся рассыпаться, умереть. А нет полного завершения, стало быть, нет и покоя, а значит — долгая жизнь впереди.

Домовой

Было дело ещё до великой зимы, в те баснословные времена, когда леса и поля зеленели. Отправился раз на охоту Киев отец и взял с собой сыновей. Забрели они тогда далеко и уже в темноте натолкнулись на лесную избушку-зимовьюшку, кем-то добрым построенную нарочно для таких прохожих гостей. Неразумные отроки обрадовались нежданному крову и хотели сразу войти, усесться на лавки, но отец удержал:

— Погодите-ка. Сперва попроситесь!

— Зачем? У кого? — не поняли те. Мудрый отец тогда снял шапку и поклонился зимовьюшке:

— Пусти, хозяин ласковый, ночевать.

— Пусти, — откликнулись сыновья. И только тогда отворили дверь, растеплили давно погасший очаг, сели вечерять. Да не забыли от своей вечери отложить по куску: Огню в очаге и тому неведомому хозяину, у которого испрашивали разрешения ночевать.

Кий помнил: когда легли спать и стало темно, долетел из печного угла шорох, потом лёгонький топоток по полу, ни дать ни взять дитя малое пробежало. И наконец кто-то зачавкал едой, и Кий явственно расслышал:

— Вкусный хлебушко у них, пропечённый! И сало хорошее! И леваш ничего, черничный!

Кию, совсем мальчишке тогда, сделалось страшно: понял, что это был сам хозяин, дух избы — Домовой. Так вот у кого просился отец! Впрочем, шорох быстро затих, и усталый Кий крепко заснул. Но в глухую полночь плотно прикрытая дверь вдруг распахнулась со стуком, и внутрь ворвался холодный, сырой ветер.

— Ага! — сказал совсем другой голос, не тот, что похваливал угощение. — Да у тебя Люди тут! Сейчас будем душить!

И точно — стояла уже на пороге какая-то тень, бесформенная, но с двумя когтистыми лапами, и неживой зеленью отсвечивали глаза. У Кия от страха ссохлось во рту, не смел закричать. Но пришлецу заступил дорогу лохматый беленький старичок, выскочивший из угла:

— Нет, не будешь ты никого здесь душить. Не у тебя спрашивались, не ты и возьмёшь.

Схватились, пошла потасовка! Возились, пыхтели — кто кого превозможет, кто кого выбросит вон. Отец Кия вскочил с лавки, принялся помогать помелом. Кто был тот страшный пришлец? Другой Домовой, брошенный на развалинах старой избы и озлобившийся на Людей? Не ведомо никому. Долго длилась возня, но хозяин его всё-таки вытолкал. Одолел. И стало тихо в доме.

Сама собою плотно прикрылась дверь, и уже сквозь сон Кий ощутил, как кто-то поправил на нём волчье тёплое одеяло, погладил по голове мягкой-мягкой ладонью...

Утром отец с сыновьями нарубили дров взамен тех, что сожгли накануне. Припёрли колышком дверь, чтобы дождь не лился через порог. Поклонились гостеприимной зимовьюшке:

— Благодарствуй, хозяин ласковый, за ночлег.

Маленький старичок с лицом, до глаз заросшим белыми волосами, им больше не показался. Но Кий, обернувшись через плечо, увидал на крылечке какую-то пушистую зверюшку: кошку не кошку, белку не белку, зайца не зайца... Сидела зверюшка, смотрела им вслед и даже лапкой вроде помахивала: заходите, мол, вдругорядь. Худо жить в доме без Домового, а и ворчуну Домовому невесело без Людей...

Новоселье

Вот таков норовом Домовой. Не уважишь его — того гляди, начнёт коней заезжать, корову выдаивать по ночам. А может и за хозяев приняться. Станет пугать, наваливаться на спящих, может вовсе выжить из дому. Но коли ты к нему с лаской и угощением, и он к тебе с тем же. Поможет хозяйке сыскать завалившуюся куда-то иголку, выходить новорожденных ягнят, даже пожар потушить. А то тряхнёт уснувшего за плечо:

— Вставай-ка, новая корова со двора убежала...

Может, конечно, и невзлюбить какое животное, начать обижать. Но тут уж и человеку смётка не в грех. Увидел, что Домовой кошку оземь метнул, — тотчас же оговори его, усовести:

— Зачем бьёшь? Без кошки что за изба? Эх ты, хозяин!

И не бывало, чтобы не понял. Оттого зовут ещё Домового — дедушка-суседушка. Обликом он чаще всего схож с самим хозяином дома, только мал ростом и весь в шерсти. Он родич Дворовому, Овиннику, Баннику, но добрее их всех, ведь он к Людям всех ближе, в самом жилом месте живёт, под печкой в избе. Овинник из овина — тоже свой, но всё же подальше. А Банник и вовсе диким бывает, ведь баня ставится чаще всего за пределом двора, где-нибудь на бережку. Ещё шаг, и вода с её Водяным, поле с его Полевиком, лес с его Лешим — совсем не обжитые, чужие места!

Случалось, примученный Банником человек бежал в чём мать родила мимо овина и звал на бегу:

— Овинник, батюшка, заступись!..

И Овинник выскакивал на подмогу. Но бывало, и сам пакостить начинал. И уж нету хуже несчастья, чем прогневить Домового, поссориться с ним...

Если бы прежний дом Кия остался целым и населённым, если бы просто отделилась, как это бывает, молодая семья от отеческой — при закладке новой избы отрубили бы голову петуху, чтобы не только умилостивить древесные души, но и населить избу новорожденным Домовым. Однако от прежнего жилища осталась лишь груда брёвен, прогоревших насквозь, и слышали Люди, как сирота-Домовой обходил застывшие угли, вздыхая и горестно бормоча. Минует время — совсем страшно станет мимо ходить. Решил Кий пригласить Домового к себе в новый дом жить. Но прежде проверил, доброй ли получилась изба, удовольствовалась ли конским черепом и угощением, не потребует ли ещё подношений, чьей-нибудь головы.

На первую ночь в доме заперли курицу с петухом. Утром, когда взошёл Месяц, петух из-за двери приветствовал его радостным криком. Никто не тронул его, не придушил, не обидел. На вторую ночь пустили через порог кота с кошкой и поутру обрели обоих живыми. Потом в доме ночевал поросёнок, за ним овечка, тёлка и конь — тот самый белый жеребец, указавший доброе место. И лишь на седьмую ночь вошёл в избу хозяин-кузнец с огнём для печи и с тестом в квашне, чтобы сытно жилось.

Он ещё обошёл своё прежнее жилище посолонь, волоча хлебную лопату, показал посоленную краюшку и трижды позвал:

— Дедушка Домовой! Выходи, поедем домой!

После третьего раза лопата отяжелела в руке. Кий осторожно тащил её по сугробам до нового крылечка — не передумал бы Домовой, не убежал бы назад на развалины. Но нет, мохнато сидел смирнёхонько, держался за черенок, только сопел. Кий торжественно внёс его в избу:

— Поди, дедушка-суседушка, с женой, с малыми ребятами, в новый сруб, в новый дом да к прежним Людям, к старой скотинушке!

Положил Домовому в подпол хлеба, горячей каши, ковшичек мёду. Раскрыл дверь, бросил в избу свёрнутую верёвку и вошёл, держась за неё. Так, говорят, иные влезали прежде на Небо, в новый неведомый мир. Снаружи взялась за верёвку жена, Кий втянул внутрь и её. И вот затеплили в новой печи живое новое пламя, добытое трением, как и Боги некогда поступили, уряжая Вселенную. Дрова горели ровно и ясно, новенький горшок, впервые доверенный Огню, не растрескался, уцелел. И когда посадили выпекаться хлебы в хлебную печь, у всех макушечки наклонились вовнутрь, а не наружу, пообещали Киеву дому прибыток и счастье, потому что жил он по Правде, в ладу с Огнём, Землёй и Водой.

Ещё оставалось дождаться, какой самый первый гость пожалует на порог. Если добрый, хозяйственный человек, значит, доброй будет жизнь новосёлов. Если же подошлёт злая Морана кого-нибудь никчёмного, разучившегося домостройничать — не оберёшься беды!

Но об этом уж позаботились Киевы соседи, сами видевшие от кузнеца немало добра. Едва взошёл полноликий Месяц, постучался в двери старый старинушка, глава многочадной семьи, водивший крепкую дружбу ещё с Киевым отцом. Вошёл в избу, неся дорогой подарок — хлеб-соль:

— С новосельем, кузнец!

Дети

В новом доме у Кия родились дети: первенец-сын и ясноокая дочка. Рожала молодая кузнечиха на руках у мужа и опытной бабы, приглашённой тайком, чтобы никто злой не проведал да и не сглазил юную мать. Рожала не в доме — в бане, ведь рождение, как и смерть, раскрывает ворота между мирами, — незачем этому приключаться, где Люди живут. В доме только раскрыли дверь, подняли все крышки, отомкнули какие были замки, развязали узлы. А кузнечиха ещё расплела косы, чтобы легче изникало дитя.

Кий заботливо водил жену по бане туда и сюда, к порогу и назад, посолонь, поднимал на полок, поворачивал с левого боку на правый. Успокаивал, держал крепко за руку, пока мучили схватки. И вот наконец раздался младенческий ликующий крик, и бабка скормила Кию ложку круто посоленной, да ещё наперченной каши — слёзы из глаз:

— Кушай, отец-молодец.

Правду молвить, та каша не показалась кузнецу особенно горькой — масляный блин на поминках кажется горше. Любимая жена улыбалась ему сквозь усталость и слёзы, и дитя шевелилось у груди. Как весь мир когда-то, впервые ощутивший рядом свою Великую Мать. И не хотелось думать, что дитятко входит под небеса, в которых умерло Солнце и не стало Грозы, вступает на Землю, с которой навсегда пропала Весна.

Сына повили на рукояти отцовского молота, дочку — на веретене, чтобы росли не бездельниками. Спеленали сынка отцовской рубахой, доченьку — материнской. Обоих Кий торжественно показал изваяниям Богов, глядевшим из святого угла, печному Огню, показал растущему Месяцу, приложил к очищенной от снега Земле. Потом снёс к реке и обрызгал водою из полыньи — всё это затем, чтобы причастить их Вселенной, чтобы добрые очи увидели новых Людей, признали новые души. Все обряды Кий совершил сам: последние Перуновы жрецы уже давно не спускались с горы Глядень, где когда-то было святилище. А звать волхвов в вывороченных шубах кузнец не хотел.

Сошлись родня и соседи, принесли роженице угощение на зубок, чтобы хорошо ела и поправлялась, — пирожки, блинчики, всякие домашние лакомства. Потом устроили пир, священную братчину, празднуя продолжение рода.

Сына Кий назвал Светозором, доченьку — Зорей. Следовало бы назвать по деду и бабке, но их имена уже носили дети старшего брата, вот и подумалось кузнецу — пусть хоть в именах будут с ними спутники дня, которых эти дети, пожалуй, узнают лишь по рассказам...

— А может, всё же увидят? — спросила молодая кузнечиха.

— Может быть, — сказал Кий.

Эти имена звучали лишь дома, на улице детей называли прозвищами, кличками-оберегами. Незачем стороннему человеку подслушивать истинные имена, вдруг попадётся недобрый, ещё порчей испортит. Вот почему до сего дня Люди редко говорят — я такой-то, чаще иначе: меня зовут...

Как от прадедов заповедано, до семи лет малышам не стригли волос, и бегали они по дому в одних рубашонках, сестрица — без девичьей поневы, братец — без портов, не знаючи не разберёшь, где дочка, где сын. А рубашонки им шили из старых родительских, чтобы родительская одежда оберегала дитя. Вырастут, наберутся силёнок, возмогут сами за себя постоять — тогда уж и станут носить сшитое из новины.

Но вот Кий в первый раз посадил сынка на коня, приобщая к мужскому занятию, и тогда же обрезал ему отросшие русые кудри:

— Постригайся, Светозор Киевич, с ребячьего стану да в мужскую славу!

Начал сын помогать ему в ремесле, покамест наполовину играя. Присматривался, делал что мог. Потом Кий привёл Светозора в мужской дом своего племени, туда, где его самого научили когда-то чтить светлых Богов. А теперь уже сын внимательно слушал, как новорожденный мир покоился на коленях Великой Матери Живы, о славных делах троих могучих Сварожичей — Даждьбога-Солнца, Перуна, Огня... И о Змее, конечно. Змею Волосу молились теперь все, а о Грозе и Солнце если припоминали, то уже наполовину не веря, особенно молодёжь: было, не было ли, чего только старые старцы не наплетут... Кое-кто и посмеивался над любопытным сынишкой кузнеца, а тот всё приставал к отцу:

— Какой он был, Даждьбог? А Бог Грозы? Расскажи про Сварожичей!

Кий уводил его в кузницу и рассказывал там, под лязг молота и шипение искр. Многим молившимся Волосу нынче не нравилось, когда поминали сгинувших сыновей Неба.

— Не слушай их, — говорил сыну кузнец. — Они сами стали, как Змей. Только и чтут прошлого, что в свою куцую память легло!

Так мужал Киевич и наконец принял Посвящение: в мужском доме умер Светозор-мальчик, родился совсем новый Светозор — юный мужчина, признанный усопшими предками, в самом деле принятый в род. Вышел под ясный Месяц одетый по-мужски, в штанах и с оружием, кованным в отеческой кузне, со знаками рода, вколотыми в живое тело острой иглой, намазанной жгучими зельями! Видный парень был, в отцовскую стать, в материнскую красу — чего доброго, скоро на девок-славниц станет поглядывать, невесту найдёт, дедом сделает Кия...

Дочка, Зоренька, тоже даром времени не теряла. В тот год, когда братец посажен был на коня, выпряла она из очёсов шерсти свою самую первую нить. Половину той пряжи заботливая кузнечиха немедля припрятала — ещё сгодится дитятко опоясать, когда повзрослеет и заневестится, дождётся сватов. Другую половину — сожгла и велела дочке вдохнуть дым, а золу выпить с водицей под приговор:

— Будешь пряхой хорошей!

Стала Зоря ходить в женский дом, на девичьи посиделки, цепко запоминать старинные песни, перенимать рукоделие и стряпню. Занялась, как все девки, ткать и вышивать себе приданое — замуж выйдет, там некогда будет. За прялкой, сказывали, её мало кто обгонял. И вот наконец совсем повзрослела, стала из девочки девушкой. Опять собралась родня, взобралась Зоря на лавку и стала похаживать вдоль стены туда и сюда, а мать пошла следом, развёртывая шерстяную клетчатую понёву:

— Вскочи, дитятко!

— Хочу вскочу, не хочу не вскочу, — отвечала Зоря гордо, как заповедано. Вздевшая понёву становится славницей, невестой на выданье. Как не показать своему роду — мол, век просидела бы в родительском доме, никуда своей волюшкой не пойду!

Но вот обернули поверх вышитой рубахи понёву, завязали тканый пёстренький поясок... Выросла дочка!

Заброшенное святилище

Вот уже тридцать лет и три года не видели Люди солнечного восхода, тридцать лет и три года не наступала весна. Люди позабыли вкус хлеба, забыли, как прикасается к телу льняная и конопляная ткань. Пряли шерсть, выделывали звериные шкуры, кормились охотой. Медведи просыпались в берлогах и бродили по заметенным снегом лесам, тощие, страшные, свирепые. Иногда они ловили девок и баб, но не ели — утаскивали в берлогу жить. Рождались сыновья, не то Люди, не то медведи. Если превозмогало звериное, делались оборотнями. Если людское — выводили мать обратно к родне, сами тешились молодечеством. Прозывали их кого Медвежьи Ушки, кого просто Медведкович, и по сей день про них рассказов не счесть.

Однажды Зоря и Светозор взяли луки и вместе вышли со двора на лыжах. Брат и сестра с детства привыкли полесовничать вместе, добывать боровую птицу и зверя. Не боялись ночевать на морозе, уходили порою на несколько дней. Лешие давно не показывались, так что иные охотники уже и не чтили Правду лесную — зачем, коли никто не накажет? Вот и убивали больше, чем требовалось, бросали подранков, забывали повиниться перед звериными душами, изгнанными из тел, поблагодарить за добро. Жутко вымолвить — иной раз живьём шкуру спускали. И, уж конечно, не оставляли на пнях угощения лесному народу. Какое там — сами несыты! А что зверьё уходило, скудело, внукам не на кого будет охотиться — им-то какая забота!

Брат с сестрою удались не таковы. Довелось им раз вытащить из полыньи чернобурого лиса, цеплявшегося за ломкий ледяной край, ненадёжно прихвативший быстрину. Светозор и сам вымок по пояс, пока его доставал. Дети кузнеца тогда не позарились на роскошную драгоценную шубку. Разложили костёр, обогрели и высушили зверька — да и отпустили...

...Долго ли, коротко ли шли Киевичи лесом, под заиндевелыми соснами, меж непроглядных елей, утонувших в снегу. Довелось им тот раз зайти в самую крепь, в такие места, где они ещё не бывали. Пересекли замёрзшее болото, миновали холмы — и над лесными вершинами явила себя гора, круто вознёсшаяся ввысь.

— А не Глядень ли это? — сказал сестре Светозор. — Давай заберёмся!

Яркий Месяц светил между облаков, обведённых серебряными каёмками. Оказалось, гора стояла на самом морском берегу, озирая мерцающий неподвижный простор, ушедший во мглу. А в другой стороне, далеко-далеко, видны были знакомые родные дымки. Действительно — Глядень, лучше не назовёшь. Но брат и сестра, взобравшись наверх, тотчас позабыли, чего ради вязли в сугробах. На лысой макушке горы перед ними было давно позабытое, заброшенное святилище Бога Грозы. То самое, о котором рассказывал когда-то отец.

Богам никогда не строили храмов: зачем им стены и кровля, когда их хоромы — летящие тучи и небесная твердь, ложащаяся под колёса солнечной колесницы? Святыням Людей незачем было скрываться от Неба. В прежние времена резной лик Перуна умывали ласковые дожди, а тёплые ветры подносили браное полотенце. Ныне дубовое изваяние стояло обледеневшее, облепленное снегом, покосившееся, безокое... но всё-таки стояло, не рухнуло.

Киевичи подошли осторожно. Когда-то вокруг него в шести ямах неугасимо горели костры, и жрецы, жившие чуть поодаль в избушке, денно и нощно приглядывали за пламенем, подкладывали дрова. И всякое утро, когда солнечные лучи притрагивались к изваянию, смешивались со светом костров, — думали Люди, это три брата Сварожича сходились все вместе, благословляя свой мир...

Куда подевались жрецы? Может, так и умерли здесь в кромешную осень, пытаясь сберечь священный Огонь?..

Сестрица поднялась брату на плечи, принялась бережно очищать лицо изваяния, и скоро на Киевичей глянул Перун — его золотые усы, его знак — глубоко врезанное, о шести спицах громовое колесо. Ну точь-в-точь та фигурка из красного тиса, хранимая дома, отец сказывал — втыкали её на засеянном поле, испрашивая дождя... Только волосы накрепко заледенели да прежние синие глаза глядели незряче. Должно быть, холодные дожди смыли яркую краску в ту осень, когда погасли костры.

— Если бы опять взошло Солнце, — сказала Зоря негромко. — Увидеть бы хоть раз, какое оно!

Светозор разгрёб снег перед изваянием. Открылся алтарь — круглое каменное кольцо, вросшее в промёрзлую Землю. Когда-то сюда опускали рогатые короваи, а в праздник Перуна лили жертвенную кровь туров, оленей и могучих рыжих быков...

Киевичи переглянулись и начали стаскивать к алтарю сухие ветки из леса. Сверху Светозор положил еду, что снарядила им мать: пряженики с мякиной и толчёной корой, варёного петуха. Вытащил кремень и кресало, но передумал — обвил тетивой лука круглую деревяшку. Когда Огонь разгорелся и ярко осветил дубовое изваяние, заставив таять на нём лёд, Светозор обнажил голову и промолвил:

— Господине наш, Перуне Сварожич! Прими угощение и услышь, сгинувший. Есть в Океан-море остров Буян, есть на том острове сырой раскидистый дуб, что пророс всю Землю корнями. Есть под тем дубом горючий камень Алатырь, всем камням камень. Ты, Перун, пахал тучи сохой, рассеивал молнией семена. Ты отца нашего выучил ковать медь и железо. Худо нам без тебя, без брата твоего Солнца. Ты привстань, сгинувший, на резвые ноги, открой ясные очи! А кладу я своё крепкое слово под белый камень Алатырь, замыкаю ключами, бросаю ключи в глубокое море: кто найдёт, всё равно моё крепкое слово не превозможет!..

Сказав так, он вытащил нож и отворил на руке жилу, окропил кровью костёр:

— Ты сочись, руда, глубоко, до самого Исподнего Мира, куда камню упавшему в двенадцать дней с ночами не долететь. Разыщи господина нашего, Перуна Сварожича, передай ему...

Договорить не пришлось: Огонь вдруг взревел и вскинулся так, словно в него вылили масло. Киевичи испуганно отскочили, а пламя взвилось выше голов и обняло изваяние, срывая ледяные оковы, рассеивая их облачком пара. Брат с сестрой могли бы поклясться, что слышали яростный, торжествующий смех, донёсшийся из костра. Когда же деревянное тело как будто зашевелилось, а Земля под ногами начала содрогаться — Светозор и Зоря, не помня себя от страха, кинулись в лес.

Этой ночью в доме Кия случился переполох. Задрожал пол, ходуном заходили надёжные стены, задребезжали один о другой глиняные горшки. Проснувшиеся кузнец и кузнечиха видели, как из-под пола выскочил Домовой и отчаянно заметался, пытаясь подпереть плечами грозно колышущиеся, готовые рассыпаться брёвна. Кузнечиха с перепугу спросила:

— К худу, батюшка, или к добру?

Домовому многое ведомо скрытого, он знает судьбу. Но на этот раз и сам Домовой только недоумённо оглядывался. И тут из углей, присыпанных на ночь золой, к самому дымогону взметнулся Огонь.

— К добру! — прогудел он. — К добру! Ты, кузнец, его провожал, а твои дети встретили! Хорошие дети!..

— Кого? — спросил Кий, догадавшись, но всё-таки не смея поверить. Однако Огонь не произнёс имени брата — съёжился, юркнул в угли назад.

Когда наконец стихла судорога Земли, шатавшая дом, и стало возможно покинуть напуганную жену, Кий оседлал длинноногого ручного лося и поехал на нём в лес. Давно не езженной тропы не видать было в сугробах, но Кий ехал уверенно. Он знал, где искать.

Исполин

Светозор и Зоря ещё долго отсиживались за елками после того, как успокоилась под ногами земля. Когда же минула ночь и опять взошёл Месяц, всё-таки набрались храбрости и полезли назад на гору.

— Надо же взглянуть, что случилось, — сказал Светозор.

Оба очень боялись, но оба откуда-то знали: их жертва, а пуще того пролитая кровь что-то стронула в мире. Пробудила что-то обессиленное, медленно умиравшее...

Они поднялись на вершину. И отшатнулись: её как мечом разрубила широкая трещина, протянувшаяся как раз через алтарь. Деревянного изваяния нигде не было видно, наверное, провалилось. А у края бездонной пропасти, раскинув руки, лицом на заснеженных камнях лежал исполин.

Брат с сестрой, двое осторожных охотников, приблизились с опаской. Каким-то образом он сумел поднять себя из бездны, но и только — остался лежать, где кончились силы. Снег на его теле не таял. А с обеих рук куда-то вниз свешивались покрытые инеем цепи.

— Какой могучий, — сказал Светозор, опуская наземь копьё. — Только заморённый совсем. Откуда он вылез? Замёрз, бедный, окоченел. А изранен-то...

— Мы с тобой виноваты, — откликнулась Зоря и тронула неподвижную руку: на этой ладони уместились бы её обе и ещё место осталось. Вздохнула: — Мы могли бы помочь ему. А теперь он замёрз.

Словно в ответ, пальцы медленно сжались, обхватив подвернувшийся камень. И хрустнул, дробясь, кремнёвый желвак, брызнули золотые искры и пропали в снегу!

— Ожил никак, — выдохнул Светозор, зора живая сестру. Ему не бывало так жутко, когда он сходился с волком в лесу. Кто был перед

362

ними? Живой человек или потревоженный в могиле злобный мертвец? Как быть: снова подойти к нему или скорей бежать в лес, вырубать осиновый кол?..

Сын кузнеца поднял над головой оберег — громовое колесо. То самое, что когда-то отбило у Лешего сироту. Знал Светозор, этот оберег не потерял ещё силы. И едва он раскрыл кулак, светлое серебро ослепительно вспыхнуло. Светозор явственно ощутил, как оберег потянулся к лежавшему и потянул с собой его руку. Киевичи пошли вперёд, как во сне.

Вдвоём они кое-как совладали перевернуть исполина кверху лицом, принялись кутать в меховые плащи. Он был когда-то черноволосым, но теперь голову густо заснежила седина. Только борода, не тронутая морозом, осталась рыжей, клубящейся, как Огонь в старой печи.

— Да он же слепой, — посмотрев на запавшие веки, всхлипнула жалостливая Зоря. — А на груди рана какая! В сердце метили! — сдвинула шапочку и приникла ухом: — Бьётся ли, не пойму...

Светозор, надрываясь, выволок из пропасти заиндевелые цепи. Они были неподъёмно тяжёлыми и вдобавок страшно холодными, жгли руки сквозь бараньи мохнатые рукавицы и варежки, надетые внутрь. Последние звенья были разорваны. Это же что за сила понадобилась!

Светозор начал снова подтаскивать сучья, устраивая костёр, — хотя бы как-то согреть, оживить найденного, прежде чем тащить домой через лес. Слепого, со страшной раной в груди, да ещё в этих цепях — он уж чувствовал, кузнец как-никак, их не всякое зубило возьмёт.

Он вдруг остановился, оброненный хворост ударил его по меховым сапогам. Осипшим голосом он промолвил:

— А я знаю, кто это, сестра.

Когда Кий, понукая лося, выехал к ним из лесу, на вершине горы бушевал щедрый костёр. Рыжекудрый Огонь взвивался в неистовой пляске, протягивал языки — обнять распростёртого в круге ярого света. Кий увидел, как медленно поднялась схваченная цепью рука, погладила пламя.

— Брат, — разлетелись угли и зашипели в снегу. — Брат!..

Двое Киевичей стояли на коленях опричь:

— Господине наш... Перуне Сварожич...

— Господине и побратим мой, — стащил шапку кузнец. Бог Грозы обратил к нему изувеченное лицо, усмехнулся знакомой усмешкой, только медленно, очень медленно. Мороз Кромешного Мира ещё не выпустил его из когтей. Он промолвил:

— Хорошие у тебя дети, Кий.

Лось сам подошёл и согнул длинные ноги, готовясь поднять небывалый труд и небывалую честь. Иные Люди теперь говорят, именно ради того дня он взят был на Небо, и вот почему приметное созвездие, рекомое Колесницей, Большой Медведицей или Ковшом, ещё прозывается Лосем. Но так это или не так, никому доподлинно не известно. А вот какое чудо действительно тогда совершилось. Впервые за тридцать лет и три года проснулся в Земле цветок и выглянул наружу, доверчиво расправил лилово-синие лепестки, украшенные золотистым пушком. Дружно ахнули Зоря и Светозор: никогда ещё они не видели живого цветка. А сын Неба коснулся его пальцами и сказал:

— Не вовремя ты вылез, малыш. Но с этих пор у твоего племени всегда будет по шесть лепестков. Станешь ты лечить Людей и прозовёшься — Перуникой...

Секира и конь

Кий с детьми привезли спасённого Бога Грозы к себе в дом, уложили на полати, где потеплей. Но только управились, как что-то стукнуло в дверь. Потом ещё. И ещё раз.

— Кто там? — спросила кузнечиха. Ей никто не ответил, и Кий сам пошёл открывать. На крыльце у порога лежала секира с измятым, иззубренным золотым остриём. Пока Кий смотрел, она шевельнулась, вползла в дом, вспрыгнула на полати и виновато легла под руку Бога Грозы.

— Пришла! — сказал ей Перун. — Что толку с тебя?

В избяном тепле ледяная корка обтаивала на лезвии и стекала, как слёзы. Кий уже не особенно удивился, когда извне громко и жалобно заржал конь. Выглянувший кузнец увидал чуть живого, тощего жеребца: одно золотое крыло вспыхивало неверным, дрожащим огнём, второе, поломанное, трепетало, не в силах взмахнуть. Кий выдернул несколько кольев плетня, поймал рваные остатки узды и заставил коня войти, пятясь, через дыру — чтобы не выследили. Кое-где в хвосте и гриве ещё виднелись нанизанные жемчужины, но вся шерсть от ушей до копыт, прежде белая, была теперь черней черноты.

— Здесь, здесь твой хозяин, — утешил его кузнец. И повёл в конюшню, ласково приговаривая: — Это Змей на тебя дохнул, что ты так почернел? А с крылом что? Может, вылечим?

Конь узнал его и шёл, прижимаясь щекой к плечу Кия, нетвёрдо на ослабевших тонких ногах. Кий укутал его попоной, Зоря замесила тёплой болтушки. Крыло, покалеченное когда-то, казалось только что перебитым, конь вздрагивал. Кий с сыном бережно вправили косточки, привили лубок:

— Ешь получше да выздоравливай поскорее!

Когда же посреди ночи Светозор пришёл навестить жеребца, он увидел рядом с ним Домового. Кудлатый маленький старичок, схожий обликом то ли с Кием, то ли с Киевым умершим отцом, взобравшись на ясли, расчёсывал и заплетал в косы длинную гриву, пододвигал корм, мягонькими лапами поглаживал больное крыло:

— Буду гладить гладко, стелить мягко! Станешь снова весёлым и резвым, как был!

Тур — золотые рога

Прежний могучий сын Неба, на которого так надеялись Люди, не смог бы теперь не то что за них заступиться — даже оборонить себя самого. Кий с кузнечихой пробовали лечить раны, но раны не заживали. И от цепей веяло таким морозом, что холодно было в избе — топи не топи. Кий с сыном пытались их разрубить, но только перепортили острые стальные зубила.

— Туда, где я был, камень падал бы двенадцать дней и ночей, — сказал Кию Перун. — Не минуешь ты горя из-за меня, побратим, когда нагрянут искать. Жаль, не вижу! Небось постарел за тридцать три года?

— Да и ты не помолодел, хоть и Бог, — ответил кузнец. Он вспомнил о самородке, что когда-то давно принесла в его кузницу злая Морана. Он тогда уже понял, что это было железо с Железных Гор, неподатливое и злое. Недаром надеялась ведьма выковать гвоздь!

— Может, сгодится разок для доброго дела, — рассудил Кий. Встали они со Светозором на лыжи, отправились в лес разыскивать вмёрзший в Землю валун, под которым спал заклятый клад. По дороге их догнал на санках сосед, спросил любопытно:

— А правду ли бают, у тебя домочадец новый завёлся? Работника взял, али жених к дочери зачастил?

Кузнецы не отважились много болтать о Боге Грозы. Мало ли каких ушей достигнет молва, ещё бедой отзовётся.

— Это друг мой давний, Тархом Тараховичем прозывают, — ответил Кий. — Зашёл в гости да приболел.

— А ты его перекуй в здорового, — засмеялся сосед. — Ты же, сказывают, умеешь.

— Попробую, — пообещал Кий.

Им было по пути, и сосед подвёз их в санях. А пока ехали, рассказал, какая напасть приключилась за болотами, у дальней родни. Там поднялись из берлог разом три шатуна, прожорливые и свирепые. Диво, вместе охотились. Видели их на Глядень-горе, что-то они там искали, но, знать, не нашли и повадились заходить во дворы — рвать собак, вытаскивать скотину из хлевов. Бабы, дети уже за порог боялись ступить, да и мужики с оглядкой высовывались. И старейшина приговорил:

— Откупимся девкой! Отдадим медведюшкам невесту-красавицу, авось подобреют...

Так и сделали. Выбрали девку: глаза родниковые, коса по колено — чистое золото. Обрядили в свадебную рубаху, велели отцу-матери кланяться и расчесали волосы надвое:

— Не осуди, Светлёнушка! Уважишь медведюшек, самого Скотьего Бога уважишь. Пускай нас помилует!

Ибо Волосу, мохнатому Змею, медведь был от века первый товарищ. Такой же прожорливый, свирепый и сильный, да и ленивый. И на девичью красу такой же несытый.

Что ж! Свели плачущую невесту глубоко в чащу лесную, в заросший ельником лог, откуда всего чаще выникали медведи. И оставили привязанной к дереву на поляне:

— Заступись, кормилица! Ублажи Волосовых зверей! Не дай лютой смертью изгибнуть!

С тем ушли старики. Но не увидели старыми глазами, что вблизи схоронился Светлёнин бедовый меньший братишка. Решил малец выследить, в какую сторону поведут её женихи, чтобы потом навестить в берлоге, привет домой передать. А утихомирятся, залягут снова в спячку медведи — может, назад в деревню забрать...

И вот захрустел мёрзлый снег под двенадцатью когтистыми лапами. Вышли на поляну три шатуна. Светлёнин братец не помнил, как высоко на дереве оказался. Только видел, как начали медведи обнюхивать обмершую невесту и свадебное угощение, сложенное у её ног...

Но не довелось им потешиться. Совсем рядом послышался рёв, от которого с ветвей осыпался снег, а храбрый малец еле усидел на суку. Затрещало в подлеске, и из чащи, вспахивая сугробы, вылетел тур.

Грознее зверя не водилось в лесу. Рослый мужчина не смог бы взглянуть поверх его чёрной спины, разделённой белым ремнём. Быстроногий олень не умел его обогнать, превзойти в стремительном беге. А рога длиной в руку, выгнутые вперёд, играючи расшвыривали волков, метали с дороги охотников вкупе с конями...

Вот что за чудище вырвалось на поляну и встало между невестой и женихами, и пар струями бил из ноздрей на морозе. Мальчонка с ветки увидел, что на рогах быка горело жаркое золото. Не простые были медведи, не прост был и тур. И кто страшнее, неведомо.

А рёв тура уже смешался с медвежьим. Оторопевшие поначалу, косматые женихи втроём бросились на быка. Один разорвал ему когтями плечо, другой успел укусить, но третьего тур вмял в снег и там оставил лежать. Новая сшибка, и ещё одна бурая туша взлетела, перевернулась и грянула о сосну, так что белая шапка обвалилась с вершины. Последний шатун встал на дыбы, но тур пригвоздил его золотыми рогами к необъятной берёзе и держал, пока тот не замолк и не свесил когтистые лапы, оставив полосовать ему шею. Тогда тур швырнул его прочь, ещё раз коротко проревел и пошёл к дереву, у которого без памяти висела на верёвках невеста. С его плеча и шеи капала кровь. Вот бык наклонил голову, осторожно дохнул Светлёне в лицо. Кончиком рога поддел лыковые путы и разорвал, как гнилую нитку. И тормошил тёплой мордой упавшую девушку, пока она не очнулась. Светлёна отчаянно вскрикнула, заслонилась локтями... тур ничем её не обидел. Губами поднял из снега какой-то мешочек, затянутый длинным оборванным ремешком. Положил ей на колени, подставил могучую изодранную шею. Светлёна неверными руками кое-как обхватила её, крепко завязала концы ремешка. Погодя стащила платок, взялась унимать, заговаривать кровь:

— Ты, руда, стань, боле не кань...

Тур слушал смирно, опустив грозную голову. Только всё заглядывал Светлёне в глаза, будто силясь что-то сказать. А потом непоседа-братец увидел, как тур припал на колени, и сестрица неловко, несмело взобралась ему на спину. И пошагал тур, чуть заметно прихрамывая, по глубокому снегу прочь, как будто поплыл...

— Вот дела-то, — скончал свою повесть говорливый сосед. — Хотели с собаками его обложить, да больно уж лют. Только лучше бы девка досталась, кому назначали. Боятся теперь, разгневается Скотий Бог, хуже не было бы!

Перунич

Кий с сыном перевернули обледенелый валун, вытащили самородок. Не тронутый ржавчиной, он синевато блестел, и обломанные края были остры — как раз то, что надо. По пути домой они завернули в кузню за молотом, и тут издали долетел звериный рёв — далёкий, ослабленный расстоянием. Однако подпилки, свёрла и молоточки немедленно отозвались, заговорили. Чуть слышно запел даже большой молот-балда, не забывший руку Перуна. Кий ударил кресалом, и Огонь выпростал из горна длинный язык, будто прислушиваясь. А Кию подумалось, что точно так звенела когда-то его

кузница, откликаясь на гневный голос Сварожича.

— Тур кричит, — сказал Светозор. — Уж не
тот ли?

Выглянули они в дверь и вот что увидели.
С опушки, проламывая ранящий наст, во всю
мочь бежал тур — золотые рога, и на его спине,
вцепившись в чёрные космы, ничком лежала
девушка. А за туром на перепончатых крыльях,
злобно шипя, летел... нет, не Волос, в два раза
поменьше, но тоже страшилище. Чешуя вокруг
шеи переливалась пёстрыми бусами, на плоском
затылке болталось подобие косы.

— Живёт же мерзость такая, — покоробило
Светозора.

— Змеевна! — сказал Кий. — А ведь догонит!

Летучая тварь между тем прянула вниз, метя
кривыми когтями. Но промазала — лесной бык
увернулся, вспахав белую целину. Змеевна ударилась оземь и вдруг обернулась красавицей в
длинной искрящейся шубе. Только светились
глупые радужные глаза.

— По-доброму ворочайся! — расслышали
кузнецы. — Её брось, и свадебку справим! А не
то вечный век будешь в турьей шкуре ходить!

Бык молча бросился, пригибая золотые рога.
Но красавица обернулась громадной клыкастой
свиньёй — опять с косою и бусами. Лязгнула
челюстями. Жаль, не выпросила у батюшки ледяного змеиного зуба!

Кий с сыном замахали руками, закричали в
два голоса. И тур их услышал. Повернулся и

372

тяжело поскакал, выбиваясь из сил. Огонь в горне свирепо гудел, сам собой разгораясь жарче не надо. Кий сунул в него тяжёлые клещи и поспешил обратно к двери. Подскакавшему туру пришлось заползать на коленях, но всё-таки он успел: кузнецы вдвинули засов перед самым рылом свиньи. Ударившись о железо, веприца отлетела с бешеным визгом. Кузнецы оглянулись посмотреть на быка, но быка не было. У наковальни, прижавшись друг к дружке, сидели на полу девка и парень — черноволосый, в изодранном жениховском наряде. Двумя руками он крепко держал привязанный на шею мешочек, глаза были сумасшедшие. А ноги — босые, сбитые в кровь. А ещё на полу лежала порожняя шкура, увенчанная золотыми рогами. Обоих, парня и девку, колотила дрожь.

— Здрав буди, Перунич! — прогудел из горна Огонь. — Признал ли, братучадо?

Парень хрипло откликнулся:

— И ты гой еси, Огонь свет Сварожич! Как же мне тебя, стрый-батюшка, не признать!..

Поднялся, пошатываясь, подошёл и обнялся с вылетевшим из горна Огнём. Девка пискнула, закрыла руками глаза. Между тем веприца снаружи прохрюкала:

— Кузнец, отвори!

Кий ответил:

— Рад бы, да засов застрял, не могу. Не обессудь уж.

Змеевне, видно, умишка, чтоб думать, совсем не досталось, одни прихоти:

— Как же я его у тебя заберу?

Кий посоветовал:

— А ты пролижи дверь, где нету железа. Я его тебе на язык-то и посажу.

Перунич подошёл к кузнецу, и турья шкура поползла по полу следом, готовая вновь прыгнуть на плечи.

— Сам выйду... Светлёну побереги. И вот ещё... тебе нёс, сохрани...

Он протянул Кию мешочек, но Кий отмахнулся:

— Погоди ты. Мы Волоса выпроваживали, неужто Волосовну не отвадим?

Веприца тем часом лизала дубовую дверь, сопя и плюясь. Дуб, громовое дерево, был ей не по вкусу и к тому же поддавался с трудом. Но вот дыра засветилась. Она всунула язык в кузницу далеко, как только смогла:

— Ну, сажай!

Светозор передал отцу горячие клещи.

— Держи, — сказал Кий и изо всей могуты стиснул слюнявый язык.

Змеевна завизжала так, что впору было оглохнуть. А уж рвалась — мало языка не покинула у Кия в клещах.

— Что с ней сделаем? — спросил кузнец. — Может, в соху впряжём, деревню опашем, чтобы Коровья Смерть не ходила?

— Пусти её, — сказал Перунич. Кий разжал клещи, и Змеевна без памяти кинулась наутёк, на ходу принимая крылатый облик. Светозор усмехнулся:

— Теперь если вернётся, так разве у батюшки на хвосте.

Кий нахмурился.

— А ведь правда твоя, поспешать надобно. Вот тебе, Перунич, сапожки. Будет ноги-то по морозу калечить.

Но Перунич покачал головой, глядя на шевелящуюся шкуру. Могучий, красивый парень, чистый отец, только чуть помягче лицом. Верно, в мать, подумалось кузнецу. А Перунич сказал:

— Я опять стану туром, как только выйду отсюда. Я пробовал... на горе Глядень, в святилище. Заклятье на мне. Я сын Богов, но мне не справиться с колдовством. Я-то ведь не Бог... я не знал Посвящения...

— Это не беда, полбеды, — отмолвил кузнец. — А ну, дай-ка я попробую!

Шкура наставляла рога, вырывалась, но у себя в кузнице Кий был сильнее. Живо сгрёб её в охапку, скрутил тугим узлом. Светозор подоспел, мигом оковал железными полосами. Вдвоём спрятали её в мешок:

— Пошли теперь!

У Кия был злой пёс во дворе. С чёрным нёбом, с тремя чёрными волосками под челюстью, на обеих передних лапах по когтю выше ступни — волка брал не задумываясь, человека чужого к дому не подпускал. А увидел Перунича — заскулил, на брюхе подполз. И молодой Бог не оттолкнул пса, не шагнул в нетерпении мимо. Нагнулся, за уши потрепал...

Зоря с кузнечихой только ахнули, разглядев, кого привёл Кий. А Перунич уже стоял на коленях подле Бога Грозы:

— Отец...

Не смог ничего больше выговорить, обнял его и заплакал. Слепой исполин опустил ладонь на мягкие чёрные кудри:

— Вот так же ты плакал за дверью, когда тебя щипала Морана. Врала старая ведьма, ты — мой!

Сын развязал кожаный мешочек, вынул ларец. Поднял крышку, и изнутри вспыхнули два синих огня. И ещё что-то, медленно, равномерно стучавшее:

— Я принес тебе глаза и сердце, отец...

Стальное лезвие

Оказалось, он получил их как свадебный дар, когда за него сговорили младшую Змеевну. Злобной Моране до того не терпелось смешать Змеево колено с родом Богов, что на радостях она утратила всякую осторожность. Решила, верно, — невелика беда, коли хочет, пусть балуется, всё равно к отцу не проникнет. Перунич рассказывал о своём сватовстве, содрогаясь от отвращения. Светлёна гладила его по руке.

Бог Грозы медленно ощупал ларец с глазами и сердцем. Он сказал:

— Вскипятите мне непочатый котёл родниковой воды...

Двоим молодцам и двум девкам немедля дали ведёрки и по коромыслу, отправили за водицей. Светозор повёл к гремячему ключу, что возник когда-то от молнии и единственный до сих пор не замёрз, не покорился морозу. Но на полдороге Перунич шагнул с тропы в сторону:

— А вот ещё родничок!

Заботливо расчищенная дорожка вела к колодезю, полному до краёв. Гладкие брёвнышки сруба искрились под Месяцем. Светозору вдруг померещилась на них чешуя. Он схватил за плечо молодого Бога, уже намерившегося зачерпнуть. Дёрнул назад, прошептав:

— Его здесь не было раньше! — и добавил погромче: — У нас вера такая, всегда в новый колодезь сперва горячие клещи кидать...

Они едва успели отпрянуть. Колодезь сделался Змеевной, взмыл и с криком умчался за лес. Храбрые девки держались одна за другую, зелёные от пережитого страха. Гремячий родник встретил их радостным журчанием, быстро наполнил ведёрки, и больше никто не пытался им помешать.

Кий утвердил во дворе большой железный котёл, в котором некогда варили пиво для его свадьбы. Налили воду, уложили дрова. Когда белым ключом забил крутой кипяток, Перунич и Светозор под руки вывели из дому Бога Грозы. Морозные цепи тащились следом, цепляясь за что ни попадя. Кузнечиха, Светлёна и Зоря подталкивали цепи кочергой, поддевали рогатым ухватом, гнали вон помелом. Рыжекудрый Сварожич выметнулся встречь брату из-под котла, обернулся жар-птицей — огненным кочетом. Острым клювом бережно взял из ларчика глаза, вложил в пустые глазницы. Взял сердце и опустил в рану, так испугавшую детей кузнеца. Из ожившей раны тотчас закапала кровь. Перун шагнул через край котла, в дымящийся кипяток. Совсем скрылся в густом облаке пара. И вышел на доску, прилаженную с другой стороны.

— Господине... — почти испугался кузнец.

Перед ним был прежний Перун, повелитель блещущих молний, хозяин неукротимой грозы. Выйдя из котла, он словно впервые заметил цепи, в бессильной злобе болтавшиеся на запястьях. Он стряхнул их, сломав между пальцами, как ореховую скорлупу, и бросил в костёр. Они по-змеиному зашипели, но Огонь сразился с ними и растопил.

Как встарь, зоркими синими глазами смотрел на Кия Перун, смотрел на своего сына... Нет, всё-таки он изменился. Голова осталась седой, и морщины легли на щёки и лоб, точно шрамы горя и муки. Он был дарителем жизни, а сделался — воином.

— Вы, тёмные Боги... — сказал он негромко, но словно бы гром аукнулся вдалеке. — И ты, Змей Волос, Скотий Бог!.. Ужо вам!..

Кий невольно попятился...

— Пройди через котёл, — сказал Перун сыну. — Это твоё Посвящение. Пускай все видят, какого ты рода.

Не раздумывая, Перунич шагнул в кипяток. Светлёна даже закричать не успела. А сын вышел вслед за отцом вроде бы совсем таким же, как был... но теперь турья шкура навряд ли осмелилась бы одеть его своевольно. Колдовство Мораны и Чернобога не было больше властно над ним.

Из конюшни, грудью выломав крепкие двери, выбежал конь. Заплясал, взмахивая здоровым крылом. Бог Грозы повёл к котлу и его. Взвился в прыжке жеребец, окутался вихрем белого пара... и вылетел совсем здоровый, могучий, стремительный. Только крылья, прежде похожие на лебединые, стали подобны крыльям орла, да опалённая шерсть не сумела вновь побелеть. Это была чернота грозовой тучи, способной прогреметь даже в мороз.

Перун поднял измятую золотую секиру:

— И перековать бы тебя, да толку...

Кий принёс ему самородок:

— Не сгодится ли? Это Морана мне приносила, мёртвый гвоздь сказывала ковать, да я её выгнал.

— Счастье, кузнец, что ты его не коснулся, — приняв самородок, ответил Перун. — Такой зуб и меня вморозил бы в лёд. А если бы ты дал его Людям, не накопившим ума... Это оружие для Богов, да и то, лучше бы мне не видать его никогда.

— Теперь твои молнии научатся убивать, — сказал сын. — Ты станешь страшным. Тебя начнут бояться, отец. Тебе будут молиться те, кто изберёт для себя раздор и войну...

Бог Грозы опустил седую кудлатую голову.

— Значит, это ещё одно горе, которое мне суждено. Что ж, пусть так. Мне нужно оружие, чтобы вызволить Солнце и Весну, и их уже никто не станет бояться. А сражающиеся Люди всё равно найдут, кому поклоняться...

Работа, за которую они тогда принялись, в самом деле была по плечу одним лишь Богам. В горне разгорелся такой жестокий Огонь, что вся кузница готова была раскалиться. Неуступчиво, неохотно грелось злое железо, но под ударами Бога Грозы наконец подалось, начало сплющиваться в полосу. Кий и Перун выправили золотое лезвие топора, изуродованное о змеиную чешую, и наварили на него остриё. Вначале секира вздрагивала на наковальне, страшась принимать смертоносную сталь. Потом притерпелась, и вид у неё сделался зловещий.

Перун подновил знаки Грома и Солнца по обе стороны острия.

— Теперь пусть прилетают, — сказал он, выйдя из кузницы. — Хоть вместе, хоть порознь! Не то я сам к ним в гости пожалую!..

Потряс секирой и метнул к Железным Горам слепящую лиловую молнию, вызывая на бой. Таких молний ещё никогда не видали ни Боги, ни смертные Люди. Жемчуг от такой не родится. Мертвым, страшным был её свет... А следом прозвучал небывалый раскат, от которого вздрогнуло, прислушавшись, тёмное Небо, а по избам проснулись древние старики, вспомнившие о чём-то:

— Гром! Никак гром прогремел!..

И глубоко под Землёй, в Исподней Стране, за весёлым столом расплескали хмельные кубки Чернобог, Морана и Змей:

— Гром гремит... неужто опять?

А Перун повернул секиру обухом и стал рассылать над Землёй золотые, животворные молнии. И впервые за тридцать лет и три года ослабла хватка мороза, повлажнел воздух, набрякли, отяжелели пуховые перины сугробов. Светозор, привыкший к трескучему холоду, первый расстегнул ворот, утёр лицо, удивился:

— Жарко!

С тех пор и повелось говорить об оттепели — потеет зима. Чёрные деревья раскачивались на сыром ветру, советовались: не почудилось ли, стоит ли пробуждаться? А почки на голых ветвях тем временем медленно набухали.

Поединок со Змеем

— Мы с тобою пойдём, — сказал Перуну кузнец. — Мало ли какую они там ещё пакость измыслят!

Он отвёл жену к брату и хотел оставить у него в доме Зорю со Светлёной, но девки упёрлись:

— Не бросим вас!

Тогда Перун вытащил из мешка турью шкуру. Порвал железные полосы и отдал шкуру сыну:

— Будешь надевать и снимать её, когда сам пожелаешь. И не только её — всякую, что приглянется.

Так они и отправились к Железным Горам. Кий и Светозор уместились на чудесном коне вместе с Богом Грозы, а за ними скакал молодой Перунич в обличье золоторогого тура, и на широкой спине его ехали Светлёна и Зоря. И всюду по их следам обрушивались сугробы, задували тёплые ветры, разбегались ручьи. А в небесах стала собираться туча, какие редко бывают зимой. Только Кий, Перун и крылатый конь когда-то видали подобные. Это была настоящая грозовая туча, и вершина её всё росла и росла ввысь, пока ветер не начал клонить её в сторону, делая похожей на наковальню.

— Это в память о твоей кузнице, — сказал Кию Перун.

Железные Горы показались им вдвое выше и неприступнее прежнего — из-за многолетнего льда, выросшего на скалах. Но грозовая туча накрыла, как горсть, громоздящиеся хребты. Бог Грозы сплеча ударил секирой, и горы содрогнулись до основания, а к Небу взвились с ледников столбы шипящего пара:

— Я пришёл, Змей!

Чернобог и Морана вдвоём еле вытолкали Волоса наружу из укромных пещер.

— Не пойду, — упирался он. — Неохота. Боюсь. У него топор острый, поранит...

— А у тебя чешуя из синего льда, — сказал Чернобог. — Золотая секира тогда её не прошибла, не прошибёт и теперь.

— Он мне и без секиры тот раз шею чуть не свернул, — упрямился Волос.

— Так не свернул же, — сказала злая Морана. — А тридцать лет и три года в цепях провисев, тем более не свернёт.

— Змеиху со Змеевичами снарядим на подмогу, — пообещал Чернобог. А Морана прикрикнула:

— Хочешь, чтобы он жену свою оживил? Солнце выпустил? Вдвоём-то они знаешь что над тобой учинят!..

Лязгнул Змей мёртвым клыком, взмахнул крыльями, полетел.

Над Железными Горами висела страшная туча — чёрно-синяя, отороченная трепещущим кружевом молний, с высокой клубящейся наковальней. Тёплый ливень ударил Змею в глаза, загремел по натянутым перепончатым крыльям, и смутно припомнило чудище, как славно было когда-то купаться в струях дождя. Но слишком давно сидел в его пасти ледяной зуб. Решил Волос вновь заморозить грозную тучу, развеять вихрем снежинок. Ощерился, дунул — и впрямь полетели мокрые хлопья, но тотчас хлынул дождь пуще прежнего, умывая далеко внизу Железные Горы, растапливая несокрушимые ледники. И внезапно перед Змеем явился сам Бог Грозы на вороном крылатом коне, с боевым топором, поднятым над головой, и топор горел двойным пламенем — золотым и лиловым. Вновь ощерил Змей мёртвый клык, затеял дохнуть ледяным вихрем на чудесного скакуна, перебить ему крылья. Но жеребец лишь заржал и помчался быстрее, и Змею причудились рядом с ним ещё трое, сотканные из капель дождя... Что делать? Кинулся Волос, разевая лютую пасть, готовую поглотить и всадника, и коня:

— Снова в семьдесят семь цепей закуём!

Только расхохотался Перун. Прокатился его смех до самой Исподней Страны. Вздрогнули в морозных снегах души Людей, запятнанные бесчестьем и не удостоенные ирия: им показалось, мучитель-мороз начал ослабевать. Ударила синяя молния, и вдребезги разлетелся змеиный зуб, мёртвый клык, сонный ледяной гвоздь. Перекувырнулся Змей в воздухе, замотал головой, закричал. Закричали от ужаса Морана и Чернобог. Со всех ног кинулась злобная ведьма ловить грязным подолом осколки разбитого зуба. А Чернобог выпустил из пещер Змеиху Волосыню, семерых Змеевичей и Змеевну:

— Летите!

Кинулась Волосыня мужу на выручку, дети набросились на Перунича и Людей. Но те готовы были к отпору. Ясным пламенем вспыхнули золотые турьи рога, отбросили первую налетевшую тварь. Кий со Светозором подожгли смолёную паклю на стрелах, метнули встречь стае жаркий Огонь, не думавший гаснуть и под дождём. А храбрые девки-красавицы показали Змеевне тяжёлые кузнечные клещи — и та с визгом кинулась наутёк.

Трижды через всё поднебесье прокатывалась неистовая гроза. Вновь и вновь настигала секира Змеиху и Змея, чья ледяная броня растаяла под струями ливня. А внизу ликующе звенели ручьи, падая в озёра и реки, с гулом трескался набухший, истончившийся лёд. Люди закрывали уши руками, чтобы не оглохнуть от грома, испуганно выбегали во дворы — и тут замирали, вдыхая неведомые запахи Земли и мокрого весеннего леса. Пылали над головами грозные тучи, сполохи молний озаряли небесного всадника и туши корчащихся, бегущих чудовищ...

Змея долго выручал огненный палец, отнятый когда-то у пленного Бога Грозы: отшибёт золотая секира когтистое перепончатое крыло, он подхватит его, чиркнет — и приросло накрепко. Отлетит хвост — он и хвост тотчас приживит. Но вот размахнулся Сварожич, и гремучая молния начисто срезала украденный палец, и палец полетел вниз, сверкая, как звезда в темноте. Волос и Волосыня вдвоём метнулись вдогон, но прежде них подоспел огромный орёл, схватил палец и принёс прямо в руки Богу Грозы. Это Перунич решился испробовать подарок отца, да и подсобить чем возможет.

Сказывают, Волос пытался спастись, укрывшись под камнем, но молния в прах разбила валун. Тогда Змей спрятался за стволом могучего дуба, надеясь, что своё дерево Перун пощадит. Не пощадил — расколол, разнёс в мелкие щепы, и дуб запылал. В отчаянии кинулся Скотий Бог назад к Железным Горам и юркнул, съёжась как мог, за спину кузнеца Кия. И точно — остановилась занесенная секира... но не оплошал и кузнец: железными пальцами схватил Змея за шиворот и держал, пока не подоспел сам Бог Грозы.

Змеевичи уже сидели рядком под присмотром отважных девчонок и Светозора, не спускавшего с них глаз. Змеево племя было гораздо на одного всемером, а теперь — хоть жалей их, присмиревших. Но оказалось, жалеть было рано, самую последнюю пакость они ещё не свершили. Стоило Перуничу ступить наземь и сбросить долой орлиные перья — Змеёныши разом перекувырнулись и приняли его облик, да так, что по глазам только отличишь. Обступили внука Неба со всех сторон, загомонили:

— Он наш! Он с нами рос!

— Он брат наш молочный! Одни кормилицы нянчили!

— Он сын Змея, а не Грозы! Признаешь его своим, признавай и нас всех!

И лишь один голос тихо промолвил:

— Бей, отец. Лучше твоим сыном умру, чем жить с ними братом.

Стиснул зубы Перун... поднял руку, и полыхнула секира, метнула смертельное синее пламя. Ахнули Киевичи, в ужасе закричала Светлёна... Рассыпались оборотни на множество земляных червей и ядовитых крохотных гадов, а Перунич остался стоять, как стоял. Разве могла отцовская молния причинить ему вред?

Змей со Змеихой проливали горькие слёзы: осталась у них одна младшая дочка, и та невесть куда убежала. Что ж, сами виновны.

— Как поступишь с ними, отец? — спросил Перунич, обнимая Светлёну.

— Пусть живут в Исподней Стране, — ответил Перун. — Пусть владеют богатствами подземелий, мне они ни к чему. Пусть таскают золото тем, кто жертвует яйца и молоко. Пусть помогают растить хлеб и холить скотину. Но если я ещё раз увижу их в небесах...

— Клянёмся!... Клянёмся!... — в два голоса закричали чудовища.

Говорят, впрочем, Змеиха всё-таки не сдержала данного слова, и Бог Грозы поразил её уже без пощады. Вот, стало быть, откуда появилось на Небе созвездие Волосыни. Змей же Волос до сего дня живёт в глубоких пещерах, и ему по-прежнему молятся о богатстве, о приплоде скота и об урожае. Недаром выросший хлеб называют Волосовой бородой и последний клок всегда оставляют, чтобы на другой год лучше росла. Однако поскольку борода эта рыжая, столь же часто её прозывают Перуновой, и справедливо. Ещё сказывают, Волос теперь всё больше ходит на двух ногах и в одежде, как человек. И лишь изредка снова примеривает змеиные крылья, отваживается выглянуть из надоевших пещер. Тогда удары страшного грома сотрясают небесные своды, пока секира Перуна не загонит Змея обратно, а с ним и разную нечисть, выбравшуюся за добычей. Вот почему так чист воздух и так легко дышится после грозы.

Но всё это было потом.

Рассвет

Молния за молнией обрушивались на Железные Горы, и горы глухо стонали, раскатываясь ржавыми глыбами. Чернобог и злая Морана кинулись в тайный лаз, думая достичь Кромешной Страны и там отсидеться.

Но пока они отталкивали друг дружку, спасая каждый себя, секира Перуна намертво заклепала крысиный лаз сперва впереди них, а после и сзади.

— Выпусти нас! — раздавалось из глубины. — Выпусти! Пожалей!

— А вы мою жену и брата жалели? — ответил Перун. — А сына маленького? Будете сидеть, где сидите. Не ходить больше вам по Земле, не поганить её своими следами.

И вот рухнули последние скалы, растворились не знавшие света пещеры, выбежали из тех пещер несчастные полонянки — совсем молодые и те, что успели состариться за тридцать лет и три года в неволе. Но неподвижно, покрытые нетающим инеем, стояли белые кони, впряжённые в солнечную колесницу. Бездельно лежал потускневший, покрытый пятнами золотой щит. И ни молния, ни огненный палец не смогли пробудить Даждьбога и Богиню Весны, вмурованных в лёд.

Тогда из глубокого подземелья, где были заперты Морана и Чернобог, послышался злорадный смешок.

— Только мы — повелители Смерти! Только мы можем пробудить тех, кого погрузили в сон. Выпусти нас, Перун. Отдашь половину Земли — так и быть, получишь жену и брата назад.

Перун ничего им не ответил. Он глядел сквозь лёд на замученную жену, и рядом стоял сын, которому она всё же сумела шепнуть на ухо имя отца.

Зоря и Светозор преклонили колена перед могилой Даждьбога...

— Я бы запрягала ему коней, если бы он поднялся, — молвила Зоря и заплакала. — Такие не должны умирать!

— А я распрягал бы, — хмурясь, откликнулся Светозор. Ему, мужчине, плакать не честь, хотя и трудно было сдержаться. А девичьи слёзы закапали невозбранно и часто, горячие, горькие... и вот диво: не выдержал колдовской лёд, пошёл трещинами, раскололся. И золотой щит, который Кий поднял с камней в надежде поправить, начал в его руках наливаться медленным жаром, разгораться ярче и ярче.

Между тем Бог Грозы склонился к неподвижной жене и поцеловал её, то ли здороваясь, то ли прощаясь навек. И новое диво! С громовым треском распалась, рассыпалась ледяная гробница. Какие угодно удары могла она выдержать, какие угодно заклятия. Но от любви её не сумели заколдовать ни Морана, ни Чернобог. Потому что они сами никогда не знали любви.

Дрогнули ресницы Богини Весны, вздохнула нежная грудь, тихо шелохнулись уста:

— Где мой сын?.. Где мой маленький сын?..

Перун поднял её на руки.

— Мы оба здесь, любимая, желанная моя Лелюшка! Только сынок уж вырос давно...

Бог Солнца тем часом раскрыл синие очи, узрел вместо Мораны и Змея плачущую Киевну и её брата, и сведённое гневом чело немедля разгладилось:

— Кто ты, двица? Кто обидел тебя? А ты, добрый молодец, откуда здесь появился?

— Первый раз вижу, чтобы Солнце чего-то не знало, — усмехнулся Перун. — Да уж не влюбился ли ты, брат?

Сказывают, Зоря и Даждьбог одновременно покраснели.

Кузнец Кий выправил на щите заклёпки, расшатанные прокудливым Змеем, и отдал Сварожичу сияющую золотую святыню:

— Володей, господине... Поди в Небо, Даждьбоже, освети и согрей! Стосковалась Земля, все живые твари заждались...

Белоснежные скакуны высекали искры копытами, грызли удила, просились в полёт.

Вот так снова взошло над Матерью Землёй прекрасное Солнце, поплыло в счастливом, заплаканном от радости Небе, зажгло в ещё грохочущих тучах сразу три семицветные дуги, три ликующие радуги. Вновь увидели его старцы, помнившие прежние времена; увидели даже те, кто давным-давно утверждал, что ослеп. Увидели молодые, родившиеся во мраке. И кое-кто — Волосово колено — недовольно сощурился, начал прикрывать руками глаза. А следом за Солнцем, непобедимая и босоногая, ступала Леля-Весна. Превращала последние залежи снега в лепечущие ручейки, освобождала лесные озёра и могучие широкие реки, окутывала зелёным туманом проснувшиеся леса. Всплывали из омутов Водяные с Русалками, выбегали на поляны шальные от радости Лешие с жёнами-лисунками и малыми лешачатами. Отколь ни возьмись, налетели крылатые девы, подруженьки-Вилы, помчались в синем просторе, благословляя поля. Видели Люди, как повеселевший Ярила торжественно вынес сверкающие ключи и отомкнул небесную высь, отпуская из ирия гусей, жаворонков, лебедей — всех и не перечтёшь. Звонче серебряных труб раздавались над миром их клики, прославляя вовеки бессмертную, неистребимую Жизнь.

Говорят, Киевичи столь полюбились Даждьбогу, что он уговорил их остаться и вместе странствовать в небесах, распрягать-запрягать, как сулились, белых коней. Зоря, чьи слёзы подняли его из могилы, стала ему любимой подругой, верной женой. Это её алая свадебная фата, её ласковая улыбка так красит небосклон поутру, когда Солнце отправляется в путь. А вечером, на берегу западного Океана, их ждёт в гости братец Светозор — румяный закат. И, должно быть, не врут, будто летом, в пору коротких ночей, брат с сестрою не разлучаются вовсе, или разлучаются ненадолго. Говорят также, все втроём они растопили снега Кромешного Мира, и души не самых лучших Людей, не удостоенные ирия, избавились от мучителя-мороза. В память об этом живые что ни год жгут огромные костры из соломы, обогревая умерших, а те посещают внуков и правнуков, рассказывая судьбу. Впрочем, немного мороза в Исподней Стране всё же осталось — у запертых Железных Гор, и там мёрзнут злодеи.

Перунич, чьё Посвящение скрепил удар отцовской секиры, отпросился бродить по Земле вдвоём со Светлёной. Бог Грозы подарил ему власть над всякой дышащей тварью, птицей и зверем, хищным волком и боязливой косулей. И до сих пор в безбрежных лесах встречают могучего тура — золотые рога, а на спине у него сидит юная женщина. Или сам Перунич незримо седлает свирепого серого волка и объезжает на нём дозором людские стада. И если при этом у волка сомкнута пасть, значит, до осени можно за бурушек не бояться.

Чернобог и Морана так и сидят заклёпанные в Железных Горах. Злые Люди, кому они пролили в душу достаточно яда, разыскивают по всему белому свету осколки ледяного зуба, надеясь сложить его воедино и освободить тёмных Богов. Сказывают, от добрых Людей зависит, удастся ли им это. И надобно верить, что не удастся — ведь именно Люди, не кто-нибудь, однажды остановили беду. Смерть и холод с тех пор уже тысячи раз пытались вернуться, прогоняя птицу с гнезда, обрывая с деревьев золотые одежды, заваливая снегами леса. Но Люди всякий раз вовремя вспоминают Киевича с его жертвой и сообща помогают Солнцу воспрянуть: гасят прежний и возгнетают новый, не знавший скверны Огонь, жгут на том Огне корявое, изогнутое полено-бадняк, похожее на летучего Змея, а пепел дают выпить скоту, чтоб лучше водился. А потом кто-нибудь рядится седым воином, подвязывает рыжую бороду и водит по деревне медведя —

покорного, на поводке. И вот опять приходит весна, и дни делаются длиннее ночей, и чучело злобной Мораны под весёлые прибаутки скоморохов сжигают на масленичных кострах, повергают в быструю реку. И наконец наступает великий праздник Самого Долгого Дня, когда Мать Лада сменяет Лелю в земных заботах, а Солнце заново правит свадьбу с верной подругой и умывается, готовя себя для любимой. Вот почему этот праздник ещё называют Купальским.

Так доныне сменяются в году времена. Гремят Перуновы грозы, сияет золотом многоплодная осень, распевает метельные песни зима. Только теперешние зимы очень мало похожи на ту, великую, что едва не выморила Людей. Стоит появиться в Небе Даждьбогу, и пышные шубы сугробов переливаются на все лады, отделанные серебром и зёрнами хрусталя. Красива зима и приносит с собой не только печаль. Говорят, с наступлением Нового Года, когда Солнце поворачивает на лето, все грехи прощаются Людям, уходят вместе с минувшим годом, вместе со старым Огнём. И если когданибудь Люди оставят злобу и жадность, заткнут уши перед нашёптываниями тёмных Богов и их посланцев — зима не наступит, а Чернобог и Морана навек перестанут скрестись в Железных Горах, в заклёпанной крысиной норе. Наверное, Солнце тогда станет ярче, а Перун снимет с секиры и выбросит стальное лезвие, способное убивать: больше не пригодится!

...А что же Кий со своею доброй кузнечихой? Он не просил для себя никаких наград у Бога Грозы, не просил и жизни подольше, но до сих пор никто не слыхал, чтобы он умер. Наверное, так и живёт на священной Русской Земле, куёт своим молотом что-нибудь Людям на славу и на добро. У такого, как он, всегда найдутся дела, такому даже и бессмертие не наскучит.

Уважаемый читатель!

Весной 1991 года ленинградские (тогда ещё) писатели задались вопросом: почему в западноевропейских книжных магазинах можно найти эпос любого народа, изложенный в самых разных видах — от сугубо научного перевода с комментариями к каждой строке до детского комикса, — а у нас ничего подобного нет и в помине? Решив, что это никуда не годится, группа единомышленников во главе с Радием Петровичем Погодиным тут же распределила роли и взялась за работу. Каждый избрал для себя эпос, самый знакомый либо наиболее духовно близкий, и стал делать книжку, интересную и понятную для современных читателей. Мы не надеялись, конечно, сразу охватить всю мировую культуру, но надо же с чего-то начать!

Я взялась пересказывать скандинавские и славянские языческие мифы, и то, что вы сейчас держите в руках, есть плод моих тогдашних усилий. Прошло уже шесть лет, потускнели блистательные перспективы рыночной экономики, одно за другим разорилось несколько издательств, по которым кочевали наши невезучие рукописи... К счастью, все же удалось довести проект до ума. Я надеюсь, «Чудесное плавание Брана», «Повесть о Зигфриде и Нибелунгах» и другие произведения, вышедшие в серии «UNICORNIS» издательства «Терра», уже украшают ваши книжные полки. А теперь вот и «Азбука» издаёт мой «Поединок со Змеем», поставив его в ряд «Русского fantasy». Наверное, это справедливо. Ибо

395

откуда выросла вся фантастика «меча и колдовства», если не из тех самых языческих мифов, созданных далёкими предками и к нашему веку основательно подзабытых?..

Работать со скандинавским эпосом было относительно просто. Есть доподлинные тексты, есть видовые альбомы и — самое главное — книги учёных, вскрывающие глубинный смысл древних сказаний. Со славянскими мифами всё оказалось гораздо сложней. Их пришлось собирать буквально из «рожек и ножек», рассеянных по страницам специальной литературы. Это неправда, будто о славянском язычестве «почти ничего не известно», как мы с вами, ленивые и нелюбопытные, привыкли считать. Известно-то как раз очень много. Но кто же читает толстенные этнографические фолианты, вдобавок написанные учёными на их особенном языке?..

Вот я и собрала общие мотивы и массу отдельных деталей, выявленных современной наукой, в своего рода мифологический роман. Не стану выдавать своё творчество за этакий свод славянской мифологии, якобы найденный автором на берестяных свитках в давно забытой деревне. Это, конечно, художественное произведение. Однако «отсебятины» моей здесь минимум, и то лишь затем, чтобы сложить из разрозненных фрагментов живое и интересное целое. И пускай простят меня приверженцы различных научных школ, из которых я заимствовала те или иные положения, не становясь полностью ни на одну точку зрения. Смею думать, против мифологического менталитета своих далёких предков я всё же не особенно погрешила...

Кто сумеет — пускай сделает лучше!

Мария Семёнова

Содержание

ДЕВЯТЬ МИРОВ
(скандинавские мифы)

ПОЕДИНОК СО ЗМЕЕМ
(славянские мифы)

По вопросам оптовой покупки книг
“Издательской группы АСТ” обращаться по адресу:
Звездный бульвар, дом 21, 7-й этаж
Тел. 215-43-38, 215-01-01, 215-55-13
Книги “Издательской группы АСТ” можно заказать по адресу:
107140, Москва, а/я 140, АСТ — “Книги по почте”

Литературно-художественное издание

Семёнова Мария

Поединок со Змеем

Художественный редактор *И. Кучма*
Верстка: *А. Положенцев*
Технический редактор *Т. Раткевич*
Корректоры *Г. Тимошенко, Г. Горянова*

Директор издательства
Максим Крютченко

Общероссийский классификатор продукции
ОК-005-93, том 2; 953000 — книги, брошюры

Гигиеническое заключение
№ 77.99.02.953.Д.008286.12.02 от 09.12.2002 г.

ООО «Издательство АСТ»
667000, Республика Тыва, г. Кызыл, ул. Кочетова, д. 28
Наши электронные адреса:
WWW.AST.RU E-mail: astpub@aha.ru

Издательство «Азбука» ЛР № 071177 от 05.06.95.
196105, Санкт-Петербург, а/я 192

Отпечатано с готовых диапозитивов
в ОАО «Рыбинский Дом печати»
152901, г. Рыбинск, ул. Чкалова, 8.